D0608941

L'ARCHE DANS LA TEMPÊTE

ŒUVRES D'ELIZABETH GOUDGE

ELIZABETH GOUDGE

L'arche
dans la tempête

TRADUIT DE L'ANGLAIS
PAR MADELEINE T. GUÉRITTE

PLON

DÉDIÉ

A

MA MÈRE

Le livre que nous présentons, aujourd'hui, en France, parut à Londres, au printemps de 1934, chez l'éditeur Duckworth, sous le titre de Island Magic. Aucun équivalent n'en pouvant rendre exactement le sens et l'intention, nous avons cru préférable de substituer à ce titre celui de L'Arche dans la Tempête, qui est l'expression même que Rachel du Frocq, l'héroïne de ce roman, applique à sa demeure, la vieille ferme, battue des vents sur la falaise de Guernesey, et qu'elle s'évertue à sauver de la ruine.

La sûreté de touche avec laquelle l'auteur de ce récit a peint ses personnages ne laisserait guère supposer que ce livre pût être le premier ouvrage d'une jeune fille d'apparence timide et dont la vie fut assez retirée, si l'on ne connaissait déjà, par d'autres exemples, l'esprit pénétrant de certaines romancières anglaises, le don poétique alerte et subtil qui les anime, et si l'on ne savait qu'un fleuve de feu peut couler sous la placidité de leur visage et la réserve de leur attitude.

Ces dons ne sont accordés qu'aux êtres qui ont su atteindre à la maturité sans cesser de demeurer fidèles à leur enfance et qu', à la façon des arbres, conservent en eux les traces vivantes de leurs différents âges. Ils peuvent, à leur gré, retrouver le " domaine perdu " du Grand Meaulnes, le domaine de la

poésie et de l'enfance. C'est ainsi qu'il est permis à ces romancières de pénétrer aussi aisément dans l'âme d'un très jeune
enfant que dans celle d'un homme que la vie a jeté tour à tour
aux quatre coins du monde ; et c'est ainsi qu'Elizabeth Goudge,
fille unique d'un professeur de théologie à Oxford, nous fait
participer aux drames de toute une famille.

A suivre de cette manière l'existence intérieure des petits et
des grands, on saisit mieux ce que la romancière américaine
Willa Cather dit avoir particulièrement senti en lisant Katherine
Mansfield, " c'est que toute vie familiale, si unie soit-elle, est
double : elle est faite de la vie commune, celle que nous pouvons
observer dans la famille de notre voisin, et, derrière elle, d'une
autre vie — secrète, passionnée, ardente —, qui est la vie réelle,
celle qui marque les visages et donne son accent à la voix de
nos amis. Au fond de son âme, chacun, dans ces groupes familiaux,
ne cesse de s'évader ou s'efforce de briser le réseau d'exigences
que les circonstances et ses affections propres ont tissé autour
de lui. " Pour maintenir son intégrité, tout être humain réclame
une certaine dose de solitude : il est frappant de voir comment,
dans la famille du Frocq, depuis les parents jusqu'à la petite
Colette, chacun s'attache à défendre sa propre intégrité.

Autour de cette vie familiale, l'auteur a ranimé le folk-lore
des îles anglo-normandes, les superstitions, les coutumes de
chaque saison. C'est par son ascendance maternelle qu'Elizabeth
Goudge est Guernesiaise. Dans le grand salon provincial de sa
famille, au Collège Christchurch, on voit un devant-de-feu brodé
par son arrière-grand-mère, à Guernesey, en 1809, alors qu'elle
avait douze ans. C'est un de ces samplers qu'on collectionne
aujourd'hui et sur lesquels les petites filles d'alors déployaient
tout leur talent ; au centre de celui-ci, on peut lire, brodés au
point de croix, des vers français :

Bénis le Seigneur, ô mon âme,
Éprise d'une sainte flamme
Célèbre le nom de ton Roi;
Et que sa grandeur immortelle
Reçoive un hommage fidèle
De tout ce qui se trouve en toi.

Bénis, mon cœur, un si bon maître,
Garde-toi bien de méconnaître
Ses saintes libéralités;
C'est lui dont la miséricorde,
Dans le pardon qu'elle t'accorde,
Lave tes infidélités.

Elizabeth Goudge est née à Wells, où son père était, alors, directeur du Collège de théologie. " Wells, dit Valery Larbaud « dans Jaune, Bleu, Blanc, se tient sagement et dignement « à côté de la grande pelouse étendue comme un tapis devant sa « Cathédrale. Voûtes fleuries, rues étroites, maisons basses. « C'est encore le Somerset de Fielding, le paysage net et pur, « avec son ciel d'Atlantique, toujours en mouvement, étroitement « reflété dans l'eau paisible des longs rhines. La blancheur, « la clarté (de veilleuse) de la cathédrale, va bien avec la longue, « large, douce plaine étendue entre les pentes bleues des Mendips « et des Quantocks, — la cathédrale toute seule au fond de la « vallée, au milieu de ses gazons, de ses jardins, des ruines « couvertes de roses. — La cathédrale de Wells est le temple « où l'on vient remercier Dieu pour la beauté de la vallée. "

On imagine aisément quelles impressions peut ressentir une enfant élevée dans un tel lieu, en particulier dans ce Somerset, renommé à l'égal des îles anglo-normandes pour ses marins et ses esprits aventureux.

Son adolescence s'écoula devant une autre cathédrale, celle d'Ely près de Cambridge, et dans l'abbaye même : elle retrouva là une existence favorable à la méditation, mais sous un ciel plus léger, une lumière plus nacrée, celle-là même qui a fait du Suffolk et du Norfolk voisins la patrie de Gainsborough et de Cotman.

A vingt-trois ans, elle suivit ses parents à Oxford, dans ce Collège Christchurch, si semblable à une abbaye. Derrière le grand quadrangle et derrière le cloître, de vieux jardins paisibles enclos de murs sont les jardins des professeurs et font penser à ces coins fleuris qu'on voit sur les miniatures persanes ; l'un d'eux possède, au pied d'une terrasse, d'admirables figuiers centenaires.

C'est dans l'une de ces retraites anciennes que cette jeune fille a composé ce premier roman, nous offrant ainsi la preuve que les expériences extérieures sont, pour certains êtres, inutiles. Dans le silence et la paix d'un jardin clos, des antennes assez fines peuvent mettre en contact avec tout l'univers secret des cœurs.

Madeleine T. GUÉRITTE.

CHAPITRE PREMIER

I

LA petite barque de pêche contourna la balise et arriva
en vue de l'Ile. C'était une embarcation pansue, aux ailes
blanches, et qui faisait songer à une jeune mouette trop
bien nourrie tandis qu'elle avançait en rasant l'eau,
coquetant avec les vaguelettes et bondissant d'un air de
satisfaction joyeuse.

Elle avait bien raison d'être gaie : l'été était superbe
et la mer lui avait accordé ses faveurs ; le jour tombait ;
le port, éclairé par le soleil couchant, se préparait à
l'accueillir à son retour. Elle avait aussi bien des raisons
de paraître dodue, car sa coque, pleine à éclater, contenait
des engins de pêche, du poisson, trois hommes, un petit
garçon et un chien.

Le petit garçon n'avait rien pris, mais peu lui importait.
Il lui suffisait bien d'avoir pu embarquer, en ce bienheureux après-midi de samedi, avec Hélier Falliot, Guilbert
Hérode et Jacquemin Gosselin, d'avoir pu se figurer
pendant quatre heures glorieuses qu'il faisait partie de
l'équipage, pêcheur de l'Ile, riche en jurons singuliers

et en odeurs goudronneuses. Chaque bond de la barque, chaque jet d'écume qui l'assaillait à mesure qu'elle se frayait un passage dans l'eau verte et claire le rapprochaient d'une discussion embarrassante avec ses parents qui désapprouvaient ses relations avec Hélier, Guilbert et Jacquemin; mais peu lui importait; pendant quatre heures bénies, il s'était enfui, il avait vécu en homme libre et en marin. Au comble du bonheur, il cracha par-dessus bord à l'imitation de Guilbert et observa avec satisfaction qu'il pouvait cracher près d'un mètre plus loin que la semaine précédente. Il répéta tout bas les nouveaux jurons qu'Hélier lui avait enseignés et savoura ce frisson de joie que donne l'acquisition du savoir.

C'était un gentil garçon, ce Colin du Frocq, et d'aspect agréable quand il était propre. Petit pour ses huit ans, mince et d'une souplesse charmante, il avait des cheveux bruns et des yeux châtains, une peau claire que le hâle avait dorée comme le plus beau des œufs bruns, disait sa sœur aînée qui l'aimait tendrement. Pour ajouter à tous ses charmes, il possédait les petites dents pointues d'un écureuil, une langue très rouge qui, lorsqu'il était en train de réfléchir, montrait sa pointe sur le côté de sa bouche, de petites oreilles dont la forme rappelait un peu celles d'un faune, et enfin une fossette.

Pour l'instant, il était recroquevillé à l'arrière de la barque, las et heureux, et il sentait abominablement le poisson. Près de lui, se grattant le ventre, était assis son chien, Maximilien, animal d'un noir de jais, à queue en panache et de race inconnue.

On commençait à côtoyer l'Ile. Elle s'étendait sur la mer comme un animal endormi, les roches de sa pointe septentrionale écartées comme des griffes. Peu à peu, à mesure qu'elle émergeait de la brume du couchant, on discernait les arbres, les maisons, les églises et les batteries. Au crépuscule, elle prenait l'aspect d'un pays féerique, d'une contrée lointaine et irréelle, d'un mirage au milieu des eaux, ne révélant qu'une partie de sa beauté et gardant le reste jalousement caché. Colin, la tête appuyée sur son bras, une de ses maigres mains hâlées tapotant l'eau, observait l'Ile qui laissait ses beautés apparaître une à une, les offrait pendant un instant à sa vue, puis, comme la barque accélérait sa course, les plongeait de nouveau dans la brume.

Les longues étendues des grèves du nord se montrèrent les premières, dorées comme des champs de blé mûr, ourlées de teintes mauves et argentées du pavot cornu et du statice, et se fondant d'une manière imperceptible dans de vastes landes battues des vents. A l'abri de tertres d'un vert grisâtre, des maisonnettes montraient, par-ci, par-là, leurs murs crépis de blanc ou de rose et leurs toits d'ardoise grise. Au sommet de la lande se dressaient les cromlechs, élevés, dit-on, par les hommes d'autrefois en guise de mausolées pour leurs morts, bien que les insulaires affirment qu'ils ont été posés en cet endroit par les fées pour y cacher leur or. Ils étaient là, en tout cas, depuis une éternité, et tous hantés — aussi nul paysan natif de l'Ile ne s'aventurait-il jamais aux alentours de ces cromlechs après la tombée de la nuit.

Après la lande commençait la civilisation. La longue digue affrontait bravement les vagues, tandis qu'à l'abri de ce rempart, les maisons de Saint-Pierre — la ville de l'Ile — s'étageaient pêle-mêle, les unes hautes, les autres

basses, faites d'un granit qui portait les traces des intempéries, et coiffées de toits inégaux qui prenaient sur le
ciel une teinte d'un rouge rosé. Au milieu d'elles, semblable
à une mère poule entourée de ses poussins, se dressait le
clocher de l'église. Au-delà de la ville, la campagne recommençait, mais très différente de la lande sauvage qu'on
voyait à la pointe du nord. Là, derrière Saint-Pierre, il y
avait des anses rocheuses, entourées de collines boisées
qui s'ouvraient, par endroits, pour laisser apparaître
des prairies vertes et des fermes prospères nichées dans
les vallons.

Colin n'accorda qu'un regard bref à ces collines et à
ces bois, car Hélier venait de faire virer la barque et ils
entraient au port.

Les trois hommes avaient, jusqu'alors, bavardé sans
arrêt dans leur patois, en gesticulant de leurs mains cre-
vassées, tandis que leurs yeux sombres étincelaient dans
leur visage tanné; mais au moment d'entrer au port,
ils firent silence, dominés par l'Ile, rassemblés par le
port. Ce port de Saint-Pierre n'était pas particulièrement
beau, mais, de tous les points de l'Ile, c'était peut-être
celui que les Insulaires préféraient. Il représentait le foyer
au terme de pénibles voyages vers d'autres îles moins belles
et le refuge après les nuits de tempête. D'un côté s'étendait
la masse grise du bastion, de l'autre la jetée. Ces deux
masses s'avançaient comme des bras à l'abri desquels
on trouvait la sécurité et l'eau paisible.

Hélier fit accoster la barque le long d'un escalier de
pierre tapissé d'algues vertes; puis il poussa un cri, lança
une amarre, aborda d'un saut léger, et ses orteils nus
glissèrent sur le varech humide. Le mystérieux silence

étant maintenant brisé, Jacquemin et Guilbert reprirent
leur discussion où ils l'avaient laissée tandis qu'ils halaient
bas leur voile, dégageaient l'enfant et le chien de l'amas
de poisson et les jetaient dehors, gentiment mais vivement,
par la peau du cou. Colin tituba sur les marches, glissa
et rampa sur leur surface gluante, puis se retourna poliment
pour remercier ses hôtes de leur hospitalité. Comme tous
les insulaires, Colin était doué d'une courtoisie charmante
et digne, aussi naturelle et spontanée que le chant d'un
oiseau ou le balancement du blé. Les trois hommes
s'arrêtèrent pour lui sourire, et leurs dents étincelèrent
dans leur figure brune pendant que leurs gesticulations
exprimaient aimablement leurs sentiments à son égard;
puis, avec une grimace finale et une pichenette, ils l'aban-
donnèrent dans le coucher de soleil, et tout en bavardant,
s'occupèrent de leur pêche. Leur conversation rapide et
animée, aux modulations douces, suivait Colin pendant
qu'il s'éloignait en gambadant le long de la digue avec
Maximilien sur ses talons. Elle allait le poursuivre toute
la nuit dans ses rêves comme le murmure d'un ruisseau.
Plus tard, lorsqu'il vagabonda par toute la terre, ce souvenir devait le pincer parfois au cœur et le rendre malade
de nostalgie en lui rappelant le bruit du flot contre la
jetée, l'odeur des barques et des algues, et la silhouette
de Saint-Pierre dans le crépuscule d'été.

Mais le petit Colin qui courait le long de la digue
ne savait rien encore de ces souvenirs de beautés fugitives
qui devaient le hanter plus tard; quand il s'arrêta tout à
coup sur un pied pour admirer ce qui l'entourait, il se dit
seulement que le port lui paraissait charmant et que,
malgré son bonheur, il éprouvait de curieuses douleurs

d'estomac. Il appartenait depuis si peu de temps à la troupe
souffrante et joyeuse de ceux qui comprennent la beauté
qu'il ne put établir aucun rapport entre ces trois faits.
Cette angoisse d'initiation le troublait; il se demandait
pourquoi cette scène familière lui faisait mal. La ville et
le port offraient leur aspect habituel, un peu différent
cependant. Il ne les avait encore jamais vus au coucher
du soleil. Les murs de granit se coloraient d'une bizarre
teinte dorée, les toits devenaient sombres et indistincts,
comme pour protéger de singuliers mystères; de petites
lumières scintillaient aux devantures des boutiques et les
bois semblaient tout noirs sur le ciel. La mâture des
bateaux, noire aussi dans le crépuscule, se dessinait comme
les arbres dénudés en hiver, sur un ciel du vert le plus
tendre et le plus limpide, strié d'abricot et de gris perle.
Les eaux du port gardaient un étincelant souvenir du
soleil à la crête de chaque ride et reflétaient à la fois les
pâles couleurs du ciel et les ailes plongeantes des mouettes.
Le sel, le varech et le goudron donnaient à l'air une saveur
délicieuse, et les bruits du port, assourdis par le calme
du soir, semblaient venir de très loin... Un monde de
couleurs et de lumières, transparent et irréel... Un monde
du fond des eaux... Une beauté si fragile qu'au moindre
attouchement elle s'évanouirait en poussière...

Quelque part, une porte claqua et un homme poussa
un cri... Tout s'éparpilla en mille paillettes d'arc-en-ciel
autour de Colin et de son chien, et ils poursuivirent leur
course vers la ville, sans que le petit garçon songeât plus
longtemps à cette singulière et fugitive émotion.

II

Quand il eut dépassé l'église, il prit le raccourci d'une rue très raide, pavée de galets, qui s'entortillait au flanc de la colline comme un tire-bouchon ivre. Il affectionnait la rue Clubin et saisissait toutes les occasions d'y passer, d'abord parce qu'on lui avait interdit d'en approcher, puis parce que le bruit et la couleur de cette rue le fascinaient. Pour Maximilien aussi, c'était un endroit délectable. Dans aucun autre coin de l'Ile on ne trouvait des odeurs aussi somptueuses, aussi variées, non plus qu'un tel assortiment de chats galeux. Le samedi soir surtout, la rue Clubin était irrésistible, car, sur toute sa longueur, des éventaires, éclairés dès la tombée du jour par de grands becs de gaz, exposaient des trésors inimaginables : de gros bâtons de sucre à la menthe striés de couleurs, des bonbons de tous les tons du prisme, des piles de homards et de tourteaux grouillants, des poissons de toute espèce, divers légumes, des jupons rouges, des capelines jaunes, encore des tourteaux, encore des bonbons, et le tout entassé au bord des deux ruisseaux dans une abondance incroyable d'odeurs et de couleurs.

Les étages en encorbellement des vieilles maisons branlantes avançaient tellement qu'ils se rejoignaient presque au-dessus des éventaires et faisaient de la rue Clubin une sorte de tunnel où les bruits restaient confinés comme dans une caverne pleine d'échos. Et quels bruits ! Les habitants de ces maisons branlantes, les plus pauvres

de toute l'Ile, en sortaient tous, le samedi soir, pour
acheter ou vendre, tricher, crier, chanter et jurer. Les
femmes, coiffées de fichus verts et jaunes, et parées d'un
tablier bleu qui recouvrait leurs haillons, faisaient claquer
leurs socques sur les pavés en jacassant sans arrêt. Leurs
hommes, vêtus d'un jersey bleu et d'un large pantalon
rapiécé de morceaux bariolés, s'égosillaient à crier en
brandissant leurs tourteaux ou en pesant haricots ou
bonbons roses et mauves. Des matelots de toutes les
parties du monde se promenaient, la pipe à la bouche,
des anneaux aux oreilles; leur regard, aiguisé par la longue
contemplation du soleil et de la mer, passait rapidement
sur tout, en quête d'un joli visage ou d'une boisson peu
coûteuse. On entendait toutes les langues de l'univers
dans cette rue Clubin, mais surtout le français de l'Ile,
qui s'élevait et retombait, s'enflait avec de longues réso-
nances comme le flot contre les digues.

Aujourd'hui, en ce terne vingtième siècle, la rue Clubin
a été condamnée pour ses honteux taudis; on l'a rebâtie,
remise à neuf, et on en a fait une rue bien convenable;
mais le 20 août 1888, alors que Colin du Focq avait huit
ans, elle n'était ni propre ni convenable, elle était simplement merveilleuse et splendide.

Colin se faufilait lentement dans la foule dense, la
bouche et les yeux grands ouverts; avec une expression
de béatitude répandue sur son visage, il absorbait les
plaisirs de la rue Clubin par tous les pores. Dans une de ses
poches, il tenait fermement ses huit liards. Le liard de
l'Ile vaut environ un centime et son père lui en donnait
deux chaque samedi matin; c'était toute sa fortune, aussi
les économisait-il jusqu'à ce qu'il en eût huit à dépenser

pour sa mère chérie. La dernière fois, il lui avait acheté
une souris de sucre blanc avec des yeux roses et une
queue en ficelle, mais elle lui avait dit que c'était beaucoup
trop beau pour être mangé tout de suite et qu'elle allait
la garder sur sa cheminée afin de pouvoir l'admirer de
son lit. A son mari, elle avait avoué : " Je ne peux pas
manger cela; c'est comme la coupe d'eau apportée à
David dans la caverne d'Hadullam. Vous pourrez peut-
être la manger un peu plus tard, mon chéri, vous avez
de meilleures dents que moi... " Mais la souris était
toujours là.

Aujourd'hui, Colin se proposait de lui acheter des
bonbons à l'éventaire du bout de la rue Clubin; un de
chaque couleur : violet, rouge, crème, citron, vert et
rose, et le reste serait de ces bonbons de menthe à rayures
qui vous mettent un si bon goût dans la bouche, et une
telle sensation de froid que c'est comme si l'on mangeait
de la neige glacée. Si sa mère lui demandait où il les avait
achetés, il répondrait : " Chez Le Manoury, dans la rue
Grand-Mielles. " Elle sourirait alors en disant : " Les
bonbons de Le Manoury sont de si bonne qualité ! On
sait au moins qu'ils sont propres. Ce n'est pas comme ces
horreurs de la rue Clubin ! " Puis elle prendrait dans le
sac un bonbon de couleur citron, le mettrait dans sa jolie
bouche, le croquerait et s'écrierait : " Oui, c'est le parfum
spécial de Le Manoury; je le reconnaîtrais entre mille. "
Et son fils lui sourirait comme un ange tombé tout droit
du paradis.

Colin n'avait, à cette période de sa vie (pas plus qu'à
une autre, d'ailleurs), aucun scrupule à mentir. Il désirait
que tout fût agréable et plaisant autour de lui, et certaines

expériences pénibles lui avaient montré que répondre
la vérité aux questions directes concernant sa conduite
et ses aventures c'était courir fatalement au-devant d'un
résultat désagréable. Dans la conversation, il cherchait
donc toujours à faire plaisir plutôt qu'à donner des
informations exactes, et cela lui valait d'être adoré partout.

La mère Tangrouille, assise derrière ses piles de bonbons, à l'extrémité de la rue Clubin, examinait le petit
garçon qui se tenait planté devant elle, les jambes écartées,
la tête rejetée en arrière, une lueur combative dans les
yeux, comme s'il eût fait face à une bête sauvage. Il est
vrai que ce n'était pas rien qu'affronter la mère Tangrouille ! Elle était énorme, et si grasse qu'elle semblait
toute ronde ; elle n'avait ni cou ni taille et était aussi
large que haute. Toujours vêtue de vert foncé, avec un
bonnet noir perché sur le sommet de la tête, elle tricotait
à perpétuité un grand cache-nez de laine rouge. Était-ce
toujours le même, et défaisait-elle chaque soir, comme
Pénélope, le travail de la journée pour le recommencer
le lendemain matin, ou bien tricotait-elle des centaines
de cache-nez ? Nul n'aurait su le dire. L'humeur de la
mère Tangrouille était variable. Quand elle n'avait bu
que fort peu, elle souriait bénignement à Colin, et ses
petits yeux noirs étincelaient dans son visage congestionné
pendant qu'elle mettait un bonbon de plus dans son
cornet et le traitait de petit ange en route vers le Ciel ;
mais si ses libations avaient été un peu trop fortes, elle
l'accueillait par des discours furibonds, envoyait son âme
immortelle dans la direction opposée, et s'il avait alors
le malheur de toucher le moindre bonbon du bout de son
doigt, ses grands bras se projetaient vers lui comme les

pinces d'un tourteau et lui administraient une telle gifle
qu'il en voyait trente-six chandelles. Néanmoins, Colin ne
la craignait pas. Il n'avait jamais peur de rien. Son désir
de rendre tout agréable lui permettait de faire sortir des
êtres, des choses et des lieux tout l'agrément qu'ils possé-
daient. C'est ce qu'il avait réussi à faire avec la mère Tangrouille. Chaque fois qu'elle était en proie à son humeur
infernale, il lui tenait tête, la dominait simplement par
son courage, repoussait sa colère et retrouvait la véritable
mère Tangrouille, qui était une brave femme et qui
l'aimait.

Ce soir-là, il n'y avait pas besoin de courage; la mère
Tangrouille était tout sucre et miel. Elle lui souriait;
sa cascade de mentons tremblait de bienveillance, ses
yeux clignotaient de joie et, la tête penchée de côté, elle
poussait de petits gloussements attendris.

Colin s'adoucit aussitôt; la lueur combative disparut
de ses yeux pour faire place au clignement d'œil particulier qu'il réservait à la mère Tangrouille. Joignant les
pieds, il lui fit un petit salut, puis s'enquit poliment de
sa santé, de la santé de son chat et de celle de tous les
membres de sa famille, dont la réputation n'était pas
brillante. Il fit des commentaires sur l'état de la tempéra-
ture et des affaires et, finalement, sortit ses liards du fond
de sa poche en indiquant les bonbons qu'il désirait.

— Ah! le petit chou! le petit chérubin! susurra la
mère Tangrouille.

Et ses gros doigts malpropres, planant au-dessus des
bonbons, en choisirent un violet, un rouge, un crème,
un vert, un rose et quatre boules rayées; ensuite, en
relevant la tête pour cligner de l'œil à Colin, elle ajouta

deux bonbons rouges et un vert comme petit cadeau
d'amitié, mit le tout dans un sac rose qu'elle lui offrit,
puis, se penchant de côté avec un léger gloussement,
elle lui tendit les bras. Le petit garçon n'aimait guère
cette partie de l'aventure, mais il avait eu pour rien deux
bonbons rouges et un vert, et il savait déjà que, dans la
vie, toute joie doit se payer d'une façon ou d'une autre
et qu'il est sage de payer sans renâcler. Faisant le tour
de l'éventaire, il se laissa presser sur la vaste poitrine de
la mère Tangrouille, envelopper par sa corpulente personne et son arôme de bière et de menthe, et finalement
embrasser... Si sa mère l'avait vu à ce moment, elle en
serait morte de saisissement... Colin rendit le baiser, fit
une grimace amicale à la vieille femme, se recula avec
assez de prestesse pour que cette scène ne pût se repro-
duire, et poursuivit son chemin.

La mère Tangrouille, qui regardait le mince petit personnage disparaître dans la foule, avec sa tête brune et
lisse au port fier, sentit les larmes lui monter aux yeux.
Les bonbons, les crabes, les éventaires, les pavés, les
maisons biscornues, tout se mêla pour servir de fond à
ce petit bonhomme qui ne lui appartenait que pendant
une seconde chaque semaine. Elle soupira en soufflant
et s'essuya les yeux de son tricot rouge. Elle se demandait
si Mme du Frocq nourrissait bien son garçon. Un enfant
de cette sorte a besoin d'un homard pour son souper,
et un bon verre de bière brune de temps en temps ne lui
ferait pas de mal... Quelqu'un piqua du nez dans l'éventaire en envoyant promener quelques bonbons... La
mère Tangrouille lança une bordée de jurons; cela la
soulagea.

La rue Clubin se terminait brusquement par des degrés.
La ville de Saint-Pierre est bâtie sur des roches dont les
parois sont, par moments, si escarpées que les rues, n'arrivant pas à les gravir, abandonnent la lutte et se trans-
forment en escaliers. Trois rues seulement dans toute
la ville sont accessibles aux voitures, et encore à condition
que celles-ci soient poussées par toute la populace à la
montée; pour la descente, le cheval s'assoit sur sa queue.

Les degrés du bout de la rue Clubin étaient bordés, à
cette époque, de hauts murs de granit au sommet desquels
on voyait les jardins d'autres maisons branlantes dont
les habitants avaient une telle passion pour le jardinage
que, malgré les amas de boîtes de conserves et de tuiles
brisées, on n'en apercevait pas moins des fleurs en abondance. A mesure que Colin montait, il distinguait les lis
qui étincelaient dans le crépuscule. Le parfum du chèvrefeuille se mêlait à l'odeur de poisson qui venait de la
rue, et les capucines rouges pendaient le long du mur
gris comme de petites lampes. Au sommet des degrés,
Colin s'assit pour attendre Maximilien. Il savait qu'il
était inutile de le harceler. Maximilien était, d'habitude,
fort obéissant, mais la rue Clubin le démoralisait complètement. Après avoir pourchassé tous les chats et flairé
toutes les odeurs, il consentait à revenir à son devoir,
mais jusqu'à ce qu'il eût atteint ce moment de satiété,
Maximilien était comme un animal déchaîné dans la
jungle primitive.

En l'attendant, Colin sortit de sa poche le petit sac
rose, l'ouvrit et examina les bonbons... L'eau lui en venait
à la bouche... Ils étaient destinés à sa mère, mais pouvait-il
se permettre de manger les deux rouges et le vert qui

formaient un supplément, acheté non par ses liards, mais
par le courage dont il avait fait preuve en gagnant l'amitié
de la mère Tangrouille ? La conscience de Colin était un
organe curieux; la plupart du temps, elle ne fonctionnait
pas du tout; à d'autres moments, elle avait une sensibilité
anormale, par exemple, pour tout ce qui concernait les
questions de propriété. Colin savait fort bien distinguer
entre ce qui lui appartenait et ce qui ne lui appartenait
pas. Aussi réfléchissait-il longuement au sujet de ces
bonbons. Étaient-ils à lui ou à sa mère ? Il regarda dans
le sac, et l'eau lui vint à la bouche avec tant de force qu'il
dut avaler sa salive trois fois de suite. Soudain, sans plus
réfléchir, il saisit un bonbon rouge et se le lança dans la
bouche. Tout en le suçant, il leva les yeux vers la bande
de ciel qu'encadraient les vieux toits rouges; elle était
d'une belle teinte verte, semblable à l'œuf du rouge-
gorge, et aussi limpide que l'eau claire d'un étang. Trois
lis semblaient se balancer au bord de cette fraîche profondeur où brûlait une étoile d'argent.

Colin éprouva de nouveau une impression douloureuse,
et il lui sembla, tout à coup, que sa mère le regardait du
haut du ciel, sa jolie maman au teint de lis, aux cheveux
noirs de jais et au sourire scintillant comme ces étoiles.
Un torrent d'amour l'envahit. Il plongea son doigt dans
sa bouche, détacha le bonbon rouge collé sur une dent
du fond, l'essuya soigneusement sur son pantalon et le
remit dans le sac. Sa mère chérie ! Il fallait lui donner
tout ce qu'il pouvait lui offrir, toujours !... La petite
étoile eut un scintillement d'approbation, les lis se penchèrent doucement vers lui, et Maximilien arriva au
galop.

Son oreille était déchirée et saignait, son nez tout écorché, et des débris d'ordures adhéraient encore à ses pattes, mais il était heureux, bien qu'il eût peur de la rude main de la justice. Il s'assit, sortit sa langue d'une façon qu'il jugeait devoir le rendre pitoyable et remua la queue avec rapidité pour créer une atmosphère de bonheur où toute idée de punition semblerait hors de propos. Il y réussit. Colin, désarmé, essuya tendrement le museau ensanglanté et aida son chien à achever la montée des degrés en lui lançant le plus doux des coups de pied.

III

DURANT vingt minutes, l'enfant et le chien grimpèrent par des venelles et des marches de pierre usées qui serpentaient entre les vieilles maisons grises au toit rouge et les murs couverts de lichen. Les lumières orangées des porches les éclairaient au passage. Ils traversaient ainsi l'ombre et la lumière au cours de leur montée, émergeant soudain comme des papillons de nuit pour disparaître aussitôt dans l'obscurité comme des rêves oubliés.

Dès qu'ils furent hors de la ville et qu'ils eurent atteint un terrain plus plat, Colin piqua une course, suivi de Maximilien bondissant à ses trousses. Il avait encore trois milles à faire et la nuit tombait. Colin excellait à la course. Habitué à être toujours en retard pour tout, il courait constamment. Par longues foulées, il avançait à travers de sombres sentiers où le chèvrefeuille embaumait; il traversait des prés qui sentaient encore le foin,

passait devant des jardinets où une masse de couleurs
flamboyait contre des murs blancs dans le crépuscule,
et devant les fermes isolées dont les dangereuses mares
vertes attendaient la lune et les pieds légers des lutins
aquatiques.

Il contourna un coin que gardait un bataillon de digitales et s'élança dans une sente qui plongeait vers le bas
de la colline comme un tunnel vert. Elle était bordée de
murs de pierre couverts de fougères et surmontée de
hauts buissons d'escallonias dont les petites fleurs roses
poisseuses brillaient parmi les sombres feuilles vernies.
Derrière la haie d'escallonias, des noisetiers étendaient
leurs branches et formaient une voûte au-dessus du sentier
comme pour garder ses secrets. Car ce n'était pas un
sentier ordinaire, mais une sente d'eau hantée par les fées.
Les digitales cachaient une petite fontaine qui donnait
une eau très claire, et un ruisseau qu'elle alimentait courait
le long de la sente en tintant à mesure qu'il avançait vers
la mer. La mer était là, invisible, au bas de la sente, et le
murmure du flot qui déferlait d'un mouvement paresseux
sur les galets formait une basse au chant du ruisseau. La
sente mêlait ces deux voix, de même que le ruisseau reliait
le mystère des eaux qui gisent dans l'obscurité de la terre
au grand mystère de la mer.

Colin s'arrêta à l'orée de la sente. Il ne pénétrait jamais
sous cette voûte feuillue sans un frémissement d'attente;
mais il n'avait pas peur. Il ne craignait ni les Choses qui
vivent dans les profondeurs de la terre ni les Choses qui
vivent dans la mer. Chaque fois qu'il pénétrait dans une
sente d'eau à la tombée du jour, il y marchait d'un pas
léger et se retenait de chanter ou de siffler afin de ne pas

troubler les Choses dans leurs allées et venues; mais il n'en avait pas peur et désirait passionnément les apercevoir. Elles ne l'effrayaient pas plus que le démon dont, par moments, la mère Tangrouille était possédée; il les confrontait avec le même courage allègre et il en sortait sans anicroche.

Il s'agenouilla, écarta les digitales et contempla l'eau qui sourdait parmi les myosotis et les langues de bœuf; elle sortait de profondeurs inimaginables, très limpide et très froide. C'était une fontaine où l'on venait faire des vœux; l'une des plus efficaces de toute l'Ile, et pour laquelle les insulaires avaient une grande vénération. Colin ferma les yeux dévotement et fit trois vœux : d'abord de battre le jeune Putron la prochaine fois qu'ils lutteraient ensemble; puis de pouvoir, un jour, offrir à sa mère un collier de perles; et enfin devenir marin. Ce dernier vœu ressemblait plutôt à une prière, la plus fervente qu'il eût jamais faite. Elle s'envola de son âme, suivit le cours du ruisseau le long de la sente, à travers la grève et jusque dans la mer, où elle se nicha dans un coquillage pour attendre en sûreté le moment de ressortir et d'être exaucée.

Colin se releva alors et descendit très lentement le sentier. Maximilien trottait derrière lui, le poil hérissé, la queue basse, en soufflant comme une locomotive et en regardant le ruisseau d'un air pensif; mais bien que le bout de sa queue remuât de désir, il n'alla pas boire. Il n'y avait pas de danger qu'il bût au ruisseau qui relie les eaux de la terre à celle de la mer — c'était chose sacrée !

Le chaud parfum, si doux, des escallonias flottait dans l'air comme un encens de bienvenue et les noisetiers

chuchotaient à Ceux qui passaient sous leurs branches;
mais Colin, silencieux et attentif pourtant, ne les voyait
pas. Il sentait leur passage, mais ne distinguait même pas
l'ombre d'un fantôme glissant sur le ruisseau, ni la pauvre
Ondine qui, seule de tous les esprits des eaux, possède
une souffrante âme humaine.

A mi-chemin de la sente des eaux, une piste sèche
montait en pente raide vers la droite. Dès qu'il s'y fut
engagé, Colin se mit aussitôt à chanter un air des plus
vulgaires, et Maximilien, qui le suivait, devint un autre
chien; son poil se rabattit, sa queue se redressa comme
le panache d'un corbillard folâtre, et il se mit à bondir
en tous sens et à faire allégrement la chasse aux mouches.
Ce sentier était semblable à l'autre et, néanmoins, très
différent. Les arbres parlaient de choses banales, et le
parfum des escallonias ne suggérait pas d'autre mystère
que celui du bourgeonnement et de l'épanouissement
des fleurs de la terre.

Ce second sentier menait à un chemin bordé de ces
chênes rabougris particuliers à l'Ile, tous tordus dans le
même sens par les bourrasques d'hiver et couverts de
lichen du côté de la mer. Il faisait beaucoup plus sombre,
si bien que le chemin paraissait blanchâtre au milieu des
troncs d'un gris de fantôme. Une brume, venue de la
côte, laissait traîner des nuées entre les branches et se
posait comme une moelleuse couverture blanche sur les
champs voisins. Au loin, sur la mer, une sirène meuglait
doucement. Colin cessa de chanter, s'arrêta et tendit
l'oreille, son instinct de marin sur le qui-vive. Il allait
faire mauvais, cette nuit, au large. Ces brusques brouillards
du mois d'août sont plus redoutés des navires que la

foudre et la tempête. Avec sa côte déchiquetée et ses *banques* de rocs perfides voilées par le brouillard, l'Ile devenait un piège mortel. Dans l'après-midi, quand la barque de Guilbert était arrivée en vue de la terre, l'Ile avait l'air d'un animal endormi, allongé sur l'eau; mais cette nuit, la bête allait se réveiller toutes griffes dehors. En prêtant l'oreille, Colin entendit de nouveau la sirène et un léger bruit d'aspiration; c'était la houle qui battait les Barbées, récif dangereux, à un demi-mille seulement de là. Oui, il allait faire mauvais, cette nuit !

Un groupe de bâtiments de ferme était à peine visible au bout du chemin. Un carré de lumière orangée tranchait sur l'obscurité, et au moment où Colin l'aperçut, il en vit apparaître un deuxième, puis un troisième... Papa allumait les lampes à Bon Repos... Une quatrième attaqua les ténèbres... C'était celle de la cuisine... Pour le dîner, il allait y avoir une soupe au lait avec de la cassonade croquante sur le dessus, des œufs pondus par ses propres poulettes, et des pommes au four avec de la crème... Colin prit ses jambes à son cou et galopa vers la maison.

IV

LA ferme de Bon Repos était séparée du chemin par un grand mur gris, très épais, bâti pour résister aux assauts des rafales et des ennemis. Le lichen et l'orpin animaient de leurs chaudes couleurs sa vieille surface patinée, tandis que, sur sa crête, les mufliers rouges saluaient les étrangers d'un air méfiant et les amis avec bienveillance. Dans ce mur s'ouvrait un large portail, couronné d'un immense linteau de pierre; les battants en avaient disparu depuis longtemps. Au milieu de la cour pavée qui, aux heures de danger, avait servi autrefois d'abri aux paysans et aux troupeaux, se pavanaient maintenant les pigeons de Mme du Frocq pendant que le chat se chauffait au soleil.

Quand on entrait par le portail, la maison de ferme se trouvait sur la droite, occupant tout un côté de la cour. Elle était faite de granit, avec des fenêtres à petits carreaux en losanges et une porte cintrée au-dessus de laquelle était marquée la date de 1560. Plus haut, une pierre moins ancienne, insérée dans le mur, portait cette inscription en français : " Port et bon repos à ceux qui entrent ici, courage à ceux qui s'en vont. Que ceux qui partent et ceux qui demeurent n'oublient pas Dieu. "

Le toit, autrefois de chaume, était maintenant fait de vieilles tuiles rouges tachetées par les embruns, les brouillards et les pluies.

Sur le côté de la maison, face au grand portail, une vaste grange, aussi vieille que la maison et bâtie également en granit, avait été convertie en écuries et en greniers. Derrière elle, mais hors de vue, étaient les bâtiments plus modernes : la porcherie, les étables et les granges. Un autre mur séparait la cour du jardin et d'un petit verger aux arbres rabougris. Au-delà s'élevait un grand rempart de terre et de pierres, couvert de gazon et couronné de vieux chênes tordus par les rafales, dont un fermier d'autrefois avait décidé de protéger la maison et le jardin; car, derrière ce rempart, il y avait la falaise et toutes les fureurs de la mer.

Mais nul vent ne pouvait troubler Bon Repos. Très vieille et très farouche, basse et solide comme un roc gris, la ferme se cramponnait au sol comme si elle en eût fait partie. Néanmoins, si sa structure résistait à tout, le temps et les orages avaient ravagé sa façade. La mère de Colin, Rachel du Frocq, par pitié pour cette beauté ternie, avait fait grimper une passiflore au-dessus des fenêtres et des fuchsias rouges de chaque côté de la porte.

Les fenêtres étaient si petites qu'il faisait toujours sombre dans les pièces de Bon Repos, mais cela ne troublait guère des insulaires comme les du Frocq. Ils avaient l'habitude de vivre dehors. La maison n'était pas tant destinée à la vie quotidienne qu'à servir de refuge. Ils y rentraient comme les primitifs rentraient dans leur caverne, quand l'orage et la nuit les poursuivaient; le reste du temps, ils préféraient vivre dans le soleil et dans le vent. Mme du Frocq même, et sa servante Sophie, occupées plus ou moins dans la maison, pelaient les pommes de terre dans la cour et faisaient la lessive dans le potager.

La porte d'entrée donnait sur un vestibule au sol de pierre, toujours frais et obscur comme une grotte marine, même dans les jours de grande chaleur. Au centre de ce vestibule, chacun se rappelait avoir toujours vu la table de chêne si vieille qu'elle était devenue noire comme de l'ébène, noire comme un lac de montagne. Rachel y posait, d'habitude, une coupe de vieille porcelaine française, au décor bleu, rouge et or, pleine de fleurs fraîches. Primevères, coucous, résédas, roses, asters et reines-marguerites se succédaient à mesure que les saisons déployaient leurs somptueuses tapisseries, chacune avec tant de hâte que le printemps avait à peine enlevé ses bleus, ses crèmes

et ses ors que l'été répandait dans le jardin ses tissus de
rose et d'écarlate. Le parfum des fleurs qui flottait dans
l'obscurité fraîche du vestibule accueillait les visiteurs
dès leur entrée à Bon Repos. Rachel avait une foi passionnée dans la valeur de la beauté. Si elle se trouvait
pressée par le temps, elle considérait que le bouquet de
cette coupe était plus nécessaire au bien-être de la famille
que la confection d'un gâteau pour le thé. Mais la famille
ne partageait pas du tout son opinion sur ce point.

A gauche du vestibule se trouvait la cuisine-salle à
manger, pièce spacieuse aux poutres apparentes, aux murs
blanchis à la chaux, au sol de dalles rouges. Au-dessus de
l'âtre immense étaient sculptées les armes des du Frocq :
une hermine, avec cette devise : " Plutôt la mort que la
souille. " L'antique pierre basse du foyer, avec son feu
de *vraic* [1], avait été remplacée par une grille moderne ;
mais les vieux bancs de pierre étaient restés dans l'âtre,
ainsi que le four à pain construit dans l'épaisseur du mur
et le *veilleux* dans les trous duquel on fichait la lampe
crâsset. Au bas de la fenêtre se trouvait la *jonquière*, rem-
bourrée de fougère sèche et recouverte de percale glacée,
sorte de lit de repos si large et si long que toute la famille,
bien serrée, eût pu s'y tenir. Au milieu de la salle, une
grande table de chêne et des chaises appareillées ; le long
des murs, une horloge de Lenfestey, un dressoir où brillait
de la porcelaine de Spode, des bassinoires de cuivre
complétaient le mobilier, ainsi que les gravures de sport
(qui enchantaient Colin) où l'on voyait de gros messieurs
en habit rouge projetés dans les mares par de trop frin-

---

1. Varech. (N.D.L.T.)

gants coursiers. De cette salle, on allait aux laveries et aux laiteries, plus modernes.

A droite du vestibule se trouvait le salon. Les voisines de Rachel qui, à cette époque, s'ébattaient parmi des fruits sous globes, des têtières de laine et des albums remplis de parents à favoris, déclaraient que ce salon était honteusement et scandaleusement démodé; mais pour Rachel, cette pièce était une sorte d'oratoire. Un tapis français, si vieux que ses roses et ses bleus avaient pris les teintes pâles d'une gorge de colombe, couvrait le sol. Les fenêtres — il y en avait deux, l'une au sud, l'autre à l'est, si bien que cette salle était plus claire que la cuisine — se trouvaient au-dessus de larges sièges et étaient ornées de rideaux faits d'un brocart jaune pâle sur lequel la grand-mère de Rachel avait brodé des giroflées et des myosotis. Les fauteuils au dos droit, couverts de brocart un peu usé, avaient été offerts en cadeau de mariage par son grand-père à sa grand-mère. C'était un miracle que leur gracieuse fragilité eût réussi à supporter les crinolines et les jupons de soie de cette dame et de ses invitées. Au-dessus de la cheminée, on voyait des miniatures représentant les défunts du Frocq, peints sur ivoire dans des cadres ovales. Un feu de bois brûlait souvent dans l'âtre, car cette salle était humide, et Rachel, qui craignait pour ses trésors, faisait naître, même en été, des flammes vertes et orangées sur les chenets. Dans une vitrine ornée de marqueterie, elle gardait ses deux plus beaux services à thé, l'un fait de la même porcelaine que la coupe du vestibule, avec son riche décor bleu, rouge et or, l'autre fait d'une fine porcelaine blanche de Worcester et qui avait des tasses sans anse. Un charmant

miroir français, brodé de deux légères colonnettes et
surmonté d'un panneau où dansaient deux Amours, faisait
face à cette vitrine; deux très belles bandes de broderie
chinoise l'encadraient (envoi d'un du Frocq marin) et
répandaient sur le papier bleu fané une orgie de papillons
bleus et de dragons d'or aux langues rouges. Sur une
table en bois de rose, des *pots pourris* entouraient une
coupe de fleurs fraîches; mais on ne voyait nulle part
dans cette pièce le moindre bibelot, le moindre album
ni le moindre guéridon. Ce salon, disaient les voisines,
était d'un goût exécrable et prouvait clairement que
Rachel n'appartenait pas à la bonne société. Quoi qu'il
en soit, cette pièce, avec son doux coloris, le parfum
vieillot et charmant de ses pots pourris et de ses bûches
humides brûlant dans l'âtre, ses ombres dansantes et ses
rayons de soleil caressant ici une porcelaine brillante, là
un cadre doré, cette pièce resta dans la mémoire des enfants
de Rachel un de leurs plus merveilleux souvenirs.

Au fond du vestibule, face à la porte d'entrée, un escalier de pierre, dont la courbe dépassait le mur de la maison,
menait à ce qui avait été primitivement une mansarde.
On l'avait ensuite divisée en plusieurs chambres, blanchies
à la chaux, et qui, par leur plafond en pente, leur lucarne,
leurs coins et recoins bizarres, enchantaient les enfants
et fendaient le cœur de Sophie, la servante. La grande
chambre du devant, réservée à Rachel et à son mari, André,
contenait un lit à colonnes, aux rideaux rouges, une
commode d'acajou ventrue, une coiffeuse ornée de percale glacée à fleurs, une gravure française assez terrifiante
qui représentait le Jugement dernier et d'autres trésors
analogues. Les chambres des enfants ne renfermaient

rien d'autre que leur petit lit, au couvre-pied fait d'échantillons de cretonne de toutes couleurs, leur table de toilette et leur commode de bois peint du plus étonnant magenta.

Un grand calme régnait dans toutes les pièces de Bon Repos. Le soleil, en contournant la maison de l'est à l'ouest, lançait de longs rayons de lumière par les vieilles petites fenêtres et teintait les murs blancs de rose et d'ambre, puis encore de rose. Le feuillage de la passiflore qui entourait les croisées faisait danser des ombres du sol jusqu'au plafond pendant que, sous le toit, les oiseaux caquetaient. Le parfum des fleurs se répandait partout et, sans cesse, nuit et jour, le murmure de la mer emplissait tout.

V

COLIN traversait la cour au pas de course, en fronçant son nez à l'odeur de pommes cuites qui lui parvenait dans la brume, mais il s'arrêta au seuil de la porte, car sa mère se tenait là, entre les fuchsias, pour voir s'il arrivait.

Debout dans la lumière orangée de la lampe et dans l'encadrement des fuchsias rouges, Rachel du Frocq formait un tableau qui eût arrêté n'importe qui. Elle était très belle, droite et élancée comme une tige de lavande, grande et imposante comme un pin dans un val abrité, avec une abondante chevelure brune nattée et enroulée en couronne; elle avait un port de reine. Sa peau blanche était hâlée par le soleil et, sous les sourcils bien dessinés,

qui dénotaient une artiste douée de sens comique, ses
yeux sombres étincelaient tour à tour d'ardeur, de gaieté
ou de colère, toujours accompagnées de chaleur et de
beauté. Nul n'aurait pu deviner, en la regardant, qu'elle
était depuis seize ans la femme d'un fermier peu prospère
et qu'elle luttait jour après jour contre la pauvreté, com-
battant avec son mari pour arracher à la terre et à la vie
l'existence et le bonheur de ses enfants. Elle en avait eu
huit et avait vu la mort lui en enlever trois. Cependant
sa beauté étincelait avec tant de force et d'ardeur qu'il
fallait l'observer avec attention pour discerner les traces
de ces seize années. Sa bouche était un peu dure, comme
si elle avait dû la comprimer trop souvent pour résister à
la douleur; ses mains n'avaient rien perdu de leur forme,
mais leur texture était moins fine et ses paupières portaient
un léger cerne mauve, comme si le chagrin qui n'avait
pu se manifester les eût fanées. Sans doute devait-elle sa
persistante beauté à l'esprit d'indépendance qui l'animait.
Tout en se donnant avec amour à son mari et à ses enfants,
tout en accueillant avec joie ce qu'elle rencontrait de
beau ou de comique sur sa route, au plus profond d'elle-
même elle se tenait à l'écart. Une partie de son être, profondément enfouie, reposait dans une grande sérénité
qu'elle protégeait farouchement de toute violation. C'était
son essence même, indépendante du temps, des lieux et
des êtres, et tout ce qui menaçait cette paix, tout cri,
toute colère ou toute clameur, elle le haïssait et le rejetait
loin d'elle. Peut-être était-ce cette profonde quiétude
intérieure qui, par une influence plus puissante que les
coups du sort, avait préservé sa beauté. Quoi qu'il en fût,
cette beauté rayonnait comme la lampe dans la châsse

d'un saint et se répandait autour d'elle. Tout ce qu'elle touchait, tout ce qui l'entourait était éclairé par son charme et réchauffé par son ardeur. Elle s'habillait toujours de noir, en prétendant que c'était fort commode pour les enterrements et, par conséquent, plus économique. Elle insistait sur l'économie ; mais la vérité est que le noir lui seyait admirablement, sinon elle eût moins parlé d'économie et eût porté de la couleur. Elle avait de petites boucles d'oreilles d'or en forme de coquilles et, l'été, elle glissait à sa ceinture une rose fraîche comme une joue de jeune fille, cueillie au buisson qui ombrageait la barrière du jardin.

Colin s'était arrêté et la regardait en souriant tristement. Il l'adorait. Elle le bouleversait par sa splendeur.

— Où avez-vous donc été, Colin ?

La tristesse du sourire de Colin disparut pour faire place à l'impudence. Il aimait à tergiverser en exerçant son imagination.

— Le brouillard est épais, maman. Il va faire un sale temps, cette nuit, en mer. Avez-vous entendu la sirène ?

Rachel rejeta dédaigneusement cette digression météorologique.

— Où avez-vous été, Colin ? Il est très tard.

Colin se rapprocha d'elle en levant sa figure barbouillée. De son beau regard candide, il la regarda droit dans les yeux.

— J'ai été goûter avec les Putron, maman, et nous avons eu un crabe et de la *gâche* [1] ; et puis, après ça, M. de Putron nous a emmenés, Denis et moi, en barque... Denis

[1]. Gâteau spécial de Guernesey. (N.D.L.T.)

a été malade... et moi pas... M. de Putron vous envoie ses compliments et ses excuses pour nous avoir ramenés si tard, mais sa montre était détraquée. Il s'était baigné avec. Mme de Putron a dit...

— Cela suffit, Colin ! s'écria Rachel en l'interrompant.

Elle savait que les Putron passaient la journée dans une île voisine.

Colin, s'apercevant de son insuccès, changea ses batteries. Il sortit le petit sac rose.

— Voilà pour vous, maman chérie. Personne d'autre que vous ne les mangera, pas même papa. Cela vient de chez Le Manoury.

Rachel fut touchée.

— Oh ! Colin ! méchant garçon ! Il ne fallait pas faire cela ! Voilà tout votre argent de poche envolé !

Elle l'examinait. Que pouvait-on faire d'un enfant pareil, si généreux et si menteur, si courageux et si impudent ? Elle devait le punir, bien sûr ! Elle devrait même le fouetter. Mais la soirée était si paisible après le travail de la journée qu'il lui semblait impossible de briser cette paix par de la violence et du chagrin. Et puis, il lui ressemblait et elle le comprenait à fond. Il avait besoin d'indépendance, mais aussi de sérénité, et pour avoir l'une et l'autre, il était capable de tout. Comment allait-elle pouvoir lui enseigner que l'indépendance vient de l'âme et ne peut jamais s'acquérir aux dépens de l'intégrité ? Elle abandonna le problème et se retourna vers la maison.

A la porte de la cuisine, Colin se trouva en face de son père et reprit de l'entrain. Il aimait raconter des histoires à son père. André du Frocq, de caractère facile et bon, croyait toujours ce qu'on lui disait, pourvu que ce fût

vraisemblable. Colin se mit donc en devoir d'ajouter
quelques détails au tableau si animé du goûter avec les
Putron tel qu'il existait déjà dans son esprit.

André, petit et maigre, courbé par le labeur, ses cheveux blonds et sa barbe déjà striés de gris, ses yeux châtains de myope abrités derrière des lunettes, se tenait sur
le seuil de la cuisine, agitant sa pipe d'une main et son
journal de l'autre. Son air de perplexité embarrassée lui
était habituel et ne venait pas seulement de la conduite
de son fils. C'était un penseur et un rêveur, astreint par
la destinée à une vie d'homme d'affaires, rôle dont il se
tirait assez mal et qui le laissait toujours comme éperdu
devant son incapacité. En ce moment, il ne sentait que
trop bien qu'il lui était impossible de se tirer de cette
situation, et il regardait son fils d'un air sévère en forçant
sa voix musicale à prendre un ton dur :

— Où étiez-vous donc, Colin ? Votre mère était très
inquiète.

Colin fit une grimace.

— J'étais avec les Putron, papa, et ensuite en mer dans
la barque de M. Putron. Nous avons eu un goûter épatant.
Du crabe, de la gâche, de la confiture d'abricots et des
tartes. La tante des Putron était là... Celle qui s'est fait
faire de si belles dents d'ivoire à Paris... Elles ont dégrin-
golé !... M. de Putron vous envoie ses compliments...
Denis a été malade en bateau.

Il s'arrêta pour chercher ce qu'il allait choisir ensuite
dans l'abondance des détails imaginaires qui se pressaient
dans son esprit. Son père, tout en ajoutant foi à l'histoire
des Putron, remplit cette pause de ses reproches :

— Vous n'aviez pas besoin d'aller chez les Putron sans

nous le dire. Je vous ai déjà défendu d'être dehors tout
seul, si tard. Votre pauvre mère était extrêmement inquiète. Vous ne devez aller nulle part sans nous en demander la permission, entendez-vous ?

Une fureur soudaine envahit Colin. Oh ! ces parents !
Est-ce que cela les regardait où il allait ? Il voulait être
libre, *absolument*, absolument ! Il n'acceptait pas d'être
surveillé ni emprisonné. La rage d'une bête sauvage
prise au piège gronda en lui. Le désir lui vint de blesser
son père. Oui, il allait lui dire qu'il était sorti avec Guilbert, Hélier et Jacquemin. Son père saurait alors qu'il
lui avait menti. Rien ne pourrait le blesser davantage que
de s'apercevoir qu'on l'avait trompé. Colin rejeta sa tête
en arrière, ouvrit la bouche — et s'arrêta. Sa mère, debout
derrière lui, lui criait, sans un mot, de ne rien dire. Le
lien qui unissait Colin à sa mère était, de tout temps, très
fort; leurs antennes avaient une telle puissance que des
messages muets pouvaient glisser de l'un à l'autre le long
de fils invisibles. Ces messages arrivaient en ce moment
à Colin, rapides et pressés, confus, mais sans réplique.
Elle comprenait sa rage... Elle éprouvait le même sentiment que lui... Ne pas être libre, c'était pire que tout...
Mais il avait tort... Il ne savait pas encore ce que c'est
que la liberté... Plus tard... un jour, elle lui enseignerait
que, seuls, ceux qui sont liés sont libres... Un paradoxe...
Oui, un mot nouveau à apprendre pour pouvoir vivre
convenablement... Et il ne fallait pas blesser son père...
Avant tout, il ne fallait pas blesser son père.

— Je vous demande pardon, papa.

Et Colin, qui sentait affreusement le poisson, embrassa
son père délivré et se précipita dans la cuisine au milieu

de ses trois grandes sœurs, Michelle, Péronelle et Jacqueline, qui préparaient la soupe au lait devant le feu.

— Que l'une de vous le lave, mes filles ! s'écria Rachel.
Il est dégoûtant ! Nettoyez-le avant que nous nous met-
tions à table.

Péronelle, la seconde, âgée de quatorze ans, saisit son
frère par le cordon de son jersey et le hala dans la laverie.
Péronelle étant la personne pratique de la famille répondait
toujours à tout appel urgent qui exigeait de l'activité, et
elle y répondait avec une énergie dévorante. Elle était
maigre, petite, ardente, et ses cheveux blonds et bouclés
lui encadraient le visage de telle façon que chaque boucle
semblait douée d'une vie personnelle. Ses yeux fauves et
sa pâle petite figure pointue exprimaient avec feu les
moindres émotions qui l'envahissaient. Brave, violente,
généreuse, franche, intolérante et passionnément tendre,
c'était un vrai tourbillon de sentiments. Pour le quart
d'heure, elle éprouvait une fureur intense à l'égard de
Colin. Elle chérissait son père et détestait les mensonges.
Sale petit capon ! Il avait peur d'être fouetté, voilà la
vérité ! Elle allait lui apprendre ce qu'il en coûte ! Après
avoir fait claquer la porte de la laverie et versé de l'eau
dans la bassine, elle frotta de savon une serviette et tomba
à bras raccourcis sur son misérable frère. Colin ne fit
aucune résistance pendant que sa sœur lui enlevait son
jersey couvert d'écailles, puisqu'elle le maintenait par
les cheveux. Inutile d'essayer de faire comprendre à
Péronelle son point de vue; elle n'avait aucunement le
sens des nuances. Inutile de se battre contre elle — dès
qu'elle était en colère, son énergie physique devenait
irrésistible. Rien à faire que de se soumettre en attendant

l'occasion de lui envoyer un bon coup de pied dans les tibias.

— Les Putron, vraiment ! criait Péronelle d'un ton furieux en frottant son frère. Tout le monde sait qu'ils ont passé la journée avec le Bailli. Mentir ainsi à un pauvre innocent comme papa qui croit tout ce qu'on lui dit ! Et cette histoire vulgaire à propos des dents de la tante ! Fermez la bouche, sale petit roquet, ou je vous fourre du savon dedans !

Elle se retourna pour attraper une serviette. Colin lui lança alors un magistral coup de pied sur la jambe. Péronelle chancela. Son énergie et sa vitalité la faisaient paraître forte, mais, en réalité, elle était très délicate. Ce coup lui avait fait très mal et des ondes de souffrance montaient de ses jambes à son dos. Elle en avait presque mal au cœur ; mais elle ne poussa pas un cri. Elle serra les lèvres, fit un moulinet de son bras et lança à Colin une formidable gifle. Colin, non plus, ne broncha pas, et, pendant un instant, tous deux titubèrent, étourdis. Puis, saisissant la serviette, Péronelle essuya son frère. Trois minutes plus tard, l'honneur de chacun étant sauf, ils s'embrassèrent tendrement et revinrent dans la cuisine en se souriant avec affection.

— Allons, mes enfants !

Rachel souleva du feu la casserole de lait bouillant qu'elle versa sur les morceaux de pain préparés dans leur assiette. Pour elle et pour André, il y avait du jambon (fumé à la maison) et un pot de café bien chaud. Sophie, la servante, retournait tous les soirs chez elle, si bien que la préparation du souper était une des tâches de Rachel.

Péronelle et Colin se glissèrent à leur place de chaque

côté de leur père, la première, pleine d'affection protectrice, le second, plein de tendresse contrite.

Michelle, l'aînée, qui avait quinze ans, était assise à la droite de sa mère, et ses yeux sombres, étincelants de pensée, regardaient dans le vide. Sa chevelure brune, toute plate, était tirée en arrière d'une façon qui n'avantageait pas son visage, très semblable à celui de son père. Elle était petite et maigre comme Péronelle, mais alors que celle-ci avait la minceur d'un elfe, Michelle avait la maigreur d'un épouvantail. Ses vêtements constamment déchirés semblaient toujours trop larges pour elle et, chaque fois qu'elle le pouvait, elle les mettait sens devant derrière. Elle faisait le désespoir de Rachel et de Péronelle, car si elle eût pris soin d'elle-même, elle eût paru jolie. Elle avait de très beaux yeux, une forme de tête gracieuse et des mains et des pieds d'un beau et fin modelé; mais elle n'y prenait garde. Que lui importaient ses vêtements ? Elle vivait dans le monde de l'intelligence et de l'imagination, monde plus réel à ses yeux que celui de Bon Repos et de son Ile, et habité par des êtres plus visibles que son exaspérante famille. Plus tard, elle fut révérée comme un grand esprit et une sainte, mais à cette époque, elle passait pour une petite poseuse insupportable et débraillée... Son père, seul, la comprenait.

Personne, par contre, pas même son père, ne comprenait Jacqueline. Extérieurement, elle était l'image même de la bonne et normale fillette de douze ans, jolie sans excès, avec des cheveux bruns, des yeux bleus et des joues roses; mais, au fond, c'était un chaos de désirs étranges qui n'avaient rien d'enfantin, de terreurs sans nom, d'angoisses obsédantes. Dévorée d'ambition intellectuelle,

elle ne pouvait rien apprendre et les autres se moquaient de sa stupidité. Aspirant à l'amitié, elle était beaucoup trop timide pour la rechercher et sa gaucherie repoussait l'admiration que sa jolie figure suscitait. Péronelle, gaie, amicale, et parfaitement naturelle, recevait sans cesse des trésors d'amour et d'admiration, tandis que Jacqueline, affamée, vivait dans une sombre solitude. Pendant que sa mère attendait sa naissance, un petit frère était tombé dangereusement malade et il était mort quelques semaines avant la naissance de Jacqueline. L'anxiété, la crainte, la douleur, le déchirement du cœur en révolte contre le destin, tout cela était tissu dans l'étoffe même de son être.

Il y avait encore un autre bout de femme chez les du Frocq : Colette, âgée de cinq ans, qui dormait là-haut dans la chambre de Michelle.

Le souper commença gaiement. Tous les du Frocq avaient le don merveilleux de ne plus songer aux ennuis passés. Les sottises de Colin étaient déjà oubliées et il savait que personne n'y ferait plus allusion. Chaque journée avait sa ration d'escapades.

Rachel, voyant son mari las et mélancolique, oubliait sa propre fatigue pour décrire joyeusement une visite à Mlle Marguerite Falaise, vieille fille assez indiscrète qui habitait au bas de la côte. Rachel était une remarquable conteuse. Bien qu'elle ne se fiât pas entièrement à son imagination, comme son fils, pour raconter les faits de la journée, sa mémoire était assez créatrice pour orner d'une joyeuse broderie le sobre vêtement de la vérité. Elle n'avait, d'ailleurs, nullement conscience de ses enjolivements et croyait exécuter simplement un ourlet bien fait. Pendant qu'elle parlait ainsi, ses yeux sombres étincelaient et l'amusement passait sur son visage comme le soleil sur l'eau. De temps à autre, elle posait son couteau et sa fourchette pour gesticuler des deux mains, et André, en l'écoutant, sentait le poids des années quitter ses épaules; il oubliait ses vaches, ses moutons et ses tomates malades; il redressait son dos voûté et il souriait à sa femme derrière ses lunettes. En de tels moments, tous deux se sentaient jeunes de nouveau et ne voyaient plus les enfants assis entre eux.

Péronelle et Colin, très loquaces d'habitude, s'absorbaient en silence, ce soir-là, sur leur assiette. Ils mangeaient trois fois plus que les autres : la soupe au lait, les pommes au four, la crème et des tartines à n'en plus finir. De temps à autre, on les entendait pousser de grands soupirs qui indiquaient un rassasiement complet.

Jacqueline avait avalé un peu de potage, puis caché le reste sous sa cuiller, en espérant anxieusement que sa mère ne s'en apercevrait pas. Comment aurait-elle pu manger alors qu'elle se savait mourante ? Cette certitude la suffoquait et l'empêchait d'avaler. Dans l'après-midi, elle était tombée et s'était écorché un genou, et maintenant, sous son bas noir, elle sentait sans aucun doute son genou enfler. Elle avait le tétanos. Elle allait mourir. Peut-être que lorsqu'elle serait morte, les autres regretteraient de ne pas l'avoir aimée davantage. Peut-être pleureraient-ils. Oui, ils suivraient son enterrement tout habillés de deuil en pleurant désespérément dans des mouchoirs bordés de noir. Cette pensée lui fut si agréable que l'étau qui lui serrait la gorge se desserra légèrement; elle put même avaler une autre cuillerée de potage. Mais aussitôt, rapide comme l'éclair, une autre pensée terrifiante l'envahit. Elle ne serait plus là pour pleurer au soleil dans un mouchoir bordé de noir; elle serait enfermée dans une caisse clouée d'où elle ne pourrait plus sortir, et qu'on enterrerait profondément; mais peut-être ne serait-elle pas morte, après tout; alors elle crierait dans sa caisse, et il y aurait tant de terre sur elle qu'on ne l'entendrait pas... La sueur lui coulait dans le dos et elle porta la main à sa gorge où l'étau se resserrait d'une façon affreuse. Elle eut l'impression de pousser un cri... et jeta un regard autour d'elle sur tous les siens : ses parents causaient sans s'apercevoir de sa souffrance, Michelle regardait par la fenêtre, Colin enfournait sa soupe de la même façon que Sophie aurait chargé le feu, Péronelle mangeait proprement mais avec rapidité et sans rien laisser sur son assiette. Non, aucun d'eux ne tenait à elle. Égoïstes ! Elle allait bientôt mourir, et peut-être qu'après tout, ils ne pleureraient même pas à son enterrement ! Elle tâta son genou avec précaution et il lui parut horriblement enflé sous ses doigts. Si seulement elle pouvait en parler à quelqu'un ! Mais elle était faite de telle sorte qu'elle ne pouvait jamais s'exprimer convenablement. Ce qu'elle disait n'était jamais ce qu'elle avait voulu dire. Elle n'arrivait pas à trouver les mots voulus pour décrire ses craintes. Chaque fois qu'elle essayait de le faire, on la trouvait drôle et on se mettait à rire. Elle tentait parfois de se confier à Péronelle; mais celle-ci était une enfant de lumière qui ne savait pas voir très bien dans les cauchemars, encore que sa tendresse fût chaleureuse et réconfortante. Si Jacqueline lui disait, par exemple, sa crainte d'être enterrée vivante, Péronelle lui répondrait de son ton paisible : " Pas de danger, ma chérie, *je* veillerai à cela ", sans penser une minute qu'ayant un an de plus que sa sœur, il était probable qu'elle serait enterrée vivante la première... Fallait-il parler à sa mère du tétanos ? Elle leva les yeux vers le visage étincelant de Rachel et décida de ne rien dire. Rachel se contenterait de rire et de baigner le genou en disant : " Ne faites donc pas la sotte, ma chérie ! " et Jacqueline se sentirait ridicule. Or tout, tout, tout valait mieux que de se rendre ridicule... Au fond d'elle-même, tout au fond, Jacqueline savait qu'on la trouvait ridicule et c'était là une vérité qu'elle n'osait pas regarder en face. Par-dessus tout, elle voulait être admirée; avec des soins infinis, elle s'était créé à son usage une image d'elle-même répondant à ses désirs : créature belle, charmante et intelligente au suprême degré, et elle fuyait avec la prestesse d'un lièvre devant toute analyse d'elle-même qui venait troubler cette image... Non, elle n'avait personne à qui se confier. D'ailleurs, elle serait très jolie une fois morte. Jacqueline du Frocq, la belle, la charmante, la spirituelle Jacqueline, morte, pâle et fanée... Mais est-ce qu'on est jolie si l'on meurt du tétanos ? Peut-être qu'on gonfle ? Oh ! quelle horreur ! Elle souhaitait ressembler à Michelle, qui n'avait jamais peur de ce qui pouvait arriver à son corps et qui, en vérité, n'y pensait guère.

Jacqueline jeta un regard d'envie sur Michelle qui mangeait lentement et d'un air pensif tout ce qu'on mettait devant elle, sans y prêter la moindre attention. Elle avait un peu de suie sur le nez et l'encolure de sa robe s'était dégrafée, de sorte qu'on apercevait son cache-corset. Elle n'entendait pas un mot de ce qui se disait autour d'elle, et ses yeux sombres et brillants tournés vers la fenêtre, ne voyaient pas le brouillard marin qui se pressait comme un épais bandeau contre les vitres; ils voyaient une ville de marbre blanc aux belles colonnes qui s'élevaient sur un ciel d'un bleu étincelant. Une mer pourpre s'étendait sur un côté de la ville et le flot venait battre doucement les marches blanches. De l'autre côté, un bois de noirs cyprès se découpait, très sombre, sur le ciel. La ville était complètement vide, sans une âme. Le calme qui y régnait donnait l'impression de fraîcheur et de profondeur que donne une grotte marine; une sensation d'espace et de liberté venait de ce vide... Michelle vivait l'un des plus beaux jours de sa vie... elle venait de découvrir Keats. Des phrases ravissantes avaient illuminé son esprit au point qu'elle se sentait étourdie de tant de lumière : " Petite ville, tes rues seront silencieuses pour toujours; et pas une âme ne pourra revenir pour te dire la raison de ton abandon, sans retour "... " Elle se tenait tout en larmes, dans ce champ de blé étranger "... " Refroidie depuis une éternité dans la terre profonde "... " Beauté est vérité, vérité est beauté "...

— Michelle ! rugit Colin, passez-moi donc la crème, vieille gourmande !

C'était la première parole qu'il prononçait depuis le début du repas; mais c'était aussi la première fois qu'il ne parvenait pas à atteindre la crème.

Michelle sursauta et s'aperçut qu'elle serrait le pot de crème dans sa main droite.

— Michelle, lui dit sa mère, si vous voulez de la crème, prenez-en, mais ne gardez pas ainsi tout le pot pour vous.

— Votre robe est dégrafée, ajouta Péronelle, d'un air de dégoût, car elle détestait le manque de soin. On voit votre cache-corset.

Le sang monta au front de Michelle. Elle se sentait bouillir de fureur. Ces observations qui venaient troubler son exaltation lui faisaient l'effet d'une nuée d'insectes venimeux. Elle repoussa le pot de crème d'un geste si furibond qu'il se renversa et que la crème coula sur la nappe jusque sur les genoux de Péronelle, où elle dessina une vilaine rivière visqueuse sur le devant de sa robe de coton rose toute propre. Péronelle, toujours si soignée, bondit de rage, les joues aussi colorées que sa robe et toutes ses boucles hérissées d'exaspération.

— Dégoûtante ! Dégoûtante ! criait-elle en trépignant. Vous avez gâché ma robe ! Je vous déteste ! Je vous déteste !

Rachel se leva alors ; ses yeux lançaient des flammes et elle ressemblait à Mme Siddons dans un rôle de muse tragique.

— S'il y a dans cette Ile des enfants plus insupportables que les miens, je voudrais bien les rencontrer ! s'écria-t-elle d'une voix de tonnerre.

Jacqueline, dont l'angoisse venait de se détendre dans cet orage imprévu, éclata en sanglots et, pendant un instant, toute la violence des du Frocq fit rage, de-ci, de-là, d'un mur à l'autre, comme une force invisible. Puis le tumulte s'apaisa aussi vite qu'il était né et la paix ordinaire de Bon Repos reprit son cours. On essuya la crème sur la nappe et sur la robe de Péronelle ainsi que les larmes de Jacqueline. Tous s'embrassèrent mutuellement ; Michelle et Péronelle échangèrent des excuses, et

Colin avala ce qui restait de crème pendant que ses deux sœurs demandaient pardon à leur mère.

Cependant, l'orage avait laissé ses traces. Les années étaient revenues peser aux épaules d'André. Ses soucis également : les cochons, les vaches, les tomates malades, ses cinq enfants, sa crainte de ne pas arriver à les lancer convenablement dans le monde. Il courba de nouveau les épaules sous ce fardeau... Et derrière la fenêtre, la petite ville avait souffert d'un tremblement de terre et était en ruine.

Michelle ne la voyait plus. Des larmes mouillèrent ses cils et elle se sentit tout à coup exilée et solitaire. Combien ce monde matériel était odieux de toujours venir troubler le monde de ses beaux rêves, de toujours effacer sa vision intérieure !

— Quelle histoire, tout ça ! s'écria-t-elle brusquement.

— C'est vous qui avez commencé cette histoire en renversant le pot de crème, lui rappela Péronelle.

— Ce n'est pas de cela dont je parle, mais de la vie. Je voudrais qu'on ne s'occupe pas tant de boire et de manger.

Son père la regarda en lui lançant un sourire rapide.

— Fenêtres magiques, perdues dans le pays des fées, qui s'ouvrent sur l'écume des mers périlleuses, dit-il. Ce sont des choses dangereuses pour les pots de crème, Michelle. Ne perdez pas contact avec le monde matériel. Pour être une femme équilibrée, il faut savoir boire et manger en temps voulu.

Michelle lui lança un long regard de tendresse.

— Vous êtes un liseur de pensées, papa. Comment avez-vous pu deviner que je venais de découvrir Keats ?

— A l'expression idiote de votre visage pendant que vous regardiez une vision derrière la fenêtre, et à votre manque d'intérêt tout aussi idiot envers votre souper, lui répondit-il en souriant.

— Ce qui me fait penser, s'écria Péronelle, qu'on a oublié la pâtée du chat !

Maximilien et Marmelade, le chat jaune, reçurent leur ration; la table fut desservie et la vaisselle empilée dans la laverie où Sophie la trouverait le lendemain matin; puis André s'en alla inspecter le brouillard pendant que Rachel câlinait ses enfants pour les envoyer se coucher.

VI

Péronelle et Jacqueline partageaient une chambre, Colette dormait près de Michelle; Colin avait sa chambre, si petite qu'il n'y avait pas moyen d'y balancer un chat, mais comme il n'avait, disait-il, aucune envie d'y balancer Marmelade, tout était pour le mieux.

Rachel, après avoir embrassé ses filles dans leur chambre, se pencha une minute sur le petit lit où dormait la blonde et grosse Colette, puis passa chez Colin. Elle aimait tous ses enfants, mais Colin lui semblait faire partie d'elle-même comme s'il eût encore été couché contre son cœur. Elle aurait volontiers envoyé tous les siens au fond de la mer pour assurer une existence parfaite à Colin. Elle ne cessait de répéter qu'elle n'avait aucun favori parmi ses enfants, que le favoritisme lui faisait horreur; mais, à ces moments-là, on voyait André sourire.

— Maman est folle de Colin, dit Péronelle, au moment
où Rachel quittait ses filles après un baiser tendre mais
hâtif. Elle nous lâche.

Péronelle parlait sans rancœur, étant elle-même très
partiale vis-à-vis de son frère; mais Jacqueline éprouva
une brûlure de jalousie qui lui fit presque oublier sa fin
prochaine.

Colin était déjà déshabillé quand sa mère entra chez
lui.

— Allons, maman, dit-il, venez un peu tâter mes
biceps.

Rachel les tâta.

— Je pourrais vous étourdir d'un seul coup comme
rien, reprit-il. Faut-il me laver ? Péronelle m'a lavé le
haut avant le souper et j'ai fait le bas hier.

— Montrez-moi vos pieds, dit Rachel d'un ton
ferme.

Colin les exhiba, en expliquant qu'ils étaient brunis par
le soleil.

Pendant qu'elle lui ôtait des pieds la crasse de plusieurs
jours, Rachel connut un moment de bonheur exquis.
Après tout, cela valait la peine. Cela valait bien toutes
les années de luttes et de grossesses de se trouver, ce soir,
dans cette petite chambre blanche, en train de laver les
orteils arrondis d'un petit garçon. La flamme de la bougie
placée sur la commode magenta fit un saut brusque,
comme en signe d'assentiment, et l'ombre de Colin dansa
en même temps sur le mur. La courtepointe de cretonne
avait l'air d'une gaie plate-bande fleurie et, derrière la
fenêtre, la soirée d'été prenait une merveilleuse teinte
bleu foncé.

Le murmure de la mer était si doux qu'on ne l'entendait pas plus que la brise du sud qui agitait le feuillage de la passiflore.

Mais comme une pierre lancée dans un étang paisible, le son menaçant de la sirène lointaine vint tout à coup tomber sur le bonheur de Rachel. Pendant que la paix et la beauté de la vie domestique régnaient dans cette chambre, il y avait du danger en mer. Tout bonheur était fini. Un sentiment d'effroi saisit Rachel. Elle se leva rapidement et courut à la fenêtre comme pour fermer les rideaux et repousser quelque chose qui la terrifiait. Elle se tenait là, immobile, en essayant de percer le brouillard, les yeux tout assombris par la peur. Par moments, Rachel était douée de double vue, et c'est une de ces *visions* qu'elle avait, en cet instant, devant elle. Bon Repos lui faisait l'effet d'une arche perdue sur l'immensité des flots, entourée, dans les ténèbres, de dangers inconnus, harcelée par d'horribles vagues, enfouie sous le brouillard. Elle sentait avec tant de certitude que son foyer, le berceau de ses joies, était menacé, qu'elle porta une main à sa gorge pendant qu'elle se tenait là, à l'abri dans cette petite chambre. Puis, non loin de Bon Repos, elle crut apercevoir dans le brouillard les espars d'un bateau naufragé, d'où s'éloignait un canot portant un homme seul. Cet homme venait à Bon Repos, et au moment où il y arrivait, les vagues parurent menacer l'arche avec moins de sauvagerie et il sembla qu'une lueur perçait la brume. Cette lueur frappa le visage de l'étranger que Rachel distingua alors nettement : c'était un visage rude et laid, dur et volontaire, barré d'une grande cicatrice sur une joue, et encadré d'une barbe grise, épaisse et mal tenue, qui faisait paraître encore plus sauvage le regard. A l'instant même où la main de cet homme toucha Bon Repos, elle sentit que son foyer était sauvé.

— Maman ! s'écria Colin, qu'est-ce que vous faites donc ? Je ne suis qu'à moitié sec !

Elle ferma les rideaux et tourna le dos à la fenêtre en riant.

— Je voyais des choses, dit-elle.

Chaque fois que les du Frocq se racontaient des histoires (ce qu'ils faisaient à tout propos et hors de propos), ils commençaient toujours leurs récits par ces mots : " Je vois des choses. "

— Oh ! maman ! racontez-moi ! s'écria Colin, tout agité. Avez-vous vu le Roi des Auxcriniers ? Est-il en mer, ce soir ?

Le Roi des Auxcriniers est un terrible ogre marin qu'on voit en mer à l'heure du danger.

— Non, je ne l'ai pas vu, répondit Rachel.

Elle termina ses soins aux pieds de son fils, puis le borda dans son lit.

— Eh bien, je parie qu'il est là ! reprit Colin en sûreté. Le brouillard est diablement épais et la sirène mugit comme une folle.

— Il ne faut pas dire diablement, Colin !

— Pourquoi pas, puisque le brouillard est comme ça ? Maman, vous savez, je suis revenu par la sente d'eau et elle était pleine de *sargousets* [1] qui allaient et venaient comme ils le font quand il y a la mort en mer. Croyez-vous qu'il y aura des naufrages, cette nuit ?

---

1. Génies des eaux.

— Les sargousets n'exiſtent pas, mon petit garçon, dit Rachel en l'embraſſant; ce ſont des légendes.

— Ah ! vraiment ? répondit Colin avec chaleur. Alors, Dieu auſſi eſt une légende.

— Colin ! s'écria ſa mère, ſcandaliſée.

— Eh bien ! je n'ai vu ni Dieu ni les ſargousets de mes propres yeux, mais je les ai vus chacun de mes yeux *intérieurs*, et ſi les uns n'exiſtent pas, l'autre n'exiſte pas davantage, déclara Colin d'un ton péremptoire. Contez-nous une hiſtoire, maman !

Une voix appela d'en bas : " Rachel ! Rachel ! "

— Je vous conterai l'hiſtoire demain matin, dit Rachel à ſon fils.

— Entendu ! répondit l'enfant. Courez vite, c'eſt papa. Je vous parie ce que vous voudrez qu'il eſt jaloux. Embraſſez-moi encore une fois. Vous m'avez très mal embraſſé. Il faut regarder dans mes fenêtres et m'embraſſer avec vos yeux.

Rachel, penchant ſa figure ſur celle du petit, plongea ſon regard dans les yeux de ſon fils, puis fit voleter ſes cils ſur ſon front.

— Rachel !

Il y avait quelque chose d'urgent, à coup ſûr, dans l'intonation inuſitée de cet appel. Elle ſe releva et descendit vivement l'escalier.

VII

ANDRÉ se tenait au seuil de la cuisine, la pipe à la bouche, le dos plus voûté encore que d'habitude.

— Quel temps invraisemblable vous mettez à faire coucher ce garçon ! s'écria-t-il d'un ton plaintif.

Rachel sourit. Elle aimait à entendre dans la voix de son mari cette intonation jalouse.

— Il est toujours si sale ! dit-elle en glissant son bras sous celui d'André et en le ramenant vers la cuisine.

Ils s'assirent sur la jonquière. La lampe à huile, posée sur la table, éclairait faiblement le chêne foncé et les bassinoires de cuivre. Toutes les assiettes bleues retenaient au passage un amical rayon de lumière et le tic-tac de la vieille horloge leur tenait doucement compagnie. La salle était habituée à voir ces deux-là, assis sur la jonquière, s'entretenir parfois très tard dans la nuit. Elle se faisait accueillante et serviable; l'horloge répétait sur un ton monotone que les secondes grignotent le temps et arrivent à bout de tout, même de la vie, et les reflets de la lumière répondaient chaleureusement que certaines choses qui semblent dénuées de substance ne peuvent mourir puisque la flamme qu'elles reflètent est éternelle. La vie conjugale d'André et de Rachel avait connu tant de hauts et de bas que cet argument n'avait jamais cessé de résonner dans leur cœur, sur leurs lèvres et dans toute cette salle. La jonquière s'était toute déformée sous le poids de leurs entretiens nocturnes.

André et Rachel s'étaient fiancés à l'âge où ils auraient dû être encore absorbés par leur table de multiplication, et ils s'étaient mariés jeunes, avec un dédain magnifique pour les réalités de la vie. Cela devait, par la suite, leur coûter cher.

André était le second fils du docteur le plus réputé de l'Ile, qui, par sa haute opinion de lui-même, avait fait une si forte impression sur les insulaires qu'ils étaient venus sans hésiter lui confier le soin de leur foie et de leurs poumons. Devant une clientèle bien établie, le docteur aurait voulu faire aussi de son fils aîné un médecin, pour pouvoir lui confier les malades dont il n'avait pas le temps de s'occuper. Mais bien que Jean possédât toutes les capacités désirables chez un médecin : un cœur chaleureux, des nerfs solides, des manières charmantes et une foi inébranlable en son propre jugement, il avait tourné mal, un beau jour, sans raison apparente, avait lancé son stéthoscope à la tête de son père et s'était enfui en Australie où il avait complètement disparu.

André, beaucoup plus jeune, avait brusquement reçu l'ordre, à sa sortie du collège, de reprendre le stéthoscope et de s'occuper des malades abandonnés par Jean. Mais lui, d'ordinaire si doux et si docile, avait refusé net. Le docteur du Frocq eut beau crier et tempêter, André s'obstina dans son refus. Quand on lui demanda la raison de cet entêtement abominable, il répondit qu'il n'éprouvait aucun intérêt pour le corps humain. En bonne santé, ce corps lui semblait ridicule, avec ses protubérances mal placées et ses façons de gêner sans cesse la vie spirituelle; et quand son fonctionnement, déjà si médiocre dans les bons jours, se détraquait dans la maladie, il devenait vrai-

ment insupportable. Qu'est-ce qu'André aimait donc,
alors ? Il aimait la terre, et le blé qui y croissait, les saisons
changeantes qui mouraient et se renouvelaient avec beauté
et dignité, sans faire tant d'embarras. Il voulait qu'on lui
donnât Bon Repos, la vieille ferme des du Frocq, qui
était louée depuis plusieurs années. Il voulait devenir
fermier. Le docteur du Frocq jura de toutes ses forces,
mais André continua à répéter, avec autant de douceur
que d'obstination, qu'il voulait devenir fermier. A la fin,
on lui donna Bon Repos, pendant que son père lui décla-
rait que, tant qu'il ferait la folie d'y rester, il ne devrait
compter sur aucune aide de sa part.

Ce'st à cette époque qu'André avait épousé Rachel, et
les jurons du docteur du Frocq, le jour où son fils avait
décidé de devenir fermier, n'étaient rien auprès de ceux
du père de Rachel, le jour où sa fille décida de devenir
la femme d'un fermier.

Il commença par s'opposer au mariage; mais Rachel
sut se rendre si désagréable chez elle en réponse à cette
opposition que, pour avoir la paix, il finit par capituler et
calma ses inquiétudes au sujet de l'avenir de sa fille en lui
donnant une belle dot et en se disant que ce vieux coquin
de docteur du Frocq était certainement un homme
généreux.

On ne pouvait dire qu'André fût un fermier réussi.
Avec le respect qu'un artiste éprouve pour la terre, il avait
embelli d'avance cette existence comme tous ceux qui
n'y connaissent rien; mais quand il vit les choses de près,
il s'aperçut que ce qu'il eût aimé faire vraiment, c'eût été
de décrire les beautés de la terre au lieu de travailler péniblement sur cette terre. A ses rares moments de loisirs,

il composait, sans même le dire à Rachel, des poèmes qui étaient des merveilles d'observation et de grâce; mais, pendant ce temps, la ferme ne prospérait pas.

On ne pouvait dire, non plus, que Rachel se fût montrée, au début, très apte à cette existence. Elle qui avait été la belle de l'Ile, trouvant toutes naturelles la douceur et l'aisance de sa vie, avait d'abord éprouvé de la surprise, puis de l'indignation, devant les devoirs de son état. Pendant les premières semaines, par les beaux jours d'été, son grand amour pour André l'avait soutenue ainsi que le sentiment d'avoir fait preuve de grandeur d'âme en épousant un pauvre fermier alors qu'elle aurait pu prétendre au Lieutenant-Gouverneur. Mais, ensuite, quand il lui fallut se lever avec André dans l'obscurité des matins d'hiver et travailler durement dans le froid et l'humidité pendant que les tempêtes faisaient rage autour de Bon Repos et que la mer grondait sans arrêt, Rachel fut saisie d'un sombre désespoir.

Au cours de ce dernier hiver, André se sentait si exténué par cette tâche nouvelle qu'il ne trouvait plus un mot à dire, tandis qu'une fatigue semblable excitait chez sa femme une loquacité incessante... Ils en vinrent presque à se détester.

Puis les enfants naquirent, et cette tâche parut parfaitement odieuse à Rachel. Comme son mari, elle fut d'avis que le corps humain est bien mal organisé. Elle aimait ses enfants, certes, mais elle eût préféré les voir sortir d'un œuf.

Ils continuèrent la lutte, cependant, sans trop savoir pourquoi et comment. A la fin, il leur semblait avoir été pris dans un typhon, au centre duquel ils avaient réussi, après une lutte affreuse, à pénétrer, et où ils pouvaient maintenant vivre en paix. C'est ainsi que Rachel apprit à se retirer dans sa propre paix intérieure et qu'André parvint à comprendre qu'une tâche monotone peut servir de cadence à la pensée comme l'accompagnement qui soutient le vol des notes de plus en plus élevées du violon. Tous deux apprirent par là que toute paix qui n'est pas menacée est sans valeur et que toute pensée qui n'a pas mûri dans la peine manque de profondeur. Pendant qu'ils se soutenaient ainsi dans la tempête, un grand amour s'était épanoui entre eux et rayonnait aussi sur leurs enfants et sur Bon Repos, un amour qui les effrayait presque par son intensité.

Malheureusement, les pensées d'André, au cours de sa besogne, avaient beau être très nobles, elles ne le rendaient pas plus apte aux choses pratiques, et si Rachel croissait en dignité et en sagesse, elle n'en voyait pas moins diminuer sa dot.

Son père était mort, mais le docteur du Frocq restait bien vivant, encore qu'on racontât que la passion qu'il avait pour les courses le rendît moins cossu.

— Qu'y a-t-il, André ? demanda Rachel en s'asseyant près de son mari.

Au souvenir de la vision qu'elle venait d'avoir, un accès de crainte la saisissait. André ne tergiversa pas.

— Voilà seize ans, ma petite, que je me rends ridicule à Bon Repos, et les choses en sont maintenant arrivées à un tel point qu'il faut partir.

— Partir ?

Elle n'avait encore jamais compris avant cet instant à quel point son existence s'était enracinée à Bon Repos.

Si on l'en arrachait, elle mourrait sûrement. Le sentiment
que cette demeure lui inspirait avait gardé, depuis le
début, la même intensité, bien que la haine se fût trans-
formée, à force d'endurance, en tendresse. Elle ne put en
dire davantage, et pendant deux longues minutes, on
n'entendit dans la salle que le tic-tac de l'horloge. Puis
André reprit :

— Il faut vendre. Bon Repos devrait faire un bon prix.

— Et ensuite ?

Rachel avait l'impression que sa voix venait de très
loin, de cette femme que son imagination lui montrait
déjà comme mutilée d'avoir été arrachée aux lieux de son
repos.

André humecta ses lèvres sèches et continua sur un ton
dénué de toute expression. Ce fut l'un des pires moments
de sa vie. Il savait qu'il prononçait un arrêt de mort, à
la fois pour sa dignité d'homme et pour le bonheur de
sa femme.

— Mon père qui avait prévu cela m'a offert, il y a
longtemps, de nous prendre tous chez lui. Tant que nous
resterons ici, il ne fera rien pour nous, mais dès que nous
nous reconnaîtrons vaincus, il se montrera charitable...
Cela l'amuse d'être charitable... Il nous ferait vivre, moi
comme préparateur et vous comme intendante... Il aime
les enfants... Nous accepterons cette offre demain.

Voilà; c'était dit. Il venait de s'avouer vaincu, comme
homme, comme mari et comme père. A l'amertume qui
l'envahissait se joignait un curieux sentiment de déli-
vrance à voir sa condamnation prononcée. On saurait
désormais ce qu'il était vraiment : un raté; et pour supporter le poids de l'opinion, il allait lui falloir un nouveau

courage. Il comprit tout à coup que, si bas que nous puissions tomber, il nous est impossible d'échapper à cette épreuve. La vie nous poursuit, nous sonde de sa pointe, nous éprouve de mille manières comme pour découvrir le métal dont nous sommes faits. Lui serait-il donné d'entendre un jour ce cliquetis de l'acier touchant l'acier ?... Il fut brusquement rappelé à la réalité dans la cuisine de Bon Repos par Rachel qui, ayant dominé sa stupéfaction et son angoisse, déversait sur lui le flot de sa colère.

— Non, André, nous ne ferons pas cela. Pour rien au monde, je ne consentirais à vivre avec votre père. J'aimerais mieux m'en aller sur les routes avec nos affaires dans la voiture d'enfants et mettre les enfants à l'asile !

Ses yeux étincelaient. Elle n'avait jamais pu s'entendre avec son beau-père. C'était un égoïste, et elle détestait l'égoïsme; et puis, il n'estimait pas André et elle en voulait à tous ceux qui méprisaient son mari; c'était, de plus, un autocrate; or, étant elle-même assez autoritaire, elle ne pouvait souffrir les autocrates.

André se prépara à lui tenir tête.

— Il faut trouver autre chose. Je ne vivrai pas avec votre père. Combien nous reste-t-il ?

— Juste assez pour vivre encore un an.

— André ! (Rachel était magnifique dans son indignation.) Comment pouvez-vous m'effrayer ainsi ! Si nous avons de quoi vivre pour encore un an, pourquoi déménager maintenant ?

— Ne préférez-vous pas partir maintenant avec quelques ressources au lieu d'attendre que nous ayons tout perdu ?

— Non, j'aime mieux vivre dans la misère ici que riche autre part !

— Je ne crois pas que vous vous rendiez compte de ce que c'est que la misère.

— Voyons, André, y a-t-il le moindre bon sens à quitter une maison qu'on aime pour une qu'on hait à moins d'y être contraint ? Non, c'est fou, et je n'en ferai rien.

— C'est avoir du bon sens, Rachel, que de regarder devant soi et de prévoir l'avenir.

— Vous prévoyez un avenir de calamités, et c'est peut-être, en effet, raisonnable; oui, c'est là, certes, du bon sens; mais il existe aussi un sens moins commun qui prévoit le succès et se refuse à accepter la défaite.

— Ne pas accepter la défaite quand elle vous accable c'est causer aux autres des souffrances inutiles. Je pense à mes créanciers, en ce moment.

André se tordait les mains. Discuter avec Rachel était toujours une entreprise extrêmement difficile. Il manquait assez de sens pratique, mais sa femme en manquait bien plus encore, et jamais, jamais, on ne pouvait l'amener à reconnaître qu'elle avait tort. Elle paraissait ne voir que les terribles désastres qui se produiraient si l'on ne suivait pas ses conseils.

— Croyez-moi, André, j'ai raison. N'ai-je pas toujours raison, d'ailleurs ?

Elle avait pris un ton de triomphe qui fit sourire André. Il était bien vrai qu'en dépit de son manque de sens pratique elle avait raison, la plupart du temps. Ses décisions, prises dans un éclair d'intuition, semblaient saisir si rapi-

dement les situations les plus imprévues qu'elles les
transformaient à son gré.

— Oui, vous avez presque toujours raison, ma petite;
mais pourtant vous avez fait, un jour, une erreur désastreuse. Vous m'avez épousé. Il faut maintenant que vous
supportiez les conséquences de cette bévue.

Il ne la regardait ni ne la touchait en parlant ainsi, mais
Rachel sentit à quel point il souffrait pour elle. Elle l'attira
farouchement dans ses bras.

— Vous osez dire cela ! Vous osez ! Vous osez ! criait-
elle. Une erreur ? Songez donc aux richesses que m'a
values cette erreur ! Y a-t-il jamais eu au monde une femme
aussi riche que moi ?

Elle essayait de le retenir, sachant par expérience que
lorsqu'il était dans ses bras, elle pouvait généralement
faire de lui ce qu'elle voulait; mais André s'écarta d'elle
doucement. Il se montrait d'une obstination extraordinaire, ce soir.

— Nous ne parlons pas de vos richesses, répliqua-t-il,
mais de votre pauvreté. Les sentiments ne sont plus
capables de nous aider, maintenant. Si nous restons ici,
la ruine nous menace. Nous devons penser aux enfants.

— Je pense aux enfants. Si nous quittons cette maison,
leur existence sera mutilée. Laissez-moi m'expliquer,
André.

— Leur existence sera sûrement mutilée si nous restons
ici et qu'ils n'aient ni pain ni beurre, interrompit André
d'un ton farouche.

Rachel leva les mains d'un geste très beau même dans
son impatience :

— Calmez-vous, André, laissez-moi m'expliquer !

André se tut et garda un silence désespéré pendant que l'horloge battait une mesure inexorable et que Rachel rassemblait ses forces pour ce qu'elle sentait devoir être la plus grande bataille de sa vie. Elle tenait toujours à agir à sa guise, et en ce moment plus que jamais puisqu'elle sentait le danger menacer les fondations mêmes de leur existence.

— André, on ne peut pas détruire ainsi ce qu'on a créé. Ce serait pure folie que d'abandonner une belle chose qui commence juste à fleurir après tant de souffrances. Rappelez-vous nos seize années ici. Songez à tous ces jours de lutte et de misère par lesquels nous sommes passés, et à ce beau foyer paisible qui est né de cette lutte. Si nous partons, à quoi auront servi ces années-là ? Ce serait plus que du temps gâché.

— La vie gâche bien des choses.

André n'était pas égoïste, mais il ne pouvait se retenir de penser un moment à tous les dons qui gisaient en lui, paralysés.

— Quelle absurdité ! s'écria Rachel. Les poltrons seuls gâchent les choses ! Si nous suivons tout droit la voie que nous avons choisie, nous ne gâchons rien de tout ce que nous avons éprouvé; tandis que, si nous retournons sur nos pas, nous gâchons tout.

— Et les enfants ? demanda doucement André. Faut-il qu'ils souffrent de faim ?

— Je ne déracinerai pas les enfants d'ici, qu'ils aient faim ou non, répliqua fermement Rachel. Ils grandissent dans un milieu parfait, aussi beau que possible, dans une demeure où ont vécu des ancêtres courageux, à un foyer que nous leur avons préparé, vous et moi, et que nous

avons imprégné d'amour. Après avoir planté nos enfants
dans un bon sol, je ne veux pas voir mes chéris trans-
plantés dans cette affreuse maison de ville de votre père,
qui sent le renfermé, qui a une cuisine en sous-sol et qui
est pleine de cafards.

L'éloquence passionnée de Rachel faisait place à une
désolation plus matérielle à mesure qu'elle entrevoyait
l'horreur que serait leur existence dans l'abominable
maison du grand-père. Des larmes emplirent ses yeux et,
pour la première fois, sa voix trembla. Il lui arrivait si
rarement de pleurer qu'André en fut bouleversé.

— Que proposez-vous de faire, mon ange ? demanda-
t-il tristement.

— De rester ici jusqu'au dernier moment, murmura
Rachel, et quelque chose arrivera pour tout arranger.

Elle porta son mouchoir à ses yeux et fut désagréable-
ment surprise d'y trouver si peu de larmes. Si seulement
elle pouvait pleurer plus souvent et plus abondamment,
elle n'aurait jamais aucune difficulté avec André ! Les
hommes ne résistent jamais aux larmes... Cela les met
dans l'embarras... Faites qu'un homme se sente embarrassé
et vous pouvez faire de lui ce que vous voulez.

— Qu'est-ce qui arrivera pour tout arranger ? demanda
André.

— Quelque chose... J'en suis sûre. Il faut que je vous
dise, André... je vois des choses...

Elle mit sa joue mouillée contre celle de son mari et
lui décrivit la vision qu'elle avait eue, là-haut, dans la
chambre de Colin.

— Bon Repos était sauvé ! murmura-t-elle pour finir.

Cette histoire laissait André très sceptique, mais la

joue humide de sa femme l'émouvait profondément. Il
ne l'avait pas vue pleurer depuis la naissance de Colette
— pas depuis cinq ans ! Seigneur ! Quelle chose cruelle
que l'amour ! Un homme, à cause de l'amour qu'il porte
à une femme, l'épouse et lui inflige peine sur peine.
" Hélas ! pourquoi faut-il que l'amour, d'aspect si doux,
se révèle à l'épreuve si tyrannique et si brutal ? " Il attira
Rachel à lui.

— Nous attendrons encore six mois et nous verrons
ce qui se passera, murmura-t-il.

L'horloge qui, dans les discussions, prenait toujours
le parti d'André le pessimiste, fit entendre un grincement
désespéré — elle avait besoin d'être huilée —, mais la
vaisselle bleue et les bassinoires, en bonnes optimistes,
firent un signal amical à Rachel, qui leur répondit de la
même façon au moment où sa tête abandonnait l'épaule
d'André pour se relever et où le reflet de la lampe transformait en diamants les larmes restées sur ses joues. Une
fois de plus, dans la cuisine des du Frocq, la foi triomphait
de la prudence.

Rachel, dans la victoire, savait se conduire d'une manière
exemplaire. Une longue expérience lui avait enseigné
l'art d'accepter gracieusement la victoire. Elle ne semblait
jamais triompher d'André. Elle ne disait jamais que,
Dieu merci ! il se montrait enfin raisonnable ! Elle ne
minaudait même pas. En baissant la tête d'un mouvement
plein de grâce et en murmurant des paroles de soumission,
elle donnait l'impression d'être une faible vigne à laquelle
André venait de prêter sa force pour l'empêcher de tomber. La volonté puissante, c'était celle de son mari et non
la sienne, semblait-elle dire ; s'il lui cédait, ce n'était pas

par faiblesse, mais seulement pour satisfaire les caprices
de sa femme. Avec une adresse consommée, elle arrivait
même parfois à le convaincre que la décision qu'ils
venaient de prendre était son œuvre à lui, et non la
sienne.

— Vous avez parfaitement raison, mon chéri, chuchota-t-elle. Il vaut bien mieux attendre encore six mois,
comme vous le dites, avant de prendre une résolution
désespérée. A ce moment-là, nous saurons où nous en
sommes.

— Nous le savons déjà, fit observer André.

Mais elle lui coupa la parole en lui disant :

— Vous êtes si bon pour moi, *mon ange* [1], que je me
fie entièrement à votre jugement.

Ils s'embrassèrent pendant que l'horloge sonnait l'heure
d'un air cynique; puis ils éteignirent la lampe, verrouil-
lèrent la porte d'entrée et montèrent lentement et avec
lassitude l'escalier de pierre. Ils se déshabillèrent dans
leur chambre, à la lueur de la bougie, sous l'image du
Jugement dernier, grimpèrent dans le grand lit à colonnes
et tirèrent les rideaux cramoisis pour se garder des deux
épouvantails de cette époque : l'air de la nuit et les courants d'air.

Quand Rachel reposa dans les bras de son mari et qu'on
n'entendit plus que le soupir de la mer, elle murmura :
" Promis ? " Et André répondit : " Promis. " Elle poussa
un soupir de satisfaction. La longue journée de labeurs
et d'anxiétés était passée. Un par un, elle déposa ses fardeaux au seuil du sommeil et fut de nouveau un petit

---

1. En français dans le texte. (N.D.L.T.)

enfant qui courait et qui tombait indéfiniment jusque dans le calme le plus profond. Sa dernière pensée fut que Bon Repos lui appartenait encore pour quelque temps; car, très sagement, Rachel ne regardait jamais trop loin devant elle.

CHAPITRE II

I

MICHELLE s'éveilla de bon matin. Elle avait rêvé qu'elle vivait toute seule dans la petite ville déserte au bord de la mer. Elle parcourait lentement la terrasse blanche qui dominait la grève; elle s'asseyait pour tremper ses pieds dans la lime fraîche de la marée, qui moussait comme des fleurs au pied du perron de marbre, en contemplant les cyprès qui se balançaient sur le ciel comme une troupe de lanciers; puis elle cueillait des touffes d'anémones rouges et d'asphodèles rose pâle.

Elle ne se sentait pas trop solitaire, car ses pensées lui tenaient compagnie et lui donnaient un sentiment de sécurité. Rien ne pouvait, certainement, s'interposer entre elles; ses pensées semblaient venir du dehors et défiler dans son esprit, une par une, belles, vraies, lumineuses et satisfaisantes. Une par une, elle les accueillait, les examinait, les comprenait et les laissait passer, en se sentant de plus en plus riche à mesure qu'elle les regardait défiler. On eût dit que chaque pensée la transportait de marche en marche le long d'un grand escalier. Elle se disait, avec une douce exaltation, qu'au sommet de la dernière marche, elle saurait quelque chose. Mais quoi?

Alors qu'elle dérivait du rêve vers le réel, un vers de Keats chanta dans sa mémoire : " Au sommet, suspendu par un voile invisible, est un globe de lumière, et c'est l'amour. " L'amour, qu'était-ce donc ? La réponse à cette question serait-elle la connaissance suprême ? Dès que son esprit inquiet s'accorderait à cette lumière, serait-elle enfin satisfaite [1] ?

Bientôt, bientôt, elle s'y trouverait plongée; encore quelques marches, et elle allait savoir ce qui pouvait la satisfaire pour toujours — encore quelques marches... Ses yeux s'ouvrirent et elle aperçut sa petite table de toilette rose, son éponge étalée comme un hérisson et ses vêtements éparpillés sur le plancher... Elle était éveillée... Une fois de plus, la petite ville avait disparu... Elle n'atteindrait jamais le sommet des marches !... La découverte qui paraissait si proche lui avait été refusée. Ses pieds n'étaient pas rafraîchis par la mer, mais moites de sueur, et ses bras, au lieu de tenir une gerbe d'asphodèles, serraient sa chemise de nuit trempée. Il n'y avait pas de cyprès à contempler, mais seulement une éponge qui faisait penser à un hérisson; elle ne voyait plus de belles pensées claires défiler dans son esprit pour le conduire vers une grande lumière, mais rien qu'une masse confuse de spéculations ridicules qui ne menaient nulle part. Elle

---

1.   " . . . . In the end,
         Melting into ist radiance, we blend,
         Mingle, and so become a part of it, —
         Nor with aught else can souls interknit
         So wingedly: when we combine therewith
         Life's self is nourished by its proper pith,
         And we nurtured like a pelican brood. "
                              John KEATS (*Endymion*, I).

en éprouva une telle amertume qu'elle se retourna sur
elle-même et enfouit son visage dans son oreiller. Il fallait
revenir à cette détestable existence terrestre, à cette horrible vie du corps. Horrible, c'était bien le mot voulu;
vulgaire! Elle s'agita. Elle avait un mauvais goût dans
la bouche et ses cheveux lui retombaient, tout emmêlés,
sur les yeux. Cet affreux corps ne pouvait même pas
reposer huit heures dans son lit sans devenir moite et
désordonné; et maintenant, il fallait se lever et faire sa
toilette. Chaque jour, pendant des années et des années,
elle aurait à se lever et à nettoyer ce corps qui, chaque
année, deviendrait de plus en plus laid, de plus en plus
répugnant et exigerait de plus en plus de soins, si bien
qu'elle ne pourrait plus penser à son esprit ni à l'existence
de cette petite ville. A quoi cela servait-il de vivre, alors?

Elle envoya promener les draps, bondit hors du lit
et versa de l'eau avec violence dans sa cuvette. Tout en
s'épongeant, elle se sentit brusquement réconfortée en
songeant qu'elle était vraiment très originale. Cette
réflexion, qui ne lui était encore jamais venue, lui causa
une vive satisfaction et la fit sourire. Personne d'autre,
certainement, n'avait l'idée de trouver son corps ennuyeux et ne désirait avec autant d'ardeur qu'elle vivre
uniquement de la vie de l'esprit. Non, les gens ordinaires
tiennent à leur corps. Péronelle, par exemple, si difficile
au sujet de ses vêtements, et sa mère avec ses robes noires
et sa rose à la ceinture — quelle sottise d'avoir envie
d'une rose à la ceinture à son âge! Sûrement, personne
autour d'elle n'avait les mêmes pensées qu'elle! Son
esprit était, certes, des plus originaux. Si, à cet instant,
elle avait pu voir ce qu'avait été l'esprit de son père,

trente ans auparavant, et à quel point ses pensées avaient
ressemblé aux siennes, elle en eût été bien surprise et
légèrement mortifiée.

Elle tira sur sa robe de coton marine en la passant,
arracha deux boutons à son jupon en l'enfilant et déchira
l'un de ses bas au genou. C'étaient des bas neufs que
Rachel lui avait offerts. Sa mère allait être contrariée.
Michelle soupira et sentit toute satisfaction l'abandonner.
Elle n'avait peut-être pas tant d'originalité que cela, après
tout ! Elle n'était peut-être qu'une petite poseuse désor-
donnée, incapable de penser juste et de se conduire convenablement dans la vie quotidienne, une vilaine créature
hybride qui ne savait tirer parti ni d'un monde ni de
l'autre. Ramenée à la raison, et portant ses souliers à la
main pour ne pas éveiller Colette, elle sortit de la chambre
sur la pointe des pieds et descendit au jardin.

Une fois dehors, elle s'oublia dans la contemplation
du matin, qui lui paraissait assez curieux. Le brouillard
de mer durait encore mais se dissipait peu à peu et le
soleil d'août, qui étincelait derrière, lui donnait une
transparence étrange. La brume blanche semblait contenir
de la lumière et de la couleur comme si le soleil et les fleurs
qu'elle recouvrait reprenaient vie et criaient, sous le
linceul, qu'ils n'étaient pas encore vaincus.

— Cela fait penser à l'opale de maman, se dit
Michelle avec joie.

Rachel portait une bague qu'André lui avait offerte et
dont l'opale aux teintes embrumées fascinait toujours
Michelle; les rouges, les bleus et les verts de la pierre, à
demi cachés, à demi révélés, lui paraissaient plus sédui-
sants que lorsqu'ils étincelaient dans la splendeur cruelle

des rubis, des saphirs et des émeraudes. L'esprit de
Michelle aimait les analogies; elle se dit tout à coup que
l'univers de sa petite ville ressemblait aux couleurs aper-
çues dans l'opale et dans le brouillard, d'autant plus pré-
cieuses que la brume les lui dissimulait de temps en temps.
" Si je l'avais sans cesse, je ne l'aimerais pas tant ", se
dit-elle. Et, d'un pas joyeux, elle traversa la cour et s'en-
gagea dans le sentier. Elle s'en allait vers la Baie aux
Mouettes, où les mouettes avaient leurs nids; c'était, en
toutes saisons, un lieu enchanteur, mais plus encore dans
le brouillard.

Le sentier courait vers la mer en se rétrécissant jusqu'à
ce que sa surface pierreuse devînt du sable et que ses
chênes rabougris fissent place aux touffes d'ajoncs de la
falaise.

Michelle pouvait à peine les distinguer dans la brume;
mais, au moment où elle passait près d'eux, ils lui appor-
taient des bouffées de parfum comme font les pêches
chauffées par le soleil. Elle se faufila parmi les ajoncs
humides, le chèvrefeuille, les digitales et les graminées et
atteignit enfin le bord de la falaise, où elle s'accroupit
sur les genoux et les mains pour regarder avec précaution.
A cet endroit, la falaise tombait à pic vers la mer et le
gazon court remplaçait, avec le thym sauvage, les graminées et le chèvrefeuille. En été, cette pente était glissante comme de la glace et l'imprudent qui y perdait pied
risquait d'être précipité sur les rochers de la grève; si
bien que, même dans cette humidité où chaque fleur
mauve de thym semblait couronnée de diamants, Michelle
descendait en rampant avec la plus grande prudence,
enfonçant fermement ses orteils dans les crevasses et

tâtonnant du bout des doigts pour se cramponner aux saillies du rocher.

La pente finissait sur une roche plate où Michelle s'allongea, le menton dans ses maigres mains brunes, les pieds en l'air remuant dans de vieux souliers. Au-dessous d'elle, il n'y avait plus que le précipice vraiment terrifiant de la Baie aux Mouettes.

On ne pouvait rien apercevoir encore, mais des cris bizarres, des éclats de rire moqueurs, des battements d'ailes invisibles se faisaient entendre dans la brume. Michelle se mit à rire. Elle aimait les mouettes malgré leur étrangeté, et cet observatoire qui surplombait leur baie particulière était devenu sa retraite favorite.

En hiver, les mouettes vivaient dans le port, où elles venaient chercher, à la fois, un abri contre les tempêtes et leur nourriture dans les détritus; mais au début de février, un grand nombre d'entre elles émigraient vers la Baie. Les mâles arrivaient les premiers; dès qu'à leur réveil les enfants de Bon Repos entendaient leurs cris aigus, ils savaient que le printemps n'allait pas tarder.

Six semaines plus tard, c'était le tour des femelles, et au milieu de réjouissances générales, des plus édifiantes pour les observateurs, elles se mettaient à construire leurs nids. Sous l'influence adoucissante de la vie domestique, les cris devenaient moins rauques et des notes tendres résonnaient au milieu des piaillements. A l'éclosion de la première couvée, les mouettes commençaient à rire et leurs ha, ha, ha, ha, se répercutaient dans les roches pendant tout l'été.

Ce matin-là, Michelle eut l'impression que ces cris et ces rires avaient quelque chose de vaguement terrifiant

et un frisson la secoua au milieu de son plaisir. Les
mouettes avaient-elles fait le même vacarme, l'année
précédente, quand *La Bonne Espérance*, surprise par le
brouillard, était venue se briser sur les récifs, à l'entrée
de la baie, et avait coulé avec tout son équipage ? Un
bateau avait-il fait naufrage, la nuit passée, sous le rire
des mouettes ? Quelle horreur d'entendre de tels sons à
ses derniers moments !... Cela, avec le bruit des vagues
qui vous engloutissent !

Michelle éprouva un soulagement quand une déchi-
rure soudaine de la brume lui fit comprendre que le soleil
allait percer. Elle se tint immobile pour voir ce qui se
passait. Peu à peu, très lentement, le sommet déchiqueté
des roches apparaissait; puis une étendue d'eau verte;
puis une tache de bruyère pourpre, juste au-dessous
d'elle; puis une rafale d'ailes blanches au moment où
deux mouettes querelleuses écartaient les nuées et se
montraient comme prises dans un cadre. De longues
vapeurs flottaient vers elle, s'enroulaient comme des
voiles autour du rocher où Michelle se tenait et dispa-
raissaient au-dessus des digitales; finalement, le soleil
parut et la baie tout entière, claire et scintillante, devint
visible. Sur la grève, chaque petit galet humide étincelait
comme un diamant et les grandes roches plates que battait
la mer étaient, par endroits, revêtues d'algues d'un beau
vert, comme si les sirènes eussent jeté là des tapis avant
de s'asseoir pour tremper leur queue dans les rides qui
murmuraient autour d'elles. Aux endroits où le flot recouvrait des étendues d'algues, l'eau prenait la teinte sombre
du vin comme celle qui entourait la petite ville de Michelle,
tandis que, sur le sable, elle avait le coloris brillant de la

turquoise. Michelle pouvait même distinguer dans les
flaques les anémones rouges et, au-dessous des touffes
de bruyère, le lichen jaune qui tachetait les roches ; et les
mouettes emplissaient tout ; planant, plongeant, s'en-
fuyant, revenant, montant, descendant, tournoyant sans
arrêt. On eût dit que leurs ailes traçaient des arabesques
au-dessus de cette scène splendide, l'abritaient d'un léger
voile de plumes blanches et en assemblaient toutes les
teintes pour composer un joyau magnifique.

" Encore l'opale de maman ", se dit Michelle. Le souvenir de cette opale la ramena à sa propre anxiété. Comment faire pour vivre dans deux mondes à la fois et trouver
le bonheur dans les deux ? Comment concilier sa vie
intérieure et son existence extérieure de façon à ne pas
s'irriter dès que l'une empiétait sur l'autre ? Il fallait
pourtant y parvenir. Elle ne pouvait pas continuer à
vivre en faisant alterner les extases et la colère ; c'était
trop lassant et trop énervant pour les siens. Comment
atteindre à cet équilibre ? Elle n'en savait rien. Il fallait
découvrir un moyen. Elle se demanda si son père en
connaissait un ; mais il ne pourrait guère l'aider, sans
doute. Chacun doit trouver par lui-même un mode de
vie — elle avait déjà fait, au moins, cette découverte. Les
autres peuvent vous indiquer la voie ; mais il faut la
parcourir soi-même. Elle s'assit et s'étira. En tout cas,
elle ne se mettrait sûrement pas en colère aujourd'hui ;
le monde était trop beau. Par une pareille journée, elle
avait la certitude de rester vertueuse. La beauté l'emplissait
d'un bonheur délicieux et elle était toujours sage quand
elle se sentait heureuse.

Elle détourna son regard de la mer pour examiner les

ajoncs d'or et les digitales princières qui dressaient leur
flèche sur le ciel. Une alouette chantait très haut, ivre
d'extase, et, merveille des merveilles, sur un chardon
voisin, un chardonneret lançait sa petite chanson grinçante, en dandinant son corps frêle à la manière d'une
coquette. Il se moquait des touffes d'ajoncs — en leur
disant que son heaume poli valait le leur... Ah ! qu'elle
aimait tout cela ! La moindre parcelle de beauté était pour
elle une plume légère qui l'enlevait dans son essor vers
l'alouette, jusqu'aux portes du Paradis. Keats recommença à chanter dans sa mémoire. Et comme elle se
balançait d'avant en arrière, ses pensées prirent le large,
glissant aisément dans son esprit, sans efforts, comme
dans un rêve. Elle avançait... elle allait résoudre le problème... unité... synthèse... il fallait s'imprégner de beauté
à tel point qu'elle la possédât à la fois dans l'éclat de la
petite ville et dans la tristesse de son existence physique...
Mais qu'était-ce que cette beauté ailée ?... La mer, les
ajoncs et le chardonneret ne formaient que les plumes
de ses ailes... Mais elle-même, qu'était-elle donc ?... La
beauté est la vérité... Cependant, ce globe de lumière
suspendu au haut de l'escalier de son rêve, c'était l'amour...
L'amour, la vérité et la beauté seraient donc une seule et
même chose ?... Les facettes différentes du globe lumineux ?... Qu'était-ce que ce globe et comment pourrait-
elle jamais se fondre dans son rayonnement ?... Elle
s'aperçut avec angoisse qu'elle avait simplement fait le
tour des pensées qui l'avaient agitée à son réveil; elle
n'était parvenue à aucune conclusion... pas encore... mais
elle y parviendrait bientôt si elle se tenait immobile un
peu plus longtemps...

— Michelle ! Michelle !

Péronelle et Jacqueline accouraient vers elle en agitant les bras au-dessus de leur tête, et l'on voyait leurs bas noirs sauter et bondir à toute vitesse dans les touffes de thym sauvage. Avec l'exubérance folle dont elle était toujours animée au début de la matinée, Péronelle s'empara de Michelle, la hissa le long de la pente jusque sur le plateau et la fit tournoyer. Jacqueline, sans mauvaise intention, tira sur la natte de sa sœur. D'un effort violent, Michelle se libéra. Idiotes ! Imbéciles ! Comment osaient-elles venir la déranger dans son sanctuaire ? Ne trouverait-elle donc jamais un coin sur terre pour être en paix ? Sa famille bourgeoise allait-elle profaner même la Baie aux Mouettes ? Sa belle méditation l'entraînait vers les hauteurs; elle se trouvait sur le point d'y atteindre, et voilà que tout était brisé ! Elle se sentit positivement malade de fureur.

— Sales petits cochons [1] ! Ne pouvez-vous pas me laisser tranquille ? rugit-elle. Sales petits cochons ! Je vous défends de me suivre ici, entendez-vous ? La Baie aux Mouettes est à moi, à moi ! Je ne veux pas de vous ici ! Je ne veux pas de vous !

Bien que Péronelle fût habituée aux colères subites de Michelle, elle resta abasourdie par ce torrent. Être traitée de " sale petit cochon " c'était, dans l'Ile, une insulte impardonnable, interdite d'ailleurs chez les du Frocq. Elle pâlit, avec l'impression de sentir un papillon voleter dans son estomac.

Jacqueline, toujours attirée d'une façon morbide par

1. En français dans le texte. (N.D.L.T.)

l'envers de la vie, suivait cette scène avec un plaisir mêlé de curiosité.

— Qui vous a enseigné cela ? demanda-t-elle d'un air avide. Est-ce Grand-papa ? Qu'est-ce que cela veut dire, au juste ? Et pourquoi est-ce si injurieux ?

Péronelle qui venait de reprendre son sang-froid se mit en devoir de faire une scène à fond, pour le plaisir.

— Vous êtes vraiment infernale, Michelle. Vous avez besoin de vous rincer la bouche à l'eau de savon — voilà ce qu'il vous faut. Parler de cette façon devant Jacqueline ! Vous êtes pire que le cocher de Grand-papa. Et vous, Jacqueline, qui venez demander ce que cela veut dire, vous avez un esprit malpropre. Michelle n'a sûrement pas appris cela de Grand-papa. Il ne dit jamais de gros mots, sauf au cocher. C'est Colin qui lui a passé cela. Elle devrait avoir honte de se laisser influencer de cette manière par ce polisson ! Allons, rentrez, vous deux ! Je suis honteuse de vous. Parler de sales cochons par une si belle matinée !

Elle s'arrêta pour reprendre haleine.

Une si belle matinée ? La pauvre Michelle fut saisie de désespoir. Elle s'était imaginé, tout à l'heure, qu'elle ne pourrait sûrement pas se mettre en colère au milieu de tant de beauté. La beauté ? Elle régnait, autour d'elle, mais non en elle. *Elle* n'était pas belle, malgré son désir d'être imprégnée de beauté; elle n'était qu'une sale petite poseuse, laide et vulgaire. Elle se mit à sangloter.

— Eh bien ! Qu'est-ce qui vous prend, maintenant ? s'écria Péronelle, exaspérée. Et pourquoi donc avez-vous mis votre robe de tous les jours ? C'est dimanche aujourd'hui !

Derrière les larmes qui emplissaient ses yeux, Michelle
s'aperçut, en effet, que ses sœurs étaient parées de leurs
belles toilettes amidonnées des dimanches. Leurs robes
de mousseline blanche, bien empesées, étaient froncées
au cou et aux poignets et posées sur des dessous de sati-
nette de couleur, rose pour Péronelle, bouton d'or pour
Jacqueline; et leurs boucles étaient retenues sur la nuque
par un grand nœud assorti. Leur mise ajouta au désespoir
de Michelle. Elle avait oublié que c'était dimanche, jour
qu'elle détestait entre tous. Elle devait, ce jour-là, mettre
sa plus belle robe et elle se sentait toujours ridicule ainsi
habillée. Elle devait aller à l'église, s'agenouiller sur un
banc très dur qui blessait ses genoux osseux et écouter un
sermon stupide, alors qu'elle eût désiré rêver sur la falaise
au soleil. Elle devait, en compagnie de sa famille amidonnée, partager le repas dominical de Grand-papa, chez lui;
or elle détestait son grand-père, tout autant que la sensation d'être repue que lui causaient son rosbif, sa tarte aux
abricots, son fromage de Stilton et son *plum-cake*. Et elle
détestait par-dessus tout l'hypocrisie de ce dimanche :
Grand-papa penché dans son banc, à l'église, et soufflant
pieusement dans son chapeau haut de forme pour impres-
sionner ses clients, alors que tout le monde savait qu'il
n'y avait pas pire mécréant que lui — et toutes ces femmes
qui sortaient leurs beaux atours par pure vanité en prétendant que c'était pour plaire à Dieu ! Si elle avait été
Dieu, elle aurait fait pleuvoir à verse tous les dimanches
pour noyer l'amidon de leurs robes et réduire en bouillie
les roses de leurs chapeaux.

Sans même regarder ses sœurs, elle se dirigea d'un pas
traînant vers la maison, tout en sanglotant.

Jacqueline la suivait, avec des entrechats et des gam-
bades, en fredonnant doucement. C'était un de ses bons
jours — car elle était parfois heureuse. A son réveil, elle
avait constaté la disparition du tétanos et, par une matinée
si belle, la mort et le tombeau semblaient très loin. De
plus, elle portait sa plus jolie robe qui, elle le savait, la
rendait charmante. La Jacqueline qu'elle avait vue, ce
matin-là, dans la glace, ressemblait tout à fait à celle de
son imagination : joues roses, robe jaune et blanche;
c'étaient les couleurs du soleil et des roses — cent fois
plus jolie que Péronelle, dont la figure pâle ne se trouvait
pas embellie par le rose. Elle était, sans aucun doute, la
plus belle de la famille. Son amour-propre satisfait lui
procurait une paix si absolue que les sanglots de Michelle
ne la tourmentaient pas du tout — encore qu'elle eût
aimé savoir pourquoi " sale petit cochon " était une telle
insulte. .

Mais Péronelle se sentait extrêmement troublée, maintenant que sa colère avait disparu. Ses yeux dorés étaient
tout assombris de chagrin et son cœur très lourd pendant
qu'elle suivait ses sœurs. A chaque soubresaut des épaules
maigres de Michelle, il lui semblait qu'on lui donnait un
coup de poignard. Cela n'eût servi à rien de demander à
Michelle la cause de ses sanglots, car elle ne pouvait
jamais expliquer ses tristesses. Michelle et Jacqueline
souffraient constamment de peines mystérieuses que
Péronelle ne pouvait comprendre. Elle se sentait, quant
à elle, parfaitement heureuse tant que nul de ceux qu'elle
aimait ne souffrait; sinon elle s'en trouvait toute bouleversée. Mais qu'on pût être malheureux quand on ne
souffrait de rien, cela dépassait son entendement. Le

monde, moins la souffrance, lui semblait un lieu tout à fait délectable. Michelle, sans doute, souffrait dans son âme. Mais pourquoi ? Péronelle ignorait la souffrance intérieure. C'était, à ses yeux, aussi incompréhensible que ridicule. Néanmoins, ne pouvant supporter l'ennui de voir sa chère sœur malheureuse, elle se rapprocha de Michelle pour glisser son bras autour de sa taille, ce qui était assez osé, car il y avait mille chances pour que Michelle lui envoyât une gifle.

Heureusement, Michelle étant à ce moment totalement *dégonflée* n'en fit rien. Bien au contraire, elle serra Péronelle dans ses bras et lui planta des baisers passionnés sur l'oreille gauche; puis elles s'engagèrent dans le sentier, toutes trois de front, enlacées, en chantant *En avant, soldats du Christ* dans trois tons différents — car personne n'était musicien chez les du Frocq.

Cependant, les soldats du Christ ne dépassèrent pas la troisième ligne, car au moment où elles arrivaient en vue de la maison, Colin, sortant du portail, se précipita vers elles comme la pierre d'une catapulte en leur criant :

— Il y a eu un naufrage ! La nuit dernière, dans le brouillard ! Quelque part en rade ! Tout le monde a péri, plus que probablement, a dit Sophie. Il n'y avait pas eu de naufrage depuis six mois. Quelle chance, sapristi ! Un naufrage, je vous dis ! Un naufrage ! Hourra ! Hourra !

II

Il faut maintenant remonter d'une heure en arrière dans la chronique de cette famille pour vous présenter Colette.

Au moment où Michelle s'était échappée, le bruit de la porte qu'elle fermait avait éveillé Colette. Elle se trouvait au pied de son lit, avec ses couvertures par-dessus la tête. Elle n'en fut pas déconcertée, ayant l'habitude de se trouver toujours dans cette position à son réveil. On avait beau la coucher convenablement chaque soir, lui poser la tête sur l'oreiller, replier son drap à la hauteur de sa poitrine et lui mettre les bras dehors, elle se retrouvait, le matin, au pied de son lit. Personne n'arrivait à comprendre comment elle ne mourait pas asphyxiée.

Se sentant bien éveillée et pleine d'ardeur, elle joua des pieds et des mains pour avancer dans son lit et émerger des couvertures comme un poussin sort de sa coquille. Ses boucles blondes, un peu moites à cause de cette immersion, ajoutaient à sa ressemblance avec un poussin nouveau-né.

Après avoir escaladé son oreiller, elle s'assit dessus et frotta de ses poings potelés ses yeux saillants. Puis elle se mit à rire. Son rire n'était pas beau, mais il provoquait la joie chez tout le monde, il partait de son estomac par un sourd grondement, montait à sa gorge avec un bruit de siphon et lui sortait de la bouche sous forme d'une série de cris aigus... Quand elle se trouvait seule, elle

avait une façon de rire fort inquiétante. Ce matin-là, son
rire fit accourir Péronelle, qui l'avait entendue de sa
chambre; et Péronelle riait aussi, car le rire de Colette
était irrésistible.

La tâche d'aider Colette à s'habiller le matin était dévo-
lue à Péronelle. Elles s'en réjouissaient fort, toutes les
deux, car, malgré leur jeunesse, elles portaient un très
vif intérêt à la toilette. Elles se ressemblaient, ayant chacune des cheveux blonds, des yeux rieurs, et la nature
rayonnante de leur mère; mais alors que Péronelle était
mince et fine comme un elfe, Colette était ronde comme
une pomme, et si potelée qu'elle avait des bracelets de
graisse aux poignets comme un bébé et des ondes sur la
nuque comme un petit porc... Son appétit était effrayant.

Elle ne ressemblait à son père et à Michelle que sur un
point : à son insu, elle avait le don de la pensée. Mais
alors que, chez eux, ce don était, en quelque sorte, une
joie torturante, une occasion de conflit plutôt que de
repos, chez Colette, c'était un émerveillement paisible.
Elle avait aussi un autre don particulier : la piété; une
étonnante piété. Rachel en éprouvait une certaine inquiétude. Aucun de ses autres enfants n'était pieux — bien
au contraire. Il n'est peut-être pas très bon de se montrer
trop sage de trop bonne heure. Elle craignait une réaction,
et elle préférait voir ses enfants insupportables à l'âge où
l'on peut les corriger, puis sages plus tard, plutôt que
de les voir commencer par être sages pour tourner
mal ensuite. Elle se consolait, cependant, en se disant
qu'une enfant aussi grasse que Colette ne pouvait guère
devenir mauvaise — elle n'avait pas l'agilité voulue pour
s'enfuir.

— Est-ce que je peux me lever, Nelle ? demanda Colette, en dansant sur son oreiller.

Ce bon petit ange ne faisait jamais rien sans permission.

— Mais oui, mon poulet, dit Péronelle.

Elle prit sa petite sœur dans ses bras et la porta vers la table de toilette en chancelant et en haletant sous son poids. Colette était parfaitement capable de marcher, et l'exercice l'eût fait maigrir; mais Péronelle, très maternelle, aimait à tenir la petite dans ses bras.

Elle lui enleva sa chemise de nuit par-dessus la tête, puis versa de l'eau froide dans la cuvette. Avoir de l'eau chaude pour la toilette du matin était un luxe inconnu dans la famille du Frocq. Ils se lavaient tous à l'eau froide, même au cours des hivers, rares il est vrai, où il leur fallait d'abord briser la glace dans leur pot à eau.

Colette eut un petit mouvement de recul au moment où l'éponge froide toucha sa tiède peau satinée, mais elle souffla en clignant des yeux, sans se plaindre. Elle n'en fut pas moins contente lorsque ces ablutions prirent fin et que Péronelle lui mit son tricot de laine, son plus joli pantalon à volants, puis sa robe de mousseline blanche sur fond bleu. La robe amidonnée s'évasait en corolle, si bien qu'elle semblait plus large que longue.

Péronelle coiffa alors sa petite sœur en lui faisant des papillotes sur son doigt, de telle sorte qu'elles garnissaient la tête de Colette comme un lot de saucisses.

Quand elle n'eut plus que ses souliers à mettre, Colette s'en alla en trottinant vers son lit et se mit à genoux pour dire sa prière. Elle penchait la tête en se couvrant le visage de ses doigts écartés, et ses mains faisaient songer à des étoiles de mer; la plante de ses pieds roses, qu'on voyait derrière elle, semblait implorer le Ciel, et ses orteils se tortillaient légèrement dans la ferveur de la prière.

Que demandait-elle ? Péronelle, debout près de la fenêtre et partagée entre la gaieté et le respect, ne savait qu'imaginer. L'enfant continua pendant quelques minutes son murmure; puis elle se releva et mit ses souliers... Colette, comme les Mahométans, ne priait que déchaussée.

— Est-ce que je peux descendre au jardin, Nelle ? demanda-t-elle.

— Oui, ma chérie, mais n'allez pas salir votre robe !

— Non, je ne salirai pas ma robe, Nelle, répondit Colette en se dirigeant d'un pas ferme vers la porte.

Elle descendit l'escalier avec la plus grande prudence, en avançant d'abord le pied droit et en se tenant à la rampe... Elle était tombée un jour et se souvenait du coup. Puis elle s'empara de son petit pliant dans le vestibule, traversa la cour au galop et passa dans le jardin.

Une brume épaisse couvrait encore la mer mais avait déserté le jardin, où tout, jusqu'à la moindre feuille et au moindre pétale encore humides, brillait d'un éclat singulier.

Colette planta son siège et s'assit au milieu d'une allée moussue, près d'une plate-bande fleurie qu'elle se mit à contempler. Cette contemplation dura une bonne demi-heure. Des arceaux couverts de roses grimpantes divisaient l'allée, et dans la plate-bande, fleurissaient des lis, des grandes campanules, des phlox, des fritillaires. Elle regardait toutes ces fleurs d'un regard émerveillé, s'étonnait aussi devant le gros ver de terre qui se tortillait sous la bordure de buis, et se demandait qui était Dieu.

La semaine précédente, dans cette même allée, elle

avait vu Dieu et elle en était encore tout agitée. Sa mère
lui avait parlé de Dieu depuis longtemps, bien sûr, et lui
avait lu des histoires où il était question de Lui dans le
missel rouge et or, et elle croyait en Lui de la même façon
qu'elle croyait à Ondine, à Jacques-le-Tueur-de-Géants
et à tous les personnages des livres de contes. Elle avait
toujours dit sa prière avec ferveur parce qu'on lui avait
assuré que les petites filles qui disent bien leurs prières
vont au paradis ; or elle désirait vivement aller au paradis
pour voir comment s'y prennent les anges quand ils
passent leur robe par-dessus leurs ailes. Ce mystère des
ailes d'anges la plongeait dans des réflexions interminables.
Y avait-il des fentes dans le dos de leur robe, par où ils
faisaient ressortir leurs ailes en s'habillant ? Où naissaient-
ils tout habillés et n'enlevaient-ils jamais leur robe, même
quand ils allaient se coucher ? Mais alors, comment se
lavaient-ils ? Ou bien leurs ailes étaient peut-être fixées à
leur robe et non pas à leur dos ? Ce problème ne la tourmentait pas comme il eût tourmenté Michelle : elle y
réfléchissait tout simplement, avec tranquillité.

Néanmoins, bien qu'elle eût toujours accompli scrupuleusement et avec précision ses devoirs religieux, ce
n'était que la semaine précédente qu'elle avait vraiment
vu Dieu. Elle s'était d'abord plongée dans de profondes
réflexions à propos des grandes campanules. Elles fleurissaient en masse dans la plate-bande, roses, mauves, et
blanches et Colette se demandait s'il leur arrivait de
carillonner comme les cloches de l'église. Elle frappa du
doigt une grosse campanule rose pour voir si elle sonnait ;
mais la fleur se contenta de choir dans l'allée. Colette la
ramassa gentiment, la planta sur son doigt pour l'examiner

et fut, tout à coup, frappée de sa beauté. La couleur de la campanule était toute pareille à celle du plus beau jupon de Péronelle, et sa forme rappelait les bibelots argentés que papa suspendait à l'arbre de Noël. Elle lui plaisait vraiment. Colette retourna la fleur sens dessus dessous pour en examiner l'intérieur. C'était tout aussi charmant que l'extérieur.

— Joli ! s'écria-t-elle.

Elle se leva et courut vers la maison à la recherche de sa mère qui faisait des douillons à la cuisine.

— Maman, dit l'enfant, les grandes campanules sont très jolies. Est-ce que c'est Dieu qui les a faites ?

— Oui, répondit Rachel en saupoudrant son bol de farine.

— Pourquoi ? demanda Colette.

Un lundi matin, Rachel avait trop de besogne pour réfléchir à cette question.

— Pour faire plaisir à Colette, répliqua-t-elle. Passez-moi donc les raisins, Sophie.

Cette réponse satisfit parfaitement la petite fille — cela lui donnait de quoi méditer à son aise — et elle retourna en trottinant au jardin. Assise sur son pliant, elle contemplait le monde coloré qui l'entourait, en découvrant, pour la première fois, sa splendeur : un tapis de mousse verte sous ses pieds, un dais de ciel bleu sur sa tête, des fleurs par centaines à ses côtés, et tout cela apparemment jeté du paradis comme une balle de soie, pour son plaisir.

Elle n'avait jamais encore remarqué la beauté. La blancheur poudrée d'or des lis lui semblait, d'habitude, aussi naturelle que l'œuf de son déjeuner; mais, à ce moment, elle se mit à regarder avec attention et à méditer

profondément. Les lis étaient très grands et leurs fleurs
avaient aussi une forme de cloches. " Cloches ! " Un joli
mot. Les cloches sonnent pour des événements heureux :
à minuit, la nuit de Noël, quand le Christ est né et que
tous les animaux de l'Ile s'agenouillent dans les étables
pour faire leur prière; elles sonnent à la moitié de la messe,
au moment où toutes les têtes se penchent comme le blé
sous le vent et où Dieu lève le loquet pour entrer; elles
sonnent quand des messieurs en chapeau haut de forme
viennent à l'église pour épouser de belles jeunes filles
tout enveloppées de blanc comme des cadeaux dans du
papier de soie; elles sonnent aussi quand le dîner est servi.

Dieu a probablement créé toutes les cloches du monde
pour rendre les hommes heureux, tout comme il a créé
les grandes campanules pour faire plaisir à Colette. C'est
vraiment gentil de sa part, et cela a dû lui prendre bien
du temps ! Elle se sentait pleine de reconnaissance. Quelle
quantité de clochettes autour d'elle, et toutes magnifiques !
Les cloches blanches des lis, poudrées d'or à l'intérieur,
les clochettes jaunes des fritillaires, avec leurs grosses
gouttes de miel, les campanules blanches, mauves et roses,
par centaines. Elle ne se lassait pas de les contempler;
et voilà que, soudain, toutes se mirent à sonner ! Elle les
écoutait, la bouche ouverte. Oui, c'était bien vrai ! Elles
se balançaient lentement, toutes, les fritillaires, les lis
et les grandes campanules, en carillonnant comme des
folles.

Pourquoi ? Ce n'était pas encore la nuit de Noël, ni
ce moment de la messe où les têtes se penchent... Quelque
chose, alors, se mit à carillonner en elle, et levant les yeux,
elle vit Dieu qui s'avançait dans l'allée.

Chaque jour, depuis ce lundi matin, elle était venue s'asseoir sur son pliant dans l'allée moussue; mais il n'était pas revenu. Chaque jour, les lis et les campanules ouvraient leur corolle au soleil en envoyant des bouffées de parfum quand le vent de mer les touchait au passage; mais on n'entendait plus leur carillon. Colette éprouvait une douleur sourde en voyant que les clochettes ne sonnaient plus... Sonneraient-elles de nouveau, un jour ?

III

Le petit déjeuner fut complètement éclipsé par le naufrage. Sophie, en arrivant le matin, avait apporté la nouvelle du désastre. Un navire venant de France avait coulé, à quelques milles du port, sur un affreux récif qu'on appelait la Roque Catian. Dès que le brouillard s'était levé, des bateaux de l'Ile avaient volé à son secours, mais qui sait ce qu'ils allaient avoir trouvé sur le lieu du sinistre ? Si le navire s'était brisé — on connaissait la sauvagerie de la Roque Catian — et s'il y avait beaucoup de passagers à bord, trop peut-être pour les canots de sauvetage — alors ?

— On s'attend au pire, m'sieur, dit Sophie d'un air avide, en faisant claquer l'assiette d'œufs à la coque qu'elle posait devant André. Je sentais ça hier au soir qu'il y avait la mort en mer. J'ai regardé par la fenêtre avant de me coucher, et j'ai vu le Roi des Auxcriniers caracoler sur le brouillard, aussi vrai que je vous vois. J'ai poussé un cri, et mon cousin Jacquemin Gosselin il m'a crié :

" Qu'est-ce qui vous prend, la fille ? C'est-y que vous auriez vu un fantôme ? " " C'est la mort elle-même que je viens de voir, que je lui ai dit, elle caracole sur le brouillard comme l'homme de la Bible qui caracolait sur son cheval noir. C'est tout l'enfer, pour sûr ! "

— Cela va bien, Sophie, dit Rachel, apportez donc le café.

— Bon, Madame, répliqua Sophie en sortant de la salle, son large visage de paysanne tout épanoui, ses yeux noirs clignotant d'excitation, son corset des dimanches craquant au moindre geste.

— Il y avait des sargousets dans la sente d'eau, hier soir, papa ! s'écria Colin, en brandissant sa cuillère à œuf dans un transport de joie. Des tas de sargousets qui voltigeaient de tous les côtés. C'est signe de mort quand ils ne se tiennent pas tranquilles. Je vous parie que tous ces gens sont noyés.

— La mort est une chose terrible, Colin, lui dit Rachel d'un ton sévère.

— Vous m'avez dit, dimanche dernier, répondit Colin, que la mort est une chose magnifique. Vous m'avez dit que c'était (il fit un effort de mémoire pour se rappeler les paroles de sa mère) un sommeil dont on se réveille au Ciel.

Rachel soupira. L'éducation religieuse de ses enfants présentait vraiment des difficultés extraordinaires. A moins de noter sur un carnet les divers mensonges qu'on leur avait faits, comment éviter les contradictions ? André tenta de venir à son secours.

— La mort est magnifique et terrible, Colin, dit-il. Dans la vie, on peut tout regarder sous des angles différents. Le moindre événement a plusieurs facettes.

— Ah ! dit Colin, est-ce que je peux avoir un second œuf ?

Michelle était penchée sur la table avec curiosité. Elle aimait à enseigner et avait le don de tout simplifier, tandis que lorsque son père essayait d'expliquer quelque chose de vive voix (la plume à la main, il était d'une clarté merveilleuse), il rendait tout encore plus confus.

— Les facettes sont les différents côtés d'un objet, dit-elle; si vous prenez une boîte carrée...

— Cela m'est égal, reprit Colin; ce que je veux c'est un second œuf.

— Oh ! tais-toi, Chelle ! s'écria Péronelle. Nous ne sommes pas à l'école; c'est dimanche !

Michelle s'arrêta en rougissant. Elle savait tant de choses dont elle s'efforçait sans cesse de faire profiter sa famille; mais ces misérables n'avaient jamais l'air de vouloir entendre. Ne désiraient-ils donc pas comme elle s'élever de plus en plus ? Apparemment non. Stupides créatures satisfaites et prétentieuses ! Elle regarda son père qui lui sourit d'un air complice. Elle se demandait si, lui aussi, sentait qu'il avait en lui quelque chose à donner, un don qu'il fallait employer pour qu'il ne rançît pas et n'empoisonnât pas toute son existence... Ce sourire d'entente secrète leur fut un baume à l'un et à l'autre.

Sophie apporta le café en soufflant et en craquant à chaque mouvement. Elle manquait toujours de souffle le dimanche, parce que c'était le seul jour où elle portât un corset. En semaine, sa large personne, vêtue de cotonnade bleue à fleurs et d'un tablier volumineux, se bombait partout où la nature le voulait; mais le dimanche, aidée par sa famille et la colonne de son lit, elle enfermait ses formes puissantes dans une armure de baleines héritée d'une grand-tante. Cela avait pour effet, à l'église, surtout pendant le sermon, de l'empêcher de respirer et de lui enfoncer des pointes dans les chairs; mais cette torture lui donnait des idées pieuses en lui rappelant une image de saint Sébastien percé de flèches et haletant d'une façon terrible... Elle espérait aussi que ses formes dominicales feraient une impression favorable sur son cousin Jacquemin, qui tardait tellement à se ranger que les draps qu'elle avait serrés pour son trousseau dans le dernier tiroir de sa commode seraient sûrement usés dans les plis avant qu'elle parvînt à le faire coucher dedans. Sophie étant fort économe, la pensée de ces draps gâchés la faisait parfois pleurer dans la nuit.

Dès que le petit déjeuner fut achevé et la table desservie, toute la famille se prépara pour la messe dans une grande agitation. Rachel alla sortir, de sa châsse de papier de soie posée sous le grand lit, le haut de forme sacré de son mari; André se dirigea vers l'écurie pour surveiller l'exode hebdomadaire du vieux landau délabré, et les enfants coururent à leur chambre pour y chercher leur livre de messe et leur mouchoir et se brosser les cheveux.

A dix heures précises, Brovard, l'un des garçons de ferme, amena le landau, attelé de Lupin, le vieux cheval gris, et André, après avoir vérifié les harnais usés, monta l'escalier quatre à quatre pour endosser son habit. Il avait beau être matinal, jamais il ne parvenait à terminer l'ouvrage de la ferme avant l'heure de la messe; or, en manquant la messe, il chagrinait Rachel, et il préférait toutes les bousculades et les insomnies du monde à la vue de Rachel attristée. Ce matin-là, il se sentait si épuisé

après toutes ces journées de tourment, après l'effort causé
par l'entretien de la veille au soir et une nuit d'appréhen-
sions suivie d'un lever à quatre heures, que ses doigts
laissaient maladroitement tomber tout ce qu'il touchait.
Tandis qu'à genoux par terre, il cherchait un bouton de
col, en heurtant sa pauvre tête lasse à la commode et au
pied du lit, il songeait avec étonnement à l'extraordinaire
stupidité de son existence. Il n'avait, pour ainsi dire,
aucune religion, et toutes les semaines, cependant, il
endossait un costume plus ridicule qu'aucun autre dans
toute l'histoire du vêtement pour aller écouter un sermon
assommant afin d'honorer une Divinité en qui il n'était
pas du tout sûr de croire. Il détestait son travail et se
voyait acculé à la ruine; et pourtant, jour après jour, il
s'obligeait à y attacher son esprit, ce qui ajoutait la fatigue
de l'effort sans joie à celle de sa tâche. Il était doué pour
la littérature et, néanmoins, jour après jour, il lui fallait
refouler ce don. Le monde ne lui avait offert ni douceur
ni aisance, et il n'en était pas moins le père de cinq enfants,
ce qui indiquait certainement que la vie qu'il leur avait
donnée avait quelque valeur. Quelle duperie ! Quelle
duperie ! Tout cela n'était qu'une monstrueuse duperie...
·Où diable ce bouton avait-il pu glisser ?... Et pourtant,
pourtant — il fallait voir l'autre face des choses. Il avait
connu un grand bonheur à Bon Repos. Il avait appris à
aimer, à penser. Au milieu d'une existence qu'il détestait,
une sorte de paix lui était venue. Si ses dons littéraires
restaient inemployés, ils existaient encore et lui appartenaient toujours. Si seulement ce forçage de sa personnalité
dans une voie artificielle n'était pas si épuisant — si diablement épuisant ! Seigneur ! qu'il se sentait donc fatigué !

— André, êtes-vous prêt ?

Rachel l'appelait d'en bas. Il pouvait l'imaginer, debout dans le vestibule frais, belle et gracieuse dans sa robe de soie noire au mantelet de dentelle, et coiffée d'une capote garnie de pensées mauves. C'était pour l'amour d'elle, sans doute, qu'il menait cette vie de dupe ; pour elle qu'il allait à l'église en chapeau haut de forme ; pour elle et les enfants qu'il suait dans les sillons et les étables ; pour elle qu'il restait malgré tout à Bon Repos, sous la menace d'une ruine certaine. Sans doute manquait-il de la force de caractère qu'il lui aurait fallu pour tenir tête à Rachel ; en songeant à la soirée de la veille, il sentit la honte l'envahir. Quel homme était-il donc pour se laisser influencer ainsi par les caprices d'une femme ? A ce moment, il heurta violemment de la tête la table de toilette, et pendant qu'une vive douleur le transperçait, il s'injuria en se traitant de misérable raté, répugnant de lâcheté. Néanmoins, tout en s'injuriant, il ne perdait pas son temps à s'apitoyer sur lui-même, étant d'une nature trop modeste pour cela. Il avait assez d'humilité pour admettre que la cause de son insuccès venait de son caractère. Si son existence n'était qu'une duperie, la faute ne lui en revenait-elle pas ? Les faibles seuls, sans aucun doute, se trouvent poussés par les circonstances dans la mauvaise voie. Rien que les faibles — mais pendant ce temps, Rachel l'attendait dans le vestibule.

— Je n'arrive pas à trouver mon bouton de col ! lui cria-t-il.

Il entendit le froufrou de sa robe de soie pendant qu'elle montait l'escalier ; puis elle entra dans la chambre avec le balancement léger d'un peuplier en apportant la paix

avec elle. Elle trouva le bouton — qu'il avait juſte sous
le nez, bien entendu — elle l'aida à endosser son habit,
le brossa, lui chercha son livre de messe et lui tendit son
chapeau après l'avoir luſtré tendrement une fois de plus.
Finalement, avec une adresse étonnante, par un simple
sourire et une caresse, elle luſtra également son mari;
puis elle redescendit l'escalier devant lui.

André la suivait, tout à fait réconforté. Quelle femme !
Et il l'avait formée — lui, les enfants et Bon Repos
l'avaient formée. En se rappelant la jeune fille sauvage et
indisciplinée qu'il avait amenée ici le jour de son mariage,
il était émerveillé. Quelle chose curieuse de penser qu'en
vivant au contaꝗt de cet homme faible, de ces cinq mioches
bruyants et d'une vieille ferme, la jeune fille d'autrefois
était devenue cette femme pleine de grâce et de courage !
La faiblesse même des êtres avec lesquels elle s'était trouvée aux prises avait sans doute développé sa force et sa
puissance d'amour — en ce cas, peut-être ne devait-il
pas se considérer comme un raté.

Tout en la suivant dans l'escalier, il s'appuyait moralement à cette force avec reconnaissance. Qu'elle le
conduise donc — il la suivrait, même si la voie qu'elle
prenait lui semblait biscornue. La nature de Rachel, plus
nette et plus tranquille que la sienne, lui donnait un jugement plus clair, tandis qu'il était conſtamment anxieux
et indécis.

Les enfants avaient déjà envahi le landau, Colin près
du cocher, ses sœurs derrière, charmantes dans leurs
atours des dimanches. En s'asseyant près de son fils et
en s'emparant des rênes, André regarda ses filles l'une
après l'autre, et son regard s'arrêta un inſtant sur Michelle,

sa préférée. Les chéries ! Si seulement la vie pouvait leur
être douce ! Il eût voulu être capable de prier pour elles
comme faisait leur mère, d'avoir comme elle confiance
dans la vie ; mais il n'y parvenait pas. Il se torturait parfois
en songeant aux souffrances qui attendaient sa frêle Péronelle, aux angoisses qui submergeraient Jacqueline, et
à l'impuissance de Michelle devant les conflits de sa nature ;
quant à Colette, il ne se tourmentait pas pour elle ; sa
couche de graisse et son sens du comique la protégeraient
fort bien de toutes les flèches du destin. Il était tranquille
aussi sur le compte de Colin. Un être aussi hardi et aussi
décidé que cet enfant était sûr de réussir.

Les du Frocq n'allaient pas à l'église de la ville, derrière
le port, car c'était une église protestante et, depuis des
générations, ils étaient catholiques. Pour la religion
comme pour le reste, l'Ile partageait sa fidélité entre la
France et l'Angleterre. De sang français, et sujets cependant de la reine Victoria, les insulaires étaient de singulières créatures hybrides. La génération précédente avait
été totalement française, parlant français et se tournant
vers la France plutôt que vers l'Angleterre quand elle
voulait prendre contact avec le monde extérieur. Mais
en 1888, on eût dit que l'Angleterre, en lui tendant les
bras, rapprochait d'elle lentement son enfant.

Rachel et André, qui parlaient français dans leur jeune
âge, parlaient maintenant anglais, et leurs enfants n'avaient
jamais parlé une autre langue. Converser en anglais était
désormais le signe d'une éducation supérieure... Seuls, les
paysans et les petits commerçants faisaient chanter ou
soupirer la musique du vieux patois dans les sentiers et
par les rues étroites de Saint-Pierre.

Les garçons de l'Ile n'allaient plus au collège en France et les filles n'allaient plus chez les religieuses, au vieux couvent du bord de la mer; on avait modernisé l'ancienne école de garçons; on venait d'en construire une nouvelle pour les filles, et des professeurs à lunettes bravaient l'une des pires traversées qui soient au monde pour apporter les horreurs de l'éducation de l'époque aux pauvres petits sauvages de l'Ile.

Rachel, qui avait passé une partie de sa jeunesse au couvent, assise dans une classe austère baignée de soleil d'où l'on entendait le murmure de la mer, en apprenant avec Sœur Monique à faire de belles dentelles pendant que Sœur Ursule lisait tout haut, dans un français exquis, la vie des saints, Rachel frémissait de joie quand Péronelle était la première de sa classe en mathématiques et que Michelle se brûlait les sourcils dans ses expériences de chimie. C'était magnifique, se disait leur mère, et André pensait de même. L'Ile se développait à merveille; l'éducation avançait à grandes enjambées; les enfants jouissaient d'avantages considérables que leurs parents n'avaient pas connus. Rachel en rendait grâces à Dieu — et cependant, quand la fatigue les empêchait, elle et André, de s'endormir, ils s'entretenaient doucement dans le français de leur enfance pour se réconforter; et quand Rachel se sentait tourmentée, elle prenait son coussinet à dentelle, et le martèlement des fuseaux en mouvement ramenait le sourire sur ses lèvres avec les vies de saints de Sœur Ursule qui, en lui revenant à la mémoire, rendaient son cœur léger comme un vol de papillons... A chaque génération, l'éducation qu'elle mérite...

IV

Mais revenons aux du Frocq, secoués sur les chemins par les cahots de leur antique voiture.

Ils avançaient lentement; car Lupin était très vieux, très gros, et assez peu désireux de conduire qui que ce fût quelque part. Il trottait avec de lents mouvements de côté, en soufflant comme un crabe asthmatique. Quand il avait envie de se rafraîchir, il s'arrêtait et mangeait ce qui le tentait; il voulait se débarrasser des mouches par un coup de queue sur la croupe, il s'arrêtait de nouveau pour prêter toute son attention à cette tâche. Les du Frocq supportaient tout cela avec une patience affectueuse. Ils chérissaient Lupin. Ils le préféraient même à Maximilien et à Marmelade; c'est tout dire !

Au moment d'entrer dans Saint-Pierre, à l'endroit où le chemin devient rue et plonge à pic, ils s'arrêtèrent à une petite auberge pour laisser Lupin et le landau à la remise. Tenter de faire monter et descendre Lupin le long des rues de Saint-Pierre eût été une besogne à laquelle André ne se serait jamais risqué. Le cheval resterait là, à jouir d'un bon repos, jusqu'à ce que la messe et la pénitence hebdomadaire qu'était le déjeuner chez Grand-papa eussent pris enfin.

Et alors commencèrent les beautés merveilleuses de la Promenade Dominicale. De crainte de voir son haut-de-forme bossué par les cahots de la voiture, André le confiait toujours à Colin qui le tenait respectueusement tout

le long de la route. En descendant du landau, André
l'ajustait sur sa tête. Rachel, après avoir secoué sa jupe et
inspecté les enfants, prenait le bras de son mari et penchait
vers la gauche son ombrelle ouverte, qui, de cette façon,
ne l'abritait nullement mais ne pouvait, du moins, heurter
le haut-de-forme. Les enfants se mettaient en file derrière
eux, et la procession descendait la rue.

La colline était si escarpée et la rue avait une façon si
imprévue de se transformer en degrés qu'il fallait plutôt
se laisser glisser que vraiment descendre, ce qui enlevait
peut-être à la procession un tant soit peu de la dignité
qu'elle aurait dû avoir; la faute en revenait, non aux du
Frocq, mais à ceux qui avaient construit Saint-Pierre au
flanc d'une falaise rocheuse.

Parvenus au bas de la rue, ils tombèrent à droite,
reprirent haleine, puis s'engagèrent le long des degrés
qui tournaient à n'en plus finir et s'élevaient entre des
murs gris.

Tout en haut, une vieille grille donnait accès à une
terrasse, devant la vieille petite église de Saint-Raphaël
et le couvent, bâti au bord du précipice au fond duquel
on ne voyait que les roches de la mer.

L'église et le couvent étaient si vieux et avaient subi
si longtemps les assauts des intempéries qu'ils ressemblaient eux-mêmes à des rochers. Il était difficile de croire
que des hommes les eussent construits avec des blocs de
pierre; on aurait plutôt pensé que des mains divines,
invisibles, avaient creusé ces monuments dans la puissante
falaise, et que les hommes, las de la furie des vents et des
vagues, s'y étaient glissés ensuite, puis avaient allumé
leurs cierges vacillants dans les recoins obscurs et placé

leurs bouquets de fleurs sur le passage des rayons de soleil, en faisant leurs prières et en balançant leurs encensoirs dans un sentiment de tremblante gratitude pour la sécurité et le secours trouvés en ces lieux.

— Je ne sais vraiment pas ce que nous ferons de cette église quand nous serons vieux, André, dit Rachel en haletant et en se retenant à la grille. Nous ne serons plus capables de monter ces degrés.

— Nous resterons chez nous, répondit André en s'efforçant de ne pas prendre un ton joyeux. Et je n'aurai plus besoin de mettre mon haut-de-forme, ajouta-t-il.

Cette pensée faisait soudain briller une lueur dans le sombre désert de la vieillesse.

Les fillettes, avec Colin à l'arrière-garde, atteignaient la grille à leur tour.

— Maman, regardez Colin, dit Jacqueline, il est dégoûtant !

Le devant du costume marin de coutil blanc, les mains et la figure de Colin étaient couverts de boue. Tout le long des degrés, il était monté à l'assaut des remparts de Rouen en compagnie de Jeanne d'Arc. Les autres l'avaient laissé en arrière et lui, le front pressé contre le mur qui bordait les degrés, les doigts cramponnés à la surface rugueuse, il avait combattu durant toute l'escalade, pas à pas, avec Jeanne d'Arc qui le suivait de près. L'ennemi lui jetait du plomb fondu sur la tête, son échelle menaçait de se briser, il avait une balafre à la jambe et une flèche dans l'épaule, mais il continuait la lutte, en montant toujours, tout sanglant mais non vaincu, envisageant même joyeusement la mort pour l'amour de la France et de la Pucelle.

— Bonté divine ! Colin, qu'avez-vous donc fait ? s'écria la pauvre Rachel.

Colin eut le pâle et doux sourire du héros épuisé par une grande perte de sang.

— Je suis tombé, maman, dit-il. A la sixième marche, je suis tombé et j'ai glissé jusque dans la rue. Sur mon devant.

— Mais, mon chéri, vous auriez pu vous tuer !

Rachel, bouleversée, sortit son mouchoir et essuya tendrement les mains de son fils.

— Vos pauvres petites mains ! André, brossez-lui donc le devant de sa vareuse.

— Cela ne fait plus grand mal maintenant, dit bravement Colin, pendant que ses parents s'affairaient autour de lui. Mais cela faisait mal sur le moment. Je ne vous ai pas appelés pour ne pas vous effrayer.

— Brave garçon ! s'écria son père.

— Ma foi ! je n'ai pas vu toute cette boue dans la rue ! marmotta Jacqueline. Il s'est frotté exprès contre le mur.

Rachel et André n'entendirent pas, mais Colin lui lança un regard furibond.

— Allons, en avant ! dit leur père.

Il offrit de nouveau son bras à Rachel, enleva son chapeau et les entraîna tous, par les trois marches usées et le vieux portail, jusque dans l'église parfumée. Les enfants suivaient et Colin s'arrêta un instant pour lancer un coup de pied à Jacqueline.

— Cafarde ! lui dit-il.

Jacqueline sentit les larmes lui monter aux yeux et sa gorge se gonfler. Avant le petit déjeuner, elle était heureuse, mais maintenant c'était fini. Elle avait encore recommencé ! Elle avait cafardé ! Cela lui arrivait constamment. Et c'était involontaire ! Pourquoi agissait-elle ainsi ? La vérité lui apparut soudain, venue du plus profond d'elle-même : elle racontait des histoires sur les autres pour se donner l'illusion d'être supérieure; car elle aimait à se sentir supérieure. Mais elle ne voulait pas reconnaître cette vérité; Jacqueline, la parfaite Jacqueline, n'aurait jamais besoin de se sentir supérieure. Elle replongea brutalement la vérité au fond de son âme. Non, elle n'avait pas cafardé; elle ne cafardait jamais; elle attirait seulement l'attention de sa mère sur des faits qu'il était désirable qu'elle connût. Il eût été scandaleux de voir Colin entrer à l'église aussi noir que Landoys, le ramoneur ! Elle avait bien fait. Elle agissait toujours bien, d'ailleurs. En s'agenouillant dans le banc des du Frocq, la tête penchée, elle essuya furtivement ses larmes avec ses gants de coton blanc. Quand elle se redressa, il n'y avait plus trace de pleurs et l'on ne voyait sur son visage que son expression habituelle de satisfaction pimpante, encore que son cœur fût gonflé de chagrin... Pendant ce temps, Colin, assis près d'elle, la haïssait positivement.

Ce contretemps avait mis la famille en retard pour la messe; mais Rachel s'avança le long d'un des bas-côtés avec une dignité si majestueuse que personne ne songea à la blâmer. En réalité, quand Rachel était en retard, il semblait à tout le monde que c'était là ce qu'il fallait faire. On ne pouvait lui donner tort; elle transformait tout de façon à toujours paraître avoir raison. Le rayonnement de sa personnalité sur les faits enlevait à ses torts les caractères mêmes qui en faisaient des torts.

La petite église, aux murs épais de quatre pieds et aux

petites fenêtres grillagées, était obscure et fraîche et sentait
le moisi... Le parfum de l'encens, des lis et des cierges
vous donnait envie de dormir... La Vierge, avec l'Enfant
dans les bras et le bouquet de cierges à ses pieds, semblait
rêver sur son piédestal, où elle se tenait sereinement
enveloppée dans les plis de son manteau bleu... Les mots
latins, psalmodiés par la douce voix limpide des religieuses,
faisaient penser à une berceuse... Tous les du Frocq, à
l'exception de Rachel et de Colette, somnolaient peut-
être légèrement.

Rachel ne somnolait jamais à l'église. Une femme qui
a un mari, cinq enfants, des vaches, des cochons, des
poules et pas d'argent a trop de prières à faire pour perdre
son temps à somnoler. Si encore elle avait eu assez de
loisirs pour prier hors de l'église ! Mais elle n'en avait
guère. Il lui fallait donc employer utilement ce bref instant où une fois par semaine, elle se trouvait à genoux
aux pieds de la Vierge Marie qui la regardait du haut de
son piédestal.

Ce jour-là, après avoir prié pour André et pour les
enfants, et même, avec un grand effort, pour son beau-
père, elle se mit à prier avec ferveur pour que sa décision
de la veille fût juste... Elle avait contraint André à l'accepter... Elle en était responsable... De toute son âme, elle
priait pour que leur foyer fût épargné... Bon Repos...
" Port et bon repos à ceux qui entrent ici, courage à ceux
qui s'en vont; que ceux qui partent et ceux qui demeurent
n'oublient pas Dieu... " Tout en essayant de se soumettre,
elle demandait d'avoir le courage de partir un jour, s'il
le fallait !... Puis elle recommençait à prier pour qu'il lui
fût permis de rester dans ce paisible port... Elle ne pourrait

jamais s'en aller... Jamais... La clochette très claire et très
douce tinta pour le *Sanctus ;* Rachel courba la tête comme
si l'église eût été balayée par le vent; en la relevant, elle
eut conscience qu'une aventure extraordinaire se déroulait
près d'elle; son regard fut attiré d'une façon irrésistible
vers Colette.

Le portail de l'église s'était ouvert — Colin, en entrant
le dernier, l'avait peut-être fermé avec négligence — et
Colette contemplait le carré ensoleillé marqué sur le seuil
avec une expression de bienvenue si belle et si étonnante
sur son petit visage potelé que Rachel en fut positivement
inquiète. Qu'est-ce que la petite avait donc vu ? Colette,
à ce moment, détourna les yeux et se mit à rire. Bonté
divine ! Cet affreux rire qui résonnait comme un siphon
d'eau de Seltz ! Et juste au moment le plus solennel de
la messe ! Rachel, effrayée, tendit la main. Mais elle
n'aurait pas dû s'inquiéter; le rire de Colette n'alla
pas jusqu'au cri; ce ne fut qu'une bulle de joie
qui se termina en un sourire à la Sainte Vierge,
comme si Colette eût partagé un secret avec elle; puis
l'enfant, plongeant sa figure dans ses mains grandes
ouvertes, se mit à prier. Rachel la regardait avec une
consternation croissante. A quelle prière cette petite
pouvait-elle bien se livrer ? Ces façons de faire étaient
certainement anormales chez une enfant si jeune ! Une
crainte atroce s'empara de Rachel. Sa fille entrerait-elle,
un jour, dans un ordre contemplatif ? Quelle horreur !
Quelle chose terrible ! Sa petite Colette en robe noire,
toutes ses boucles blondes coupées ! Elle se hâta de prier
pour que Colette ne se fît pas religieuse; puis, toute honteuse, elle se hâta de faire une seconde prière pour que la

prière lui fût pardonnée, puis se dépêcha de refaire de nouveau la première prière.

La messe était enfin terminée et le petit groupe de fidèles sortait à la file en clignant des yeux en face du soleil. Sous le portail, les du Frocq tendirent le dos et se préparèrent à accueillir Grand-papa.

Le docteur du Frocq ne s'asseyait pas avec ses enfants dans le banc de la famille; il se mettait à part, de l'autre côté, dans une solitude glorieuse. Il n'aimait pas, disait-il, être dérangé par une bande d'enfants mal élevés. En réalité, les enfants, fort bien élevés par Rachel, se tenaient infiniment mieux que leur grand-père, dont les manières laissaient beaucoup à désirer. Il ne s'agenouillait jamais et se contentait de se pencher en soufflant dans son haut-de-forme. On l'entendait dire " Hum ! " à haute voix au milieu de toutes les prières; il s'asseyait toujours trois minutes trop tôt et se levait trois minutes trop tard. Au début du sermon, il tirait sa montre, l'ouvrait et la posait devant lui sur le rebord du banc. Au bout de dix minutes — il considérait que ce laps de temps suffisait amplement pour un sermon — il refermait sa montre brusquement, puis la rouvrait en murmurant : " On devrait fusiller cet homme ! " Si le sermon se poursuivait, en dépit de ces gestes, il ne cessait alors de grogner, d'ouvrir et de fermer sa montre et de gonfler les joues en produisant un léger sifflement. Puis, dès que le prêtre avait prononcé le dernier mot de sa bénédiction finale, le docteur du Frocq se levait et partait d'un pas majestueux, en frappant les dalles de sa canne et en lançant un regard de détestation profonde sur les têtes penchées des fidèles. Quelles capotes ridicules ces femmes portaient ! Grotesques ! Et tous ces hommes

chauves ! Ils mangeaient trop, c'était évident : dyspepsie.
Cela fait tomber les cheveux. Il les avait prévenus. Il le
leur redirait encore. Mais ils n'écoutaient rien, ces idiots !
Il s'arrêta sous le portail pour attendre sa famille. C'était
un très beau vieillard; très droit, très grand, avec des
cheveux gris bouclés, une barbe grise qui se projetait
hardiment en avant, des yeux bleus dont le regard agressif
était ombragé d'épais sourcils, une bouche dure d'égoïste,
des vêtements d'une coupe parfaite, une canne d'ébène
à pomme d'argent et un chapeau haut de forme d'une
élégance exquise.

— Bonjour, père, dit Rachel en souriant de ce sourire
froid et distant qu'elle réservait à son beau-père, tandis
qu'elle notait avec antipathie les yeux bleus agressifs et
la bouche égoïste.

Comment cet homme pouvait-il être le père d'André ?
Comment était-ce possible ? André, naturellement, ressemblait à sa pauvre mère. Rachel ne l'avait jamais connue;
elle était morte depuis longtemps.

— Bonjour, Rachel. (La voix de Grand-papa était
sonore et bien timbrée et faisait songer à du porto, à du
plum-cake et à une culotte de velours.) Ces enfants se
trémoussent trop pendant le sermon, vous devriez les
surveiller. André, vous êtes bien jaune; c'est l'estomac.
Sale histoire que ce naufrage, hein ? Sale histoire. Une
f... hum !... une sale histoire !

Il faut dire en faveur de Grand-papa qu'il s'efforçait
vraiment de ne pas jurer devant les enfants.

— A-t-on des nouvelles ? demanda André. Les canots
sont-ils rentrés ?

— Pas le moindre canot. Le naufrage a eu lieu à plu-

sieurs milles d'ici, vous savez. Des marins de pacotille,
voilà ce que c'est. On n'avait jamais tous ces naufrages
dans mon enfance. Quoi ? La vapeur, c'est cela qui a tout
perdu. Autrefois, un homme était marin quand il parcourait les mers sur un long-courrier. Il fallait de l'astuce, je
vous en réponds, pour orienter cette voilure; tandis
qu'aujourd'hui, on colle une machine dans la cale, on
remonte toute cette diablerie et on s'en va boire un
whisky au salon. A quoi peut-on s'attendre ? On se flanque
sur des récifs en un clin d'œil; et c'est tant pis ! Hein ?
Dans ma jeunesse, les navires étaient gouvernés par des
marins; maintenant, on laisse un tas de b... hum !... d'ou-
vriers ignorants les fracasser.

Il tendit les mains à Péronelle et à Colette et prit le
chemin de la descente. De tous ses petits-enfants, ces
deux-là seules lui inspiraient de l'affection. Il aimait
Péronelle pour la simple raison qu'elle était séduisante;
et il pensait qu'elle avait des chances de faire honneur à
sa famille en faisant un Beau Mariage. C'était, à son avis,
la seule façon dont une femme pût faire honneur à sa
famille. Quant à Colette, elle lui plaisait parce qu'elle
était potelée. Grand-papa n'aimait que les femmes bien
en chair et avait une très pauvre opinion de la grâce
élancée de Rachel. Il aimait les belles poitrines bien
rebondies.

Péronelle marchait dans un silence qui eût glacé quelqu'un d'autre que son grand-père, dont la satisfaction
de soi-même restait à l'abri des moindres manifestations
d'antipathie. La main qu'elle lui abandonnait était aussi
froide et immobile qu'un poisson mort. Elle le détestait.
Comment osait-il dire que leur père était jaune ! Ce n'était

pas vrai. Sa pâleur venait de ce qu'il avait mal à la tête.
Elle savait qu'il avait mal à la tête. Et lui parler de son
estomac ! Quelle insulte répugnante ! Comme si son père
mangeait trop ! On avait, au contraire, le plus grand mal
à le faire manger. Son mal de tête venait de sa fatigue. Il
était toujours fatigué. Elle retira sa main de celle de
Grand-papa et rebroussa chemin en courant vers son
père ; et cette main, qui savait être si froide, se nicha dans
celle d'André comme un petit oiseau tiède et palpitant.
Au bas des degrés, quand ils traversèrent l'ombre avant
de tourner le coin de la rue, elle attira la main de son père
vers ses lèvres et la baisa. Sa figure était toute pâle d'indignation.

André, légèrement embarrassé, lui donna une petite
tape sur l'épaule en l'examinant avec anxiété. Quelle
créature passionnée que cette enfant ! Quelle violence et
quelle tendresse — et quelle minceur ! Son corps serait-il
capable de supporter la tension que lui imposerait sa
nature ?... Il recommença à se tourmenter.

Grand-papa accepta tranquillement la fuite de Péronelle. Une jolie femme a le droit d'être capricieuse. C'était
une enfant impulsive ; mais, ma foi ! les hommes aiment
cela. Elle ferait un beau mariage. Il sourit gracieusement
à Colette qui lui tendait son visage rayonnant. Colette
l'aimait tendrement. Elle avait la finesse d'un petit chien
pour sentir si on l'aimait, et elle répondait à l'affection en
donnant tout son cœur, sans se préoccuper de la valeur
de la personne à qui elle faisait ce don.

Au pied des degrés, avec une lenteur et une dignité
incomparables, la famille poursuivit sa Promenade Dominicale.

V

GRAND-PAPA habitait la rue principale de Saint-Pierre, ainsi qu'il convenait à sa situation de médecin; car il était, en quelque sorte, le seul docteur de toute l'Ile, les autres n'étant que des êtres inférieurs occupés à traiter les maladies des petites gens. Cette rue qu'on appelait Le Paradis était une rue pavée, fort raide, qui serpentait entre de hautes maisons respectables, flanquées de beaux jardins; les *gens bien* y habitaient.

La demeure de Grand-papa se trouvait à mi-côte. Elle était fort imposante avec sa façade de stuc rose, sa courette menant au sous-sol et des rideaux de guipure aux fenêtres, qui cachaient ses trésors aux regards curieux des passants. Sur l'arrière de la maison, les rideaux légèrement relevés laissaient voir le jardin et, au-delà, la vue splendide du port.

A l'intérieur, la demeure du grand-père était magnifique et impressionnante, avec ses tapis épais qui étouffaient tous les sons, ses portraits de famille aux cadres dorés, son mobilier d'acajou, ses beaux fruits de cire sous globe, ses damas et son argenterie brillante, et l'abondance des repas. Bien que Grand-papa se plaignît souvent que tout le monde mangeât trop, il avait lui-même un très fort appétit. Néanmoins, ses repas ne semblaient pas le gêner! on eût dit que tout son organisme, y compris son cœur et son âme, étaient faits du cuir le plus solide et le plus dur.

Le confort de Grand-papa était assuré par·Barker, son
serviteur anglais, et Mme Gaboreau, son intendante,
personne congestionnée, ornée d'un toupet châtain sur
le front et de sequins étalés sur la poitrine... Elle était
horrible. Elle tenait sous sa main de fer plusieurs aides
misérables qui menaient une dure existence au sous-sol,
parmi les cafards, et faisaient reluire toute la maison, de
haut en bas, comme un miroir.

— Beau temps, hein ? s'écria Grand-papa en plongeant
son couteau dans le rôti.

On entendit un crissement et un mince·jet rose jaillit
de la viande... Grand-papa aimait le bœuf saignant. Péronelle frissonna.

— C'est un des plus beaux étés que nous ayons jamais
eus, dit Rachel en souhaitant de pouvoir ouvrir une
fenêtre.

Elle se mit à discourir sur le temps d'une façon charmante. Chez Grand-papa, elle se montrait toujours à son
avantage, considérant que c'était son devoir.

André, qui avait un peu mal au cœur du fait de sa
migraine, détournait son regard du rosbif et souriait de
ce sourire qui exaspérait toujours son père au-delà de
toute expression. Les fils du docteur du Frocq humi-
liaient amèrement leur père : Jean, un raté, qui avait mal
tourné et qu'on avait perdu de vue depuis qu'il s'était
enfui en Australie, et André, un pauvre idiot sentimental
qui n'avait même pas le nerf de faire prospérer la ferme
des du Frocq. Dieu sait où il en serait sans l'argent de sa
femme; et le diable seul savait sans doute combien il
restait de cette dot à l'heure actuelle ! Ma foi ! il les avait
prévenus ! Il ne fallait pas maintenant qu'ils viennent

pleurer misère près de lui — pas avant d'avoir abandonné
cette satanée ferme.

— Ça va, à la ferme ? Hein ? demanda-t-il d'un ton
ironique.

Une lueur d'acier brilla dans les yeux de Rachel. Elle
savait que son beau-père ne posait cette question que pour
le plaisir de donner un coup de poignard à son fils.

— Assez bien, il me semble, répondit André.

— Une bonne récolte de tomates ? poursuivit Grand-
papa.

Il n'ignorait pas, Rachel en était sûre, que les tomates,
cette année, avaient la maladie. Quel besoin de retourner
le poignard dans la plaie ! Elle allongea son pied sous la
table pour toucher très doucement le pied d'André...
Grâce à cette caresse, le poignard disparut comme par
enchantement.

Le déjeuner se termina pourtant : une tarte aux abricots
suivit le rosbif, puis le fromage de Stilton — dans lequel
Grand-papa versa du porto pour multiplier sa colonie de
vers savoureux — puis du *plum-cake* et le dessert. Ensuite,
ils passèrent tous à la bibliothèque, où André et son père
fumèrent un cigare, et où ils restèrent à contempler d'un
regard morne le jardin et le port derrière les fenêtres
hermétiquement fermées.

Rachel pressait ses mains l'une contre l'autre en se
disant pour la millième fois que, s'il lui fallait vivre là,
elle en deviendrait folle. Elle devait à tout prix empêcher
cela. Mais comment ? Dans l'état de dépression où vous
plonge un repas trop copieux, il lui semblait que la vision
et les espérances qu'elle avait eues la veille n'étaient
qu'illusoires, et un sombre désespoir l'envahissait. Les

deux hommes n'en finissaient pas de fumer leur cigare.
Quand enfin il ne resta plus que quelques cercles de lourde
fumée qui se déroulaient dans la pièce comme de mauvais
présages, elle proposa de descendre au port afin de savoir
si l'on avait des nouvelles du naufrage... André pâlissait
de plus en plus... Le cigare ne lui convenait pas; mais,
aux yeux de Grand-papa, un homme qui ne peut pas
fumer un cigare n'est qu'un nigaud au foie blanc — et
elle craignait de voir un accident lamentable se produire
si l'on ne donnait pas immédiatement de l'air frais à son
mari.

— Je ne vous accompagnerai pas, dit Grand-papa.
Je me fiche pas mal que ces imbéciles soient noyés. Cela
leur apprendra à employer la vapeur quand ils auraient
dû rester fidèles à la voile. Au revoir! A la semaine prochaine, hein?

Il se mit un journal sur la tête et ronflait déjà quand
toute la famille se retrouva dans le vestibule.

Le cœur joyeux comme des enfants au sortir de l'école,
ils dévalèrent la pente vers le port.

— Vous sentez-vous mieux, mon chéri? demanda
Rachel. C'était ce cigare, mais quand vous le refusez, cela
le contrarie tant!

André secoua la tête en aspirant de grandes bouffées
d'air. Les enfants couraient en avant, et bien que ce fût
dimanche, on les laissait faire... Chacun se sentait libéré.

Au bas du Paradis, le caractère respectable du quartier
disparaissait brusquement au tournant de la rue Clubin.
Colin y jeta un coup d'œil; mais le dimanche avait dissipé
toutes les merveilles de la rue. Les éventaires étaient
partis ainsi que la mère Tangrouille; la foule joyeuse

s'était dispersée; rien n'existait plus des délices de la veille, sauf les chats errants et quelques gamins malpropres qui jouaient dans le ruisseau.

— On devrait vraiment s'occuper de cette rue ! dit Rachel. C'est une honte ! Et il paraît que les bonbons qu'on y vend sont du poison. Heureusement que les enfants n'en approchent jamais !

André fit un signe d'approbation et Colin, en entendant les paroles de sa mère, prit soudain un air angélique.

Après avoir longé l'église de la ville, ils arrivèrent au port. La journée était chaude et calme et la mer ressemblait à une soie très lisse couleur de turquoise. Il était difficile de se figurer qu'un danger pouvait se cacher sous cette surface claire et polie, et pourtant, la foule qui se pressait sur la digue en était la preuve.

— André ! s'écria Rachel. Voici les canots qui rentrent ! Attention aux enfants ! Je ne veux pas qu'ils voient cela !

Mais il était trop tard. A l'exception de la grosse Colette, ils s'étaient tous faufilés à travers la foule jusque sur la digue, laissant leurs parents, moins agiles, bloqués derrière de lourdes gens en sueur dans leur costume des dimanches.

Un par un, les canots arrivaient du large, entraient en silence à l'abri du port et se dirigeaient vers les marches. Des mains secourables se tendaient pour aider des hommes et des femmes, pâles d'épuisement, à débarquer sans encombre. La foule, qui se balançait légèrement dans son agitation, restait silencieuse, et l'on n'entendait que de brèves exclamations qui fusaient de-çi, de-là, comme des étincelles dans les chaumes.

— Ah ! Sainte Vierge ! pauvres gens, pauvres gens !

Rachel attrapait ces paroles au vol pendant qu'elle se suspendait au bras d'André.

— Toute la nuit en mer dans ces canots, et une houle continuelle autour de la Roque Catian...

— C'est le repaire du diable, ce récif. On dit qu'un démon se cache par-dessous, dans les grottes...

— Je suis passé devant, un jour, avec mon père; c'est un tas de roches noires effrayantes; l'eau tout autour est noire comme qui dirait de l'encre; ça fait un vacarme qui vous glace le sang dans les veines...

— Ils étaient trop pour les canots. Y en a un tiers de neyés...

— On voyait la mort flotter sur l'eau quand le brouillard s'est levé...

— Oui, y en a un tiers de neyés.

A mesure que les canots accostaient, quelques personnes dans la foule scrutaient avec angoisse la figure de ceux qu'on ramenait, dans l'attente désespérée d'apercevoir enfin le visage attendu, car il y avait eu des insulaires à bord du paquebot naufragé. De temps à autre, quelqu'un perdait courage, et un sanglot claquait comme un coup de fouet dans le silence. C'était horrible ! Rachel pouvait à peine supporter cette scène. A ce moment, elle aperçut la figure inanimée d'une femme qu'on sortait d'un des canots. Pourquoi s'était-elle évanouie ? Avait-elle vu le cadavre de son enfant flotter sur l'eau quand la brume s'était levée ? Rachel serra de toutes ses forces la main de Colette dans la sienne, en fermant les yeux. Elle aurait voulu rentrer chez elle, mais ils se trouvaient bloqués dans la foule, incapables de bouger. Où donc étaient les enfants ?

Les trois petites se faisaient étouffer contre la digue, mais Colin, grâce au surprenant génie qu'il avait pour obtenir toujours la place qu'il convoitait, était juché au sommet des marches et s'accrochait à la rampe de corde pour ne pas être précipité dans l'eau par la foule qui se pressait derrière lui. Il n'éprouvait d'ailleurs aucune crainte et s'amusait énormément. Ce spectacle lui semblait encore plus beau que le cirque.

La dernière barque venait de contourner la balise, à l'entrée du port, et approchait en rasant comme un oiseau l'eau tranquille... La dernière barque... La foule se balança dans un silence impressionnant, comme agitée par une tempête soudaine, une tempête affreuse, accompagnée, non pas par le bruit familier des arbres fouettés par le vent, mais par un silence de mort. Au moment où la barque accostait le long des marches, on aperçut nettement le visage de ceux qui étaient à bord. Quelques cris de bienvenue retentirent, mais le soulagement d'une longue angoisse leur donnait une telle âpreté qu'on y sentait plus de douleur que de joie, et trois ou quatre personnes, se retournant brusquement, se frayèrent un passage dans la foule pour repartir en trébuchant vers la ville.

Colin, fou d'excitation, ne songeait ni à cette joie ni à cette angoisse. Il poussa un grand cri de bonheur : cette barque était *sa* barque, celle d'Hélier Falliot. Il voyait, à l'avant, Hélier en personne et Guilbert à ses côtés. Colin, s'identifiant instantanément avec Hélier et Guilbert, se sentit le héros du moment. C'était *sa* barque, et *il* avait besogné toute la matinée pour sauver les naufragés. Son cœur se gonflait d'un orgueil d'emprunt. Il s'aplatit aussitôt comme un jeune crabe sur les marches gluantes et fut le premier à mettre la main sur le plat-bord pour maintenir la barque immobile. Il resta là, inébranlable comme la mort, pendant que les hommes débarquaient par-dessus sa tête, en le heurtant de leurs pieds ou en le poussant et s'écriant : " Diable de gosse, tire-toi donc de là ! " Les femmes, sur la digue, criaient de leur côté : " Veillez au petit ! " Et la mer venait tremper ses belles chaussures. C'était *sa* barque, on n'allait pas l'en détacher avant que le dernier de ceux qu'il avait sauvés fût en sûreté sur le quai. Il restait là, accroupi, les yeux fermés, pendant que des bottes lui raclaient la tête et que l'eau lui éclaboussait la figure; mais le remous cessant peu à peu, il finit par ouvrir un œil et aperçut alors le dernier occupant de la barque, un homme à cheveux gris, dont la chemise déchirée et le pantalon ruisselaient et qui se tenait à l'arrière, la tête dans les mains.

— On l'a ramassé sur une épave, murmura, à ce moment, Hélier dans son patois chantant. Il voulait point qu'on le prenne avant que tous les autres soient tirés de là. Y avait tout juste une place pour lui dans la barque.

Se retournant vers l'étranger, il le frappa à l'épaule :

— M'sieur ! dit-il doucement. Nous sommes à quai.

L'homme releva la tête et son regard croisa celui de Colin. Le petit garçon n'avait jamais vu un être aussi bizarre : un visage laid aux traits rudes, à l'expression dure et fermée, et pour l'instant tout terreux d'épuisement; une longue cicatrice en travers d'une joue et une touffe de barbe grise en désordre qui donnait un air encore plus sauvage aux étranges yeux jaunes.

— C'est l'Ile. Venez, m'sieur !

Hélier, passant ses mains sous les bras de l'étranger, le mit debout. Colin, attiré d'une façon incompréhensible par le regard fixe de ces yeux jaunes, joua des pieds et des mains sur le plat-bord, se précipita sur le naufragé et le saisit avec frénésie par le pan déchiré de sa chemise trempée, comme s'il décidait de ne plus le laisser repartir...

C'est à ce moment que, pour la première et la dernière fois de sa vie, Rachel fut cause d'une scène déplorable.

Elle se tenait tranquillement près d'André, obsédée par le souvenir de la femme évanouie qu'elle avait vue enlever d'un des canots et de ces autres naufragés qui venaient d'échapper à la mer terrible, quand, tout à coup, ayant ouvert brusquement les yeux comme si quelqu'un venait de la frapper au visage, elle aperçut, dans un vide de la foule, la barque au pied des marches et son fils accroché à un homme affreux dont la chemise était en loques. Elle regarda fixement le visage de cet homme. C'était celui qu'elle avait vu dans sa *vision*...

Elle perdit alors tout sang-froid et ne fut plus qu'une créature désespérée luttant pour sauver sa vie; abandonnant Colette, elle se précipita sur la foule pressée devant elle, et en poussant, en cognant de droite et de gauche avec son ombrelle, elle se fraya un passage jusqu'aux marches. Hélier aidait l'étranger à monter. Elle le saisit par le bras.

— Amenez-le à Bon Repos! cria-t-elle d'un ton perçant. A Bon Repos, entendez-vous? Dès qu'il sera revenu à lui, vous me l'amènerez. Mme du Frocq. La ferme appelée Bon Repos.

Elle secouait frénétiquement le bras bruni d'Hélier en fixant la figure ahurie du pêcheur d'un air de folle.

— C'eſt un de mes amis. Il faut l'amener chez moi. A Bon Repos ! répétait-elle en tapant du pied et en secouant Hélier.

L'étranger, trop épuisé pour faire attention à elle, titubait entre les mains d'Hélier.

— Très bien, madame. On vous l'amènera tout à l'heure.

La courtoisie naturelle du pêcheur triomphait de sa surprise. Il esquissa un salut d'une main pendant qu'il soulevait l'étranger de l'autre pour l'aider à monter les marches... Rachel se recula en haletant légèrement et en portant les mains à sa poitrine... Des bras secourables se tendirent et le naufragé fut emporté à la taverne du bout de la digue.

Pendant ce temps, André, portant sur son bras Colette qui sanglotait de frayeur, arrivait sur les lieux.

— Mais voyons, Rachel ! s'écria-t-il. Cet affreux vagabond ! Êtes-vous folle ?

La foule les entourait maintenant, car tout le monde connaissait Rachel. Mme du Frocq de Bon Repos — la jolie bru du vieux doſteur — qui avait toujours été, jusqu'alors, un modèle de dignité et de diſtinſtion... On éprouvait un certain plaisir à la voir tomber de son piédeſtal et devenir une femme hyſtérique comme les autres. La foule se rapprochait... Tout le monde les regardait !... Quelle horreur !... Jamais encore André n'avait été si près de se mettre en colère contre sa femme.

Mais Rachel recouvra son sang-froid aussi vivement qu'elle l'avait perdu.

— André, dit-elle, rentrons à la maison pour tout préparer. Je vous expliquerai...

D'un geste gracieux, elle groupa sa famille autour
d'elle, rajusta son mantelet de dentelle, ouvrit son ombrelle et prit le bras de son mari. La foule se recula respectueusement pendant que Rachel passait ainsi, avec les
mouvements majestueux d'un cygne glissant sur l'eau.
Une autre eût sans doute laissé derrière elle une impression défavorable; mais, comme toujours, Rachel ne laissa
dans le sillage de son magnifique départ que le souvenir
d'une perfection exquise.

CHAPITRE III

I

Les brouillards du mois d'août disparurent en se faufilant derrière le dôme du ciel de septembre suspendu au-dessus d'une mer et d'une terre immaculées et brillantes comme des émaux. Il ne pleuvait guère dans l'Ile, en été ; mais le sol contenait une telle provision d'humidité que les fontaines étaient toujours pleines et que les pentes d'eau chantaient par la voix de tous leurs ruisseaux courant avec impatience vers la mer. Une herbe abondante croissait autour des sources et, dans les creux, les fougères étaient d'un vert presque dur ; leurs palmes encadraient des pans de ciel d'un bleu si intense qu'on songeait plutôt, en les regardant, à la fraîcheur d'un lac qu'aux profondeurs infinies d'une immensité ensoleillée. Au bord de la falaise seulement, l'herbe courte, sèche et brune, aspirait aux pluies de l'automne ; mais non pas la bruyère ; ses petites tiges vigoureuses avaient rampé partout et portaient des myriades de clochettes pourprées par toute la falaise et par-dessus les roches, presque jusqu'à la mer. Ces minuscules fleurs sèches et cassantes, habitantes des étendues

balayées par le vent, rendaient un son légèrement métallique quand on passait la main sur elles ; dénuées de la
douceur caressante qu'ont les fleurs mieux abritées, elles
n'en répandaient pas moins sur la falaise stérile un flot de
couleur somptueuse et, en quelque sorte, sonore et
triomphante comme une sonnerie de trompettes.

De tous côtés se répétait cette teinte de bruyère. Au
large, l'ombre des nuages striait de pourpre l'eau vert
jade, et dans le jardin des du Frocq, les reines-marguerites
du même ton fleurissaient sur un fond de pétales de roses
éparpillés. La passiflore entourait les fenêtres de ses fleurs,
qui dissimulaient leur sainte douleur sous les feuilles
vertes.

La nature sentait peut-être l'approche de la lassitude
et l'éloignement du printemps ; mais avant d'être vaincue
par les tempêtes de l'hiver, elle était résolue à étaler aux
yeux des hommes une beauté encore éclatante. S'il ne
leur était plus permis de se réjouir du bleu pâle et de l'or
clair de sa jeunesse, ils pouvaient du moins baisser respectueusement les yeux devant la pourpre royale de sa
maturité.

C'est ce que faisait, en soupirant, l'homme qui, ce
matin-là, se tenait sur la roche surplombant la Baie aux
Mouettes. Il était très tôt et, malgré le ciel et la mer d'été,
l'air piquait un peu.

— Voici l'automne, murmura-t-il en frissonnant.

Il avait vécu si longtemps sous un soleil dont la chaleur
était une possession sûre qu'à la pensée de devoir supporter, de nouveau, les vents glacés et les bourrasques de
grésil, il sentait un frisson le parcourir. Il se traitait tout
bas d'idiot, car il l'était assurément s'il restait à envisa-

ger un hiver dans l'Ile alors que toute la chaleur du monde
était à sa portée. Il partirait. Rien ne le retiendrait ici. Il
serait aussi fou de rester qu'il l'avait été de venir. Il était
parti de France pour passer seulement une journée dans
l'Ile, entendre de nouveau le doux patois dans les chemins,
et les ruisseaux tinter dans les sentes d'eau, voir si le
chèvrefeuille de la falaise était toujours aussi florissant
et si la petite église de Saint-Raphaël résistait toujours
aussi vaillamment aux pires bourrasques. Il avait eu l'intention de repartir ensuite pour les pays chauds où son
existence s'était écoulée entre une jeunesse tumultueuse
et pleine d'espoirs et une maturité desséchée par l'amertume.

Et pourtant, il s'était peut-être attendu à autre chose.
Il avait peut-être espéré que la douleur qu'il éprouverait
à revoir l'Ile serait assez forte pour raviver puis étouffer
cette flamme d'espérance déçue qui ne cessait de vaciller
en lui. Échanger une souffrance contre une autre est
parfois un aussi grand soulagement que sentir l'arrêt de
la souffrance. Néanmoins, s'il avait entretenu cet espoir,
c'était en vain. Une peine dont la source remontait à sa
verte jeunesse jaillissait parfois comme une fontaine et
lui faisait espérer un rafraîchissement; mais, pendant qu'il
haletait devant ce bienfait comme un homme altéré qui
aperçoit un verre d'eau, le soulagement attendu se retirait
et le laissait, de nouveau, en proie à sa brûlante amertume.
Il était venu pour une journée, n'avait trouvé ni repos ni
réconfort, et, cependant, il était là depuis un mois !... Il
fallait qu'il fût stupide... Il se retourna brusquement et
se mit à grimper la pente herbeuse qui menait au sommet
de la falaise.

C'était la pente même que Michelle avait escaladée un mois auparavant; elle était maintenant glissante comme de la glace, et seul un homme ayant appris dans sa jeunesse la façon de s'y prendre s'y serait risqué... Or il s'y aventurait avec l'insouciance d'un risque-tout.

Parvenu au sommet, il se retourna pour contempler à ses pieds l'exquise beauté de la Baie aux Mouettes; pendant un moment, cette petite source rafraîchissante jaillit de nouveau en lui... Le vert, le bleu et le pourpre... La douce écume des vagues autour des roches... Le scintillement des galets humides... Après les sables brûlants du désert, que tout cela semblait bon !

Il leva les yeux vers les mouettes qui s'envolaient, plongeaient, tournoyaient dans tous les sens. Leurs ailes traçaient une arabesque ou un enchantement dont les entrelacs le cernaient et le liaient à cette horrible petite Ile. Un enchantement ? Il sourit à ce mot enfantin qui lui rappelait les contes de fées de sa jeunesse. Et, pourtant, comment décrire ce pouvoir que Rachel et ses enfants exerçaient sur lui ? Il avait cru que nul être humain ne pourrait plus jamais le retenir, et cependant, il restait là, lui le vagabond, assujetti malgré lui, et par une femme et une poignée d'enfants quelconques... Non, pas quelconques... Michelle, Péronelle, Jacqueline, Colin, Colette... Chacun d'eux était un fil bien distinct du charme qui le liait.

Il pivota brusquement sur ses talons et s'éloigna. Il allait être obligé de rester. Une force plus puissante que sa volonté menaçait de l'enchaîner à Bon Repos. Ces gens avaient-ils donc besoin de lui ? Comme cette pensée lui traversait l'esprit, il éclata de rire, d'un rire aussi rauque et aussi moqueur que celui des mouettes. Besoin ? Voilà un mot qu'il n'avait jamais admis dans la conduite de sa vie. Il s'était toujours donné pour but de n'avoir besoin de rien ni de personne et de s'arranger pour que personne n'eût besoin de lui. Qu'aucun lien ne vînt entraver sa liberté ni sa parfaite solitude, telle avait toujours été son ambition; et il s'y était donné avec une telle férocité qu'il avait, en effet, réussi à rester isolé comme un feu de sauvage. Et maintenant ? Incapable d'admettre un instant que l'âge pût affaiblir ses facultés, il échappa brusquement à ses réflexions.

Il se plongea dans le souvenir de cette journée du mois précédent où il avait découvert Rachel et sa tribu d'enfants — le jour du naufrage. La nuit et la matinée avaient été effroyables; et pourtant, il en avait joui. A cette époque, peu de choses étaient susceptibles de l'émouvoir; cependant, la terrible secousse qui ébranla tout le paquebot au moment où il toucha le récif lui procura un certain plaisir — c'était une expérience nouvelle pour un homme qui croyait avoir épuisé toutes les expériences. Puis l'activité au cours de la nuit — les ceintures de sauvetage à enfiler aux femmes épouvantées, les canots à mettre à la mer, les enfants à calmer — tout cela agissait sur lui comme un narcotique qui lui faisait oublier le pesant fardeau de son découragement. Après tout ce remue-ménage, il s'était lancé à l'eau avec un sentiment de satisfaction. Il ne restait plus une seule place pour lui dans les canots et la mort lui semblait certaine — il allait pouvoir ainsi glisser heureusement de ce narcotique dans le néant. Une fois dans l'eau, cependant, il s'aperçut qu'il s'efforçait machinalement de nager, et quand il put se cramponner à

une épave, il s'y suspendit comme l'aurait fait le garçon
ardent qu'il avait été quarante ans plus tôt. Il se rappela
ensuite cet incident avec surprise. Il y vit autre chose que
le simple instinct de conservation; le début, peut-être,
du charme qui devait le subjuguer. Lorsque le brouillard
s'était levé et que les barques de l'Ile avaient paru, on
avait sauvé tous les autres avant lui. Il attendait avec
cynisme, sans attirer l'attention sur lui, tendant encore
une main à la mort voisine pendant qu'il se soutenait de
l'autre à l'épave. Quand les mains brunes d'Hélier le
saisirent et le halèrent dans la barque, il cracha toute
l'eau de mer qui lui emplissait la bouche, puis se mit à
rire... d'un rire assez désagréable à entendre... Quelle
idiotie il venait de commettre ! Il touchait à la libération
complète, sans recourir à un suicide évident qui l'eût fait
passer pour un lâche aux yeux de tous, et voilà qu'il venait
de se remettre volontairement dans les fers !... D'un geste
farouche, il repoussa les mains secourables d'Hélier...
Après quoi, il s'évanouit.

Plus tard, il eut vaguement conscience des bras de Colin
qui l'étreignaient et de la voix angoissée de Rachel; mais
il ne vit rien d'autre qu'une obscurité parsemée d'étincelles jusqu'au moment où il émergea avec colère d'une
profusion de whisky, de couvertures et de massages dans
un flot incessant de ce patois de l'Ile qu'il souhaitait, depuis
si longtemps, de réentendre. Il se sentait trop furieux
pour parler — furieux contre lui-même, contre la destinée, contre les bonnes mains rudes qui le secouaient et
l'obligeaient à subir ce contact humain qu'il détestait.
Son silence trompait les braves gens qui continuaient à
le masser, à le faire boire et à gémir en se figurant qu'il

n'était pas encore revenu tout à fait à lui. Et quand, soudain, il les envoya promener d'un mouvement furieux
de ses deux bras, leur étonnement fut pitoyable... Il en
resta honteux et les remercia; mais il tomba ensuite dans
une sorte de morne stupeur qui leur permit de faire de
lui ce qu'ils voulaient. La destinée l'avait sauvé malgré
lui, l'avait lancé sur la grève comme une épave — très
bien, qu'elle continue donc à le jeter n'importe où, il
resterait passif... Elle l'avait jeté à Bon Repos.

Quand, tout étonné, il traversa sous la conduite d'Hélier
la cour de ferme, qu'il passa sous l'inscription française
de la porte (qu'il connaissait si bien par cœur qu'il n'eut
même pas besoin de la regarder) et qu'il entra dans la
vieille cuisine dallée, il se trouva devant Rachel et André
qui se tenaient debout près de l'âtre.

Hélier repartit aussitôt, mais lui examinait Rachel avec
une attention qu'il n'avait accordée, depuis bien des
années, à aucun être humain. Il regardait les yeux sombres
sous les sourcils fortement dessinés, les paupières légèrement ombrées de mauve, la couronne de cheveux bruns,
la haute taille de la jeune femme, élancée et, néanmoins,
majestueuse. Il remarquait sa toilette noire et la rose
nacrée fixée à sa ceinture. Quand elle parla, sa voix basse
et vibrante lui parut s'accorder parfaitement à son visage.

Elle parlait lentement et avec une grâce pleine de
dignité; néanmoins, il eut l'impression qu'elle éprouvait
un certain trouble et une sorte de méfiance en même temps
qu'une angoisse aiguë. Elle était si désolée à son sujet,
disait-elle; peut-être venait-il en visite dans l'Ile ?... Il fit
un signe de tête affirmatif... Oh ! alors, elle devait lui
offrir l'hospitalité. Elle ne supporterait pas qu'il allât se

loger n'importe où, après avoir été si maltraité dans leurs
eaux. La Roque Catian lui avait causé un grand dommage,
mais l'Ile allait réparer cela. Il verrait qu'on n'y était pas
inhospitalier. Elle manquait de place chez elle, malheureusement; mais il y avait, au-dessus de l'écurie, une
chambre qu'on utilisait à l'époque de la moisson quand
la ferme devenait trop encombrée... Cette chambre était
propre et confortable... Elle l'avait préparée... A ces
mots, elle se mit à rougir tout en le regardant droit dans
les yeux. Il sourit d'une façon assez désagréable; n'importe
quel autre logement eût été sûrement plus confortable,
et il se dit que cette femme était trop forte dans le grand
art de la prévarication. Les raisons d'hospitalité qu'elle
avançait n'étaient certainement pas celles qui lui faisaient
désirer sa compagnie avec tant d'ardeur. Il se demanda
ce que pouvaient bien être ces raisons. Il était impossible
qu'elle le connût puisqu'il ne l'avait jamais vue auparavant.
Il ne savait même pas qu'André était marié. Pourquoi
avait-elle à ce point besoin de lui ? Sa curiosité fut piquée
comme elle ne l'avait pas été depuis longtemps. Il lui fit
un petit salut brusque et dénué de grâce comme au souvenir d'une courtoisie oubliée, et il accepta son offre
hospitalière.

Pendant toute cette scène, il n'avait pas osé regarder
André en face; cependant, il avait eu, en un clin d'œil,
une impression nette de cet homme qu'il n'avait pas vu
depuis son enfance. Oui, il avait toujours prévu qu'André
deviendrait cet idiot mélancolique et sentimental. Cette
attitude humble et hésitante, cette bouche sensible, ces
yeux rêveurs — bons observateurs pourtant —, ce sourire
aimable qui semblait s'excuser, oui, c'était tout à fait ce à

quoi il pouvait s'attendre. Cet homme paraissait plus vieux que son âge et il avait l'air exténué... Est-ce que le vieux l'importunait, par hasard ? Ou bien cette belle femme serait-elle trop autoritaire ? André était très évidemment sous la coupe de sa femme... Il deviendrait... Quel pauvre idiot !

— Je suis ravie... Votre nom, monsieur ?

Rachel, complètement remise de son embarras momentané, redevenait la parfaite hôtesse.

— Ranulph Mabier. Je suis né en Normandie, madame; mais j'ai toujours vécu en Orient.

Il lança des détails d'un ton brusque qui interdisait toute question.

— Vous ne connaissez pas notre Ile ?

— Non, madame. J'avais entendu vanter ses charmes et je désirais y passer un congé.

Sa bouche se referma comme une trappe et Rachel eut l'impression que ses étranges yeux clairs la perçaient jusqu'au fond d'elle-même... Elle sentit que cet homme serait capable de pénétrer jusque dans ce sanctuaire intérieur où André même n'était pas autorisé à entrer... Bien plus, il venait d'y pénétrer, d'en souiller la blancheur de la trace de ses pas et d'en troubler l'harmonie de sa voix rauque... Au milieu de son triomphe, elle se sentit brusquement terrifiée... Elle se retourna vers André qui fut surpris de sentir les doigts de sa femme lui serrer le bras avec force, en vibrant comme si quelque chose de discordant se fût agité en elle.

— André, conduisez donc M. Mabier à sa chambre, dit-elle d'une voix qui tremblait un peu.

Après s'être donné tant de mal pour voir cet individu

chez elle, elle semblait maintenant fort pressée de se débarrasser de lui.

Pendant qu'André lui faisait traverser la cour dans la direction de l'écurie, Ranulph sentait que, sous sa douceur courtoise, son hôte était en proie à un tourbillon d'antipathie, de gêne, d'incertitude, d'anxiété, d'ennui et de ressentiment intense... Cela le fit sourire un peu méchamment — comme un dieu olympien qui eût regardé de très loin les souffrances des pygmées. La situation devenait vraiment curieuse : une très belle femme désirant sa présence avec ardeur, on ne savait pour quelles raisons, un hôte mécontent, hérissé d'indignation, un concours de circonstances rejetant le fils prodigue dans un foyer qui ne se souvenait plus de lui... Pendant que Ranulph s'endormait de fatigue, cette nuit-là, il sentait en rêve que des liens enchantés le ligotaient, l'étreignaient, l'attachaient d'une façon irrévocable à Bon Repos.

II

MAIS tout cela remontait à un mois et Ranulph Mabier se trouvait maintenant bien établi dans la famille du Frocq. Il avait aménagé, à son entière satisfaction, la petite chambre des écuries et en payait régulièrement le loyer à André. Les insulaires disaient entre eux qu'étant donné l'état précaire des finances de la famille du Frocq, ils avaient eu de la chance de trouver un si bon pensionnaire dans le brouhaha causé par le naufrage, bien que le pensionnaire en question fût le plus bizarre de tous les diables surgis des régions infernales. Il était devenu l'oncle Ranulph pour les enfants qui, chose surprenante, lui témoignaient tous la plus vive affection. Rachel éprouvait à son égard un curieux mélange d'attirance profonde, de crainte et d'espoir tremblant... André le détestait tout simplement... Quant à Maximilien et Marmelade, on les avait vu lécher les chaussures de Ranulph dans un élan de tendresse. Tout cela était singulier et Ranulph, en revenant de la Baie aux Mouettes vers son logis, ne sentait pas moins que les autres l'étrangeté de cette situation.

Derrière un buisson d'ajoncs en bordure du sentier, il découvrit Péronelle. Comme c'était un lundi, elle portait sa robe marine d'écolière, devenue depuis longtemps trop courte pour elle et qui, d'ailleurs, n'avait jamais été destinée, même en sa nouveauté, à accroître sa grâce féminine. Elle avait natté ses cheveux avec tant d'austérité que sa natte s'écartait de sa petite tête à angle droit; ses longs bas d'un noir verdâtre, dont sa jupe semblait s'éloigner avec horreur, offraient de remarquables échantillons de reprises; mais Péronelle résistait à tous ces désavantages, comme elle devait, toute sa vie, s'élever gaiement au-dessus des infortunes : les bas reprisés et les robes trop courtes n'arrivaient pas à atténuer son charme.

Allongée sur l'herbe, un livre ouvert sur la poitrine, elle secouait les jambes avec joie. Son visage était pâle et tendu et ses lèvres remuaient comme si elle eût été en train de parler toute seule. Les mains sur les hanches, Ranulph l'examinait avec amusement. Elle eut un battement de cils à son intention; mais, sans le moindre embarras, poursuivit son murmure. Ranulph éclata de rire. Il aimait cette enfant. Après tant d'années de solitude sauvage, il se rendait compte qu'il recommençait à s'intéresser aux êtres; il eût même pu admettre la tendresse qu'il éprouvait pour cette petite. Il se pencha et, d'un coup perfide, lui enleva le livre des mains... Il aimait à faire surgir la colère des du Frocq.

Elle se précipita aussitôt sur lui comme une jeune furie et, tête basse, elle lui envoya du front un coup si rude qu'il chancela tout en riant et en haletant. Petite diablesse !... Elle lui avait presque coupé le souffle... Sa tête avait la dureté d'une tête de chevrette. Il s'assit sur l'herbe pour reprendre haleine... Il était tout pâle.

Péronelle fut alors saisie d'une de ces crises de remords qui succédaient à ses accès de colère comme une averse suit le tonnerre. Comment avait-elle pu agir ainsi ? L'oncle Ranulph était vieux, bien plus vieux même que papa ! Elle se laissa choir près de lui, lui jeta les bras autour du cou et se mit à le gronder, d'un ton passionné. Elle grondait toujours ceux qu'elle aimait quand ils avaient mal, et, comme on le savait, on ne lui en voulait pas. On comprenait que sa fureur n'était pas dirigée contre vous mais contre la souffrance qui osait toucher ceux qu'elle chérissait... Ses invectives étaient bien plus réconfortantes que les roucoulements sentimentaux des autres.

— C'est ridicule de vous laisser caramboler ainsi ! s'écria-t-elle. Pourquoi ne pas vous être écarté ?... Vous êtes sûr que je ne vous ai pas fait mal ?... C'est idiot de n'avoir pas bougé, vraiment ! De toutes les idioties... Oh ! vous êtes sûr de n'être pas blessé ? Vous êtes sûr que vos côtes ne sont pas parties dans vos poumons, comme c'est arrivé au mari de la tante de Sophie, le jour qu'il est tombé du haut de la meule ?

Elle continua à le gronder et à le tenir ainsi dans une étreinte farouche contre son épaule mince jusqu'à ce qu'il retrouvât assez de souffle pour pouvoir l'assurer que tous ses organes étaient en place. Ils s'étendirent alors sur l'herbe, se regardèrent et se mirent à rire... Les yeux de Péronelle avaient la teinte de l'ambre vue sous une eau courante et limpide, traversée de soleil. Ils étaient chaleureux et frais, et d'une ravissante pureté. Ceux de Ranulph étaient jaunes et fanés; l'expérience de la vie les avait doués de pénétration, mais les excès les avaient rendus mornes. Et pourtant, on pouvait penser que, dans leur jeunesse, ils avaient dû ressembler aux yeux de Péronelle. En la regardant, Ranulph semblait revoir en elle sa propre enfance et son sourire se figeait sur son visage... Il ne fallait pas que la vie de cette petite tournât comme la sienne... Non, à aucun prix... Ses pensées se déroulaient péniblement. Il se retourna d'un mouvement brusque et ramassa le livre qui gisait dans l'herbe, entre eux.

— Browning ! s'écria-t-il en feuilletant le volume. De la poésie, bon sang ! Le parfait Robert. Le modèle des maris. Admirable en tous points. Ah !

Son persiflage fit rougir Péronelle qui pressa ses mains l'une contre l'autre. S'il riait de Robert Browning, elle allait avoir bien du mal à ne pas lui allonger une gifle. Il ne fallait pas oublier qu'il était très vieux et qu'elle l'aimait, et qu'on ne gifle pas les gens qu'on aime. Sans doute s'y laissait-on aller parfois; mais c'était une chose à *ne pas* faire.

Une flamme dangereuse brillait dans ses yeux; elle se

souleva légèrement pour glisser ses mains sous elle afin de s'asseoir dessus par précaution.

Elle traversait depuis peu une crise d'adoration pour Robert Browning qui, jointe à celle de Michelle pour Keats, dont elle était à peine convalescente, fatiguait assez toute sa famille. L'optimisme courageux de cet homme barbu et bien portant s'accordait parfaitement à la nature de Péronelle, et elle se sentait aussi bouleversée par cette découverte que Michelle l'avait été par la beauté langoureuse de Keats. Son livre était un choix de poèmes emprunté à la bibliothèque du collège et qu'elle avait lu et relu, sans se casser la tête sur les passages qu'elle ne pouvait comprendre, mais en s'attachant avec passion à ceux qui lui paraissaient clairs. Elle restait indifférente à la musique des mots ; ce qui la retenait, c'étaient leur sagesse et l'usage qu'elle en pouvait faire ; ce petit volume délabré lui offrait toutes ses richesses et son esprit vigoureux les assimilait avec ardeur.

Voilà comment il fallait aimer et penser, se disait-elle. Ne reculer devant rien ; accueillir l'inconnu avec joie ; ne pas gémir inutilement sur la souffrance, mais en faire, avec fermeté, un fond noir pour les joies claires afin d'accroître leur éclat. Au moment où l'oncle Ranulph était tombé sur elle, elle venait de lire ce passage :

" Qu'est-ce que l'amour, qu'est-ce que la foi sans un malheur à craindre ? — Des joyaux sans éclat ! Mais l'amour et la foi — que, derrière eux, la mort pousse à agir ou périr — Mettez ce repoussoir dans le fond, et l'étincelle jaillit ! "

— J'ai lu autrefois les œuvres de cet individu, s'écria Ranulph, et je me souviens même d'un de ses vers, de *l'Anneau et le Livre*, je crois, qui exprimait tout à fait mes pensées et m'a donné toute ma vie un plaisir constant.

— Quelque chose de beau qui vous a aidé ? Qu'est-ce que c'est ? murmura Péronelle, les yeux brillants.

Vraiment, il y avait plus à espérer de l'oncle Ranulph qu'elle ne l'aurait cru.

Il la regarda d'un air grave.

— Mariage, erreur profonde !

Péronelle fut prise d'une telle colère que ses mains s'envolèrent de leur retraite et que Ranulph fut bien près de recevoir une gifle. Elle se releva d'un bond, arracha son précieux Browning de ces mains sacrilèges et se dirigea vers Bon Repos d'une allure saccadée qui dénotait (sa famille ne le savait que trop) un esprit bouillant de fureur... Ranulph la suivit humblement.

Dans le sentier, elle s'arrêta pour lui lancer une question :

— Avez-*vous* jamais été marié, oncle Ranulph ?

— Oui, répondit Ranulph, erreur profonde.

Elle se retourna en faisant voler sa jupe et reprit sa marche; mais, peu à peu, les saccades s'apaisaient et ses mouvements reprenaient leur souplesse harmonieuse si semblable à la grâce de sa mère. Ranulph en conclut que des pensées plus douces l'occupaient. A l'entrée de la cour, elle s'arrêta de nouveau et il s'aperçut que, comme il s'y attendait, son regard fondait de tendresse. Il se prépara à accueillir sa sympathie.

— Eh bien, dit-elle, je plains votre malheureuse femme !

III

Les jours de classe, le petit déjeuner avait lieu de très
bonne heure à Bon Repos et avec une certaine précipitation, la carriole qui emmenait Michelle, Péronelle, Jacqueline et Colin au collège devant ensuite porter le beurre,
les légumes et les œufs au marché de Saint-Pierre.

On ne se servait pas du landau en semaine; on prenait
la carriole, où les enfants s'asseyaient sur des planches
posées en travers, en ayant soin de tenir leurs pieds sous
eux afin de ne pas meurtrir les légumes qui les entouraient.
On ne sortait pas Lupin non plus en semaine, car les
enfants ne seraient jamais arrivés en temps voulu au
collège; on prenait un jeune poulain noir dépourvu
d'élégance qui répondait au nom de Gertrais et galopait
dans les chemins comme s'il eût craint d'être puni pour
le moindre retard.

Brovard, le fermier, le conduisait et Rachel restait toujours dans la sente pour dire au revoir aux enfants jusqu'à
ce qu'ils fussent hors de vue... Elle détestait les voir
s'éloigner, voir ces quatre petites créatures fragiles
secouées dans cette carriole, à la merci d'un rude paysan
et d'un cheval aux grandes pattes d'ébène dont un coup
de sabot pouvait les mutiler à jamais, s'il leur arrivait de
se trouver à sa portée.

L'hiver surtout, elle avait horreur de ce départ; par les
matinées brumeuses, ils la quittaient au petit jour, enfouis
dans leur manteau et leur écharpe, leur pauvre petit nez

rouge de froid, leurs yeux encore tout embués de sommeil.
Quand elle les voyait secoués par les embardées de la
carriole dans la brume glacée, le visage verdi par le reflet
de la lanterne qui accentuait le cerne de leurs yeux, il lui
semblait qu'elle venait de jeter dans les profondeurs une
cargaison d'orphelins abandonnés... Au moment où
l'obscurité les engloutissait, elle se surprenait à se demander de quel droit elle et André avaient lancé ces petits
paquets de nerfs tendres et de chair tremblante sur les
flots d'un monde aussi obscur... Elle courait dans leur
chambre et se mettait à prier en faisant les lits : " Faites-les
naviguer sur les eaux calmes, oh ! Seigneur ! tout le long
de leur vie ! Qu'aucune vague amère ne les assaille ! "
murmurait-elle en retournant le matelas. Et pendant
qu'elle battait les oreillers, elle disait : " Sainte Marie,
Mère de Dieu, priez pour nous, pauvres pécheurs. " Au
moment où elle posait le couvre-pied, elle se sentait plus
calme et s'écriait : " Ma parole, je deviens aussi stupide
qu'André ! "

Mais, ce matin-là, la carriole disparut, non pas dans
une obscurité menaçante, mais dans une lumière que
l'éclat de l'automne rendait plus moelleuse et plus chaudement dorée. Les enfants, en s'en allant, jacassaient comme
une troupe d'étourneaux, et la matinée semblait si tranquille et si radieuse que Rachel, en faisant les lits, chantait
une impertinente chanson française au lieu de dire la
moindre prière.

Michelle, Péronelle et Colin, aussi radieux que la matinée, bavardèrent à tue-tête, sans arrêt, jusqu'à Saint-
Pierre et sans que chacun écoutât un mot de ce que disaient
les autres. Leur babillage allait et venait contre le large

dos de Brovard comme le flot contre un roc, et sans plus d'effet sur sa solidité.

Le collège de Saint-Pierre, pour les garçons, et la pension Sainte-Marie, pour les filles, étaient situés hors de la ville, au sommet de la colline; Brovard pouvait ainsi y laisser les enfants avant de descendre de son siège pour tenir Gertrais par le mors et l'aider à dévaler les rues pavées jusqu'au marché avec sa précieuse cargaison d'œufs, de beurre et de légumes.

Colin sautait de voiture à quelque distance de son collège et faisait le reste du chemin à pied. Pour rien au monde, assurait-il, il n'eût consenti à arriver là-bas tassé dans une carriole avec une pile d'œufs et de filles. Michelle, Péronelle et Jacqueline avaient moins de préjugés et laissaient Brovard les amener jusque devant la porte verte qui s'ouvrait sur le vestiaire de leur pension.

Le tapage qui régnait dans ce vestiaire, où une foule de fillettes en bleu, les cheveux nattés, criaient et jacassaient en lançant leurs chaussures sur le sol d'asphalte, était une musique pour Michelle et Péronelle; de même que l'odeur de cirage, de savon et de choux qui s'y mêlait leur semblait douce comme de l'encens... Péronelle elle-même, malgré ses goûts raffinés, humait cette odeur avec plaisir en entrant. Les deux sœurs aimaient passionnément leur pension.

Pour Michelle, c'était le temple du savoir, bizarrement lié dans son esprit à la petite ville blanche sur la grève. C'est là qu'elle apprenait à penser. Dans toutes les classes, il lui semblait que l'intelligence de son professeur frappait la sienne comme l'acier frappe le silex et qu'une flamme jaillissait de ce contact. A mesure que la journée avançait, de nouvelles flammes succédaient aux précédentes, de sorte que le monde entier s'embrasait et que tous les points obscurs en paraissaient illuminés. Pendant qu'assise à son pupitre, elle s'absorbait dans la contemplation de son professeur, les yeux grands ouverts et la bouche bâillant d'une façon fort disgracieuse, elle décidait, dans la petite partie d'elle-même qui échappait au travail en cours, de devenir professeur. Elle formerait et disciplinerait si bien son esprit qu'il deviendrait une lame d'acier trempé, susceptible de créer des flammes. Quelle merveille de pouvoir faire jaillir de la lumière ! Elle ferait ce miracle. Elle allumerait des milliers de flammes afin que des milliers d'yeux pussent contempler la beauté. Grâce à elle, tous ces yeux verraient de quelle façon la trame d'or du vrai et du beau croise la chaîne brune de la vie, et ils s'en trouveraient réconfortés.

> " Oui, malgré tout,
> La beauté, sous certaines formes,
> Libère nos sombres pensées
> De leur drap mortuaire [1]. "

Michelle se récitait ces vers tout en se hâtant de changer de souliers et de pendre son chapeau.

— Vous avez fait sauter le bouton de la patère et c'est à la mienne que vous avez mis votre sale chapeau ! lui dit Jessie Lemazurier, fillette rousse assez désagréable, dont la case, au vestiaire, se trouvait voisine de celle de Michelle.

— Vous devriez être bien contente de voir mon joli

---

1. KEATS : *Endymion*, livre Ier.

chapeau sur votre horrible patère ! lui cria Michelle en
lui tirant la langue avant de s'éloigner en courant.

La première leçon était celle de littérature anglaise et
elle voulait arriver assez tôt pour relire une fois de plus
le dernier discours de Roméo. Comment donc était-ce ?

" Que de fois les hommes, lorsqu'ils sont sur le point de
mourir — se montrent gais ? C'est ce que leurs gardiens
appellent — un éclair avant la mort : oh ! comment puis-je
appeler cela un éclair ? "

Et plus loin :

" délivrer cette chair, lasse du monde, du jour des étoiles
funestes... Je bois à mon amour ! "

Si seulement la pièce se terminait là, en cet instant
parfait, au lieu de continuer jusqu'à ce bouillonnement
final de conflits personnels ! Elle se disait qu'elle aurait
su donner quelques conseils à Shakespeare.

Bien que Péronelle ne fût pas moins ardente à l'étude
que sa sœur, elle s'y préparait avec réflexion et minutie.
Elle défaisait sa natte déjà parfaitement faite, se peignait
de nouveau, tressait de nouveau ses cheveux qui, lorsqu'elle y passait le peigne, se dressaient avec toute la
vivacité que possédait Péronelle, craquaient et s'enroulaient à ses doigts comme pour réclamer leur liberté; mais
elle demeurait inflexible. Le samedi et le dimanche, elle
leur permettait de voltiger librement; les autres jours, ils
devaient obéir. La bouche serrée, d'un air ferme, elle
faisait sa natte sans permettre à ses cheveux la moindre
fantaisie; puis elle boutonnait soigneusement ses souliers,

accrochait son chapeau et son manteau à sa place, embrassait Jacqueline — elles étaient toutes les trois dans des classes différentes — et s'en allait en dansant vers son cours de mathématiques. Elle aimait ses leçons; elle avait un esprit vif et ardent dont elle éprouvait du plaisir à se servir. Mais ce qui l'enchantait le plus à l'école, c'était la compagnie qu'elle y trouvait. De tous les dons de Péronelle, le plus grand était certainement sa sympathie humaine. Les êtres l'intéressaient plus que tout au monde et son étude préférée était toujours celle qui se rapportait à l'art de vivre. Elle voulait voir tout le monde heureux et elle s'absorbait sans cesse dans des réflexions tendant à déterminer les voies que ses diverses amies devraient suivre pour parvenir au bonheur; puis quand elle avait fait ce choix pour elles, elle employait toute son énergie à les pousser gentiment, mais avec fermeté, dans la bonne voie. Elle était aussi persuadée que sa mère qu'il n'y avait pas de meilleur chemin que celui de son choix et que des désastres terribles fondraient sur ceux qui ne se laisseraient pas guider par elle; et, comme sa mère encore, son flair était si sûr qu'elle avait presque toujours raison. Ses pensées se dirigeaient constamment vers les autres et jamais vers elle-même, sauf dans les moments où son besoin de netteté et de propreté lui faisait prendre soin de son apparence. Elle ne méditait jamais sur elle-même, si bien qu'il n'y avait entre elle et les autres aucune brume d'amour-propre. Elle voyait, non ses propres faiblesses mais les leurs et elle leur offrait sa chaleur et sa lumière comme un ciel pur, sans la moindre gêne. Personne ne se sentait intimidé par Péronelle — elle ne donnait à personne le temps de l'être; elle vous regardait, vous

aimait, et d'un seul bond se blottissait contre votre cœur.
Plus tard, les êtres les plus fermés purent lui confier leurs
soucis, pour la simple raison que, faire des confidences
à Péronelle, c'était comme se livrer à Dieu; on sentait
qu'elle était déjà au-dedans de vous-même et qu'elle savait
déjà tout, si bien qu'il importait peu que la confidence
fût mal exprimée; en avançant dans les terribles méandres
de l'âme, on la tenait par la main et l'on se désolait avec
elle du désordre qu'on y trouvait, puis l'on assistait avec
émerveillement au spectacle de l'ordre qu'elle y faisait
renaître. Il n'y avait qu'une chose qu'elle ne pouvait
comprendre — l'égoïsme morbide. Elle était capable de
se désoler en pensant à Jacqueline, mais sans pouvoir
l'aider. S'absorber sur soi-même comme le faisait sa sœur
dépassait son entendement. Elle ne comprenait pas toujours Michelle non plus, car elle était trop bien équilibrée
pour détester son corps comme le faisait sa sœur aînée.
Elle considérait le corps comme une chose belle et délicate qu'on devait traiter avec respect et embellir... Son
corps portait son âme comme une fleur porte son parfum.

Tout en courant dans le couloir vers sa classe, elle mit
la main dans sa poche pour s'assurer qu'elle y avait encore
les divers objets qu'elle apportait dans le dessein de
résoudre les difficultés de ses compagnes. Le petit garçon
de la sœur de Marguerite Vésin était encore aussi chauve
qu'un œuf malgré ses quatre mois, mais Péronelle avait
trouvé dans un journal une recette pour faire apparaître
les plus belles boucles sur une tête de bébé et elle l'avait
coupée pour Marguerite. Elle apportait aussi dans un
cornet de papier quelques-unes des pastilles de Rachel
pour la toux de Blanche Portier, et une de ses petites

broches d'or pour fêter l'anniversaire de Marie Lemazurier. Tous ces objets étaient dans sa poche, mais, dans sa
tête, elle portait *Prospice*, le poème de Browning, pour le
réciter à Toinette Laroche, si timide en classe, et la recette
du pouding d'abricots de Rachel pour Mlle Jenkins, le
professeur de mathématiques, qui allait se marier et dont
le pauvre mari ne pourrait sûrement pas passer tout son
temps sur le théorème de Pythagore sans avoir rien à
manger... Les talents culinaires de Mlle Jenkins étaient
nuls, et Péronelle éprouvait de grandes inquiétudes en
pensant au pauvre mari.

Quand la fillette ouvrit joyeusement la porte de la
classe, Mlle Jenkins et les élèves eurent l'impression
qu'un merle chantait dans un lilas.

IV

Et Jacqueline ? Jacqueline était restée silencieuse durant
tout le trajet pendant que les autres bavardaient; puis, au
vestiaire, quand Péronelle l'avait quittée en l'embrassant,
elle s'était mise à pleurer pendant qu'elle accrochait son
chapeau. La vie à l'école était pour elle une vraie torture.
Rien ne semblait jamais aller à son gré. Elle ne parvenait
pas à se faire des amies et elle restait dans les dernières de
sa classe. Elle se disait que tout le monde devait la trouver
stupide et sans attrait, et elle se donnait le plus grand mal
pour corriger cette impression. Au sortir des classes, et
après des luttes désespérées contre sa timidité, elle s'approchait de ses compagnes et les prenait par la taille à tour de

rôle afin de se prouver, et de leur prouver, qu'elle ne manquait pas de popularité; en classe, elle ne quittait pas des yeux le professeur pour bien montrer aux autres combien elle était intelligente. Mais tout cela ne servait à rien. Les compagnes dont elle s'approchait ainsi la repoussaient pour aller vers une autre, et les professeurs disaient d'un ton aigre : " Jacqueline, ne faites donc pas semblant de comprendre alors que vous ne comprenez rien. " A la fin de la journée, elle se sentait la tête lourde et ne se souvenait de rien de ce qu'elle avait appris; d'autre part, son cœur lui semblait vide et glacé de solitude et elle éprouvait une lassitude extrême.

Ce matin-là, un tourment particulier l'attendait — une traduction française. Elle ouvrit son cahier et lut sur la page de gauche le poème anglais qu'on lui avait dicté trois jours auparavant; mais sur la page opposée où elle aurait dû écrire la traduction de ce poème, il n'y avait rien. Ce n'était pas qu'elle ignorât le français; sa mère l'avait bercée avec des chansons françaises et le patois de Sophie éveillait, du matin au soir, les échos de Bon Repos; la difficulté venait de ce qu'elle ne comprenait rien à ce poème et qu'elle avait eu trop peur de révéler son ignorance en demandant à Michelle, à Péronelle ou à sa mère de l'aider. Dans sa famille, elle prétendait toujours tout savoir. Quand Mlle Lebrun avait dicté ce poème, elle s'était demandé s'il n'allait pas être trop difficile pour Jacqueline, la sotte de la classe, et elle lui avait dit : " Voyons, Jacqueline, comprenez-vous bien cela ? " Les yeux de toutes ses compagnes s'étaient tournés vers elle et quelques-unes avaient même ricané. Jacqueline souffrait le martyre. Elle ne comprenait rien à ce poème, mais si elle en faisait l'aveu, les autres la trouveraient stupide. D'autre part, si elle prétendait l'avoir compris, on ne lui expliquerait rien, elle serait incapable de le traduire, et il en résulterait une scène terrible trois jours plus tard. Pendant un instant, elle fut déchirée de perplexité; puis elle se dit que, d'ici trois jours, elle serait probablement morte — elle avait un mal de gorge qui devait être un début de diphtérie — mieux valait donc paraître intelligente maintenant. C'est alors que, relevant la tête et les yeux brillants, elle avait répondu : " Merci, mademoiselle, je comprends parfaitement. "

Mais le mal de gorge était devenu un simple rhume de cerveau, elle n'était pas morte de diphtérie, et elle se trouvait maintenant, le lundi matin, sans traduction française. Elle allait encore se faire envoyer au fond de la classe. Comment sortir de là ? Des larmes brûlantes débordaient du coin de ses yeux qu'elle essuyait furieusement de ses doigts. En tout cas, cette traduction française n'était que pour la seconde leçon de la matinée; on commençait par la gymnastique. Elle allait réfléchir à la situation pendant ce temps. Elle s'essuya les yeux une dernière fois, mit ses sandales, porta ses livres dans la classe et courut faire ses exercices.

Pendant qu'elle se tenait sur une jambe et balançait l'autre en étendant les bras comme un épouvantail — c'est ainsi que Mlle Brown pensait donner de la grâce à ses élèves — il lui vint une inspiration. Elle allait se faire saigner du nez, manquer la gymnastique, courir dans la classe vide et copier le poème dans le cahier d'une autre. Cette idée était d'une simplicité géniale. Comment n'y avait-elle pas songé plus tôt ? Quelle grâce du Ciel de

posséder ce don précieux — pouvoir saigner du nez à
volonté ! Cette faculté merveilleuse lui était venue elle
ne savait comment; elle ne l'avait héritée ni de Rachel ni
d'André, c'était un don tout personnel. Il lui suffisait de
se moucher avec violence tout en fermant la bouche et
en faisant un mouvement particulier de déglutition pour
faire jaillir le sang. Pendant que Mlle Brown était occupée
à plaquer quelques accords au piano et que les élèves
effectuaient un demi-tour à droite, Jacqueline se livra à
son expérience, et le résultat fut des plus satisfaisants. Elle
se tourna alors vers Mlle Brown en lui montrant une
tache convaincante sur le mouchoir qu'elle avait pressé
contre son nez.

— Oh ! mademoiselle, voilà que je saigne du nez !
Voulez-vous me permettre d'aller au vestiaire ?

La bonne Mlle Brown la regarda par-dessus ses lunettes.

— Mais bien sûr, ma petite. Essayez de l'eau froide,
et si cela ne s'arrête pas, allez trouver l'infirmière.

Pendant que Jacqueline quittait la salle de gymnastique,
des regards d'envie et de haine la suivaient... Ses compagnes savaient fort bien que Jacqueline du Frocq se
faisait saigner du nez à volonté... Sale petite bête !

Au vestiaire, Jacqueline arrêta le flot sauveur en posant
une éponge humide sur son nez et en se mettant la clef
de la porte dans le dos. Puis elle courut vers la classe.
Ainsi qu'elle l'avait prévu, la salle était vide et, sur le
bureau de mademoiselle, s'étageait une pile de cahiers
qu'elle avait posés là pour les corriger. Sur le dessus était
celui de Julie Lefroy. Julie avait une intelligence scanda-
leuse et travaillait toujours bien. Jacqueline prit le cahier
et le feuilleta... Elle y trouva la traduction... Elle l'emporta

sur son pupitre et copia le poème sur son cahier... Puis, comme la maîtresse allait venir faire ses corrections, elle se hâta de mêler son cahier aux autres, retourna au vestiaire et s'étendit sur le plancher. C'est dans cette position que ses compagnes la trouvèrent quand elles vinrent enlever leurs sandales de gymnastique. Elles avaient beaucoup à dire et ne se privèrent pas de le dire assez durement; mais Jacqueline accueillit leurs sarcasmes avec plus d'indifférence que d'habitude, car, pour aujourd'hui du moins, elle se sentait assurée de n'être pas envoyée au fond de la classe.

La maîtresse était déjà assise à son bureau quand elles entrèrent en classe; elle parcourait le dernier des cahiers. Les fillettes allèrent s'asseoir à leur place. Le professeur leur rendit leur cahier à tour de rôle, avec des commentaires mordants. Jacqueline attendait, en sentant ses oreilles devenir de plus en plus rouges et la paume de ses mains toute moite de sueur... Enfin ce fut son tour.

— Très bien, Jacqueline, dit la maîtresse. Très bon. Ce n'est pas parfait — je n'attends pas la perfection d'une classe aussi stupide — mais c'est bien. Vous avez fait au moins un effort.

Pendant tout le reste de la leçon, Jacqueline se sentit épanouie de bonheur. Chaque fois qu'elle regardait la maîtresse, celle-ci lui souriait aimablement et ses compagnes lui lançaient des regards de surprise, et même d'admiration. C'était le paradis. Jacqueline en arrivait à croire qu'elle avait vraiment traduit le poème par elle-même et sans aide.

Mais, hélas! la justice l'attendait! Après le second cours de la matinée, il y avait dix minutes de récréation. La jupe bleue de la maîtresse avait à peine disparu derrière la porte qu'une lourde main saisit Jacqueline par sa natte... C'était Julie Lefroy.

— Venez dehors, Jacqueline, dit Julie, sur un ton dont l'horreur est impossible à décrire et venez aussi, vous autres !

Toute la classe, dans un silence impressionnant, se dirigea en bande vers le jardin et prit position sous les branches hargneuses d'un araucaria.

Jacqueline était dans l'état où doit être un condamné à mort quand, les yeux bandés, il attend la volée de balles. Elle ne voyait plus rien, mais elle entendait des sons qui lui semblaient venir de très loin : le tintement d'un piano, le bourdonnement d'une abeille dans les dahlias, une voix féminine qui chantait, et le soupir d'une brise légère dans l'araucaria.

La voix de Julie rompit le silence comme une pétarade de balles.

— Je n'ai pas été à la gymnastique, ce matin. Je m'étais tordu la cheville, et Mlle Brown m'a donné congé. Je suis allée au jardin. Tout à coup en regardant vers la fenêtre de la classe, j'ai aperçu Jacqueline du Frocq qui copiait ma traduction dans son cahier.

Un murmure passa comme une vague parmi les élèves, puis le silence retomba. Le condamné eût été déjà à la fin de ses tourments, mais la pauvre Jacqueline vivait encore. Julie, qui s'amusait beaucoup, continua :

— Nous savions que Jacqueline était menteuse et cafarde, et maintenant nous savons que c'est aussi une voleuse. C'est voler que de prendre la traduction de quelqu'un. Je ne dirai rien à mademoiselle — je ne cafarde pas, moi — mais j'ai trouvé utile que vous sachiez toutes la vérité.

L'affreux murmure se fit de nouveau entendre, menaçant cette fois de tourner au tumulte; mais Julie l'apaisa d'un air digne.

— Je ne veux pas que vous disiez quoi que ce soit ni que vous tourmentiez Jacqueline; ce n'eſt qu'un pauvre ver de terre et nous ne voulons pas l'écraser complètement, mais je trouve que, pour l'honneur de l'école, elle mérite d'être mise en quarantaine. Que celles qui sont de cet avis lèvent la main.

Toutes les mains se dressèrent sous l'araucaria.

— Adopté à l'unanimité! déclara Julie. Maintenant, vous avez toutes compris que Jacqueline eſt en quarantaine. Aucune de nous ne lui parlera ou n'aura de relations avec elle jusqu'à la fin du trimeſtre... Maintenant, venez prendre un verre de lait avant que la cloche sonne.

Toutes les fillettes se dirigèrent à la suite de Julie vers le réfeſctoire pour y prendre le lait et les gâteaux secs d'onze heures. Une ou deux pincèrent Jacqueline en passant près d'elle; mais la plupart, obéissant à Julie la plaignante, lui tournèrent le dos tout simplement comme on se détourne d'une mauvaise odeur.

Jacqueline reſtait clouée sous l'araucaria. Quiconque l'aurait regardée à ce moment eût pensé qu'elle venait de traverser la pire torture physique. Son corps était glacé, mais son esprit bouillait et suffoquait pour deux raisons; l'une à cause de la phrase de Julie disant : " Nous savions qu'elle était menteuse et cafarde, maintenant nous savons que c'eſt aussi une voleuse "; l'autre parce qu'elle savait que Julie avait dit la vérité. Elle venait de

souffrir de telle manière qu'elle n'avait plus la force d'élever une barrière d'illusions entre elle-même et la vérité.
Pour la première fois de sa vie, elle se voyait d'une façon
nette et définitive, et elle en éprouvait un tel dégoût
qu'elle souhaitait mourir là, immédiatement, sous cet
araucaria. Mais, à ce moment, la cloche sonna et, au lieu
de mourir, Jacqueline se dirigea d'un pas machinal vers
la classe.

Elle suivit encore deux cours, un de grammaire et un
de littérature, sans en entendre un seul mot; puis elle se
lava les mains, se recoiffa et alla déjeuner avec les autres.
Elle eut l'impression de rester là pendant des heures et
des heures à introduire dans sa bouche des morceaux
de bœuf bouilli et de pouding en faisant, pour les avaler,
des efforts qui la déchiraient toute. Dès la fin du repas
elle s'en alla tranquillement au vestiaire, où elle eut mal
au cœur. Sa détresse physique semblait atténuer son
angoisse mentale. Elle se glissa vers sa classe, s'y blottit
et se mit à sangloter. En quarantaine ! Rester là sans que
personne ne lui parle jusqu'à la fin du trimestre ! Vivre
dans une solitude absolue, alors qu'elle ne craignait rien
tant que la solitude ! Comment allait-elle pouvoir supporter cela ? Elle était cafarde, menteuse et voleuse ! Tout
le monde la détestait et elle se détestait elle-même.

C'est là que Péronelle la découvrit, toute recroquevillée,
dans la détresse la plus lamentable. " Grands dieux ! "
s'écria-t-elle en l'entourant de ses bras. Mais elle eut beau
gronder sa sœur, la caresser, la secouer, elle ne put lui
faire dire la cause de son chagrin et de sa honte. Jacqueline venait d'avoir, dans toute son horreur, la révélation
de son caractère tel qu'il était apparu à ses compagnes;

mais elle n'en montrerait rien à sa famille, certainement non, à aucun prix; elle aimerait mieux mourir ! Péronelle ne put rien tirer d'elle, sauf qu'elle avait mal au cœur, qu'elle avait saigné du nez et qu'elle n'aimait pas Julie Lefroy... Il y avait autre chose sous tout cela, Péronelle en était sûre.

— Rentrons près de maman, dit-elle, car, en désespoir de cause, elle se tournait toujours vers sa mère, qui résolvait toutes les difficultés.

— Il y a les j-jeux et d'autres c-cours ! répondit Jacqueline entre ses sanglots.

—– Nous allons demander une permission de sortie à Mlle Billing, répliqua Péronelle.

Et saisissant Jacqueline par la main, elle l'entraîna hors du vestiaire et dans le couloir jusqu'au bureau de la directrice. Là, elle laissa sa sœur appuyée au mur du corridor, frappa d'un coup léger à la porte, l'ouvrit et s'avança vers l'auguste personnage.

— J'emmène Jacqueline à la maison, annonça-t-elle à la directrice.

— Ah ! vraiment ? dit Mlle Billing, en clignant de l'œil derrière ses lunettes (elle chérissait Péronelle). A qui avez-vous demandé la permission ?

— Je vous la demande maintenant, repartit Péronelle. Merci beaucoup, madame, au revoir !

— Puis-je savoir la raison de ma permission ? demanda Mlle Billing avec douceur.

Au lieu de répondre, Péronelle s'élança dans le couloir, puis reparut en traînant sa sœur.

— Regardez-moi ça ! s'écria-t-elle. Vous pouvez voir par vous-même qu'il faut que je la conduise à maman !

Mlle Billing parut vraiment tourmentée de voir Jacqueline en cet état.

— Ma chère enfant, s'écria-t-elle, que s'est-il donc passé ?

Elle attira la fillette à elle et la caressa; mais Jacqueline restait aussi muette qu'un poteau.

— Cela ne sert à rien de la questionner, reprit Péronelle, elle n'a même pas voulu me le dire. Elle ne le dira jamais; il faut que je la conduise à maman.

— Il faut la mener d'abord à l'infirmerie et la faire se reposer, déclara d'un ton ferme Mlle Billing.

— Non, pas du tout, repartit Péronelle avec la même fermeté. Il s'est passé quelque chose qui l'a bouleversée et elle ne se remettra que lorsque je l'aurai emmenée loin d'ici.

Mlle Billing avait la plus grande foi dans le jugement de Péronelle.

— Très bien, dit-elle.

— Vous direz à Michelle que nous sommes parties, commanda Péronelle en entraînant sa sœur.

— Certainement, mon enfant, répondit doucement la directrice.

Les deux fillettes suivirent, pour rentrer chez elles, la route que Colin avait parcourue un mois auparavant — par les sentiers embaumés de chèvrefeuille, où les jardins des maisonnettes étalaient des massifs de dahlias aussi éclatants que des feux de joie sous le soleil, où les mares vertes des fermes attendaient les pieds légers des lutins aquatiques et où l'armée des digitales se dressait jusqu'à la sente des eaux. Puis, arrivées près de la fontaine, elles s'arrêtèrent.

— Asseyons-nous et reposons-nous un peu, dit Péronelle.

Tout le long du chemin, en tenant sa sœur par la taille, elle l'avait gentiment grondée, mais maintenant elle restait silencieuse et perplexe. Si Jacqueline ne voulait rien lui dire, que pouvait-elle faire ? Les autres se confiaient à elle, alors pourquoi pas Jacqueline ? Était-ce à cause des liens du sang qu'on avait tant de difficulté à aider les siens ? On se trouvait peut-être trop près d'eux pour leur être utile ? Il fallait peut-être s'éloigner un peu des objets pour pouvoir les voir nettement ? C'est en méditant assez tristement sur ces questions qu'elle s'assit près de sa sœur sur la belle herbe drue qui entourait la fontaine.

Jacqueline, pendant ce temps, luttait contre une folle envie de tout avouer à sa sœur.

Péronelle était si douce, si tendre, si réconfortante ! Mais non, elle serait tellement scandalisée en apprenant ce que Jacqueline avait fait qu'elle ne voudrait plus lui parler; or perdre la tendresse de Péronelle, ce serait être complètement abandonnée. Jamais elle ne pourrait rien avouer à ceux qu'elle aimait; car, ensuite, ils ne l'aimeraient certainement plus !

Peu à peu, la sente d'eau les calmait toutes les deux. Péronelle avait trop de sens pratique et Jacqueline était trop absorbée en elle-même pour avoir dans ce lieu, comme leur frère l'avait eue, l'impression d'une atmosphère surnaturelle; néanmoins, la proximité d'un monde différent du leur avait pour effet de les tirer un instant du bourbier de leur découragement.

— Sophie prétend qu'il y a toujours des fées dans la

sente d'eau, dit Péronelle, en trempant ses doigts dans le frais ruisseau.

— Jamais de la vie ! répondit Jacqueline d'un ton lugubre; ce sont des histoires ! Toutes les jolies choses sont des histoires.

Péronelle avait parlé sans intention, mais le désespoir qui résonnait dans la voix de sa sœur lui fit dresser l'oreille. Elle combattait toujours tout ce qui lui paraissait déprimant.

— Comment savez-vous que les fées n'existent pas ? lui demanda-t-elle. Je suis persuadée, au contraire, qu'elles existent par milliers. Je crois que notre monde est rempli d'autres mondes dont nous ne savons rien. C'est pour moi une idée ravissante. Quand on se figure la sente d'eau toute peuplée de fées, et ces fées très heureuses, on ne peut plus se sentir si malheureux soi-même.

— Pourquoi pas ? répondit tristement Jacqueline.

— Parce que, petite sotte, plus une chose est grande et plus ce qui est près d'elle paraît petit. Plus vous entassez de bonheur quelque part et plus vous faites paraître le malheur petit en comparaison.

— Il peut bien *paraître* petit sans qu'on le *sente* moins grand pour cela, gémit Jacqueline.

— Oh ! allons retrouver maman ! s'écria Péronelle.

Dès qu'elles s'éloignèrent du ruisseau, sur le sentier qui menait à Bon Repos, la sente d'eau perdit cette singulière atmosphère d'attente que le manque de subtilité de leur esprit avait provoquée à leur entrée, et elle livra de nouveau passage à la troupe silencieuse des Choses invisibles.

Au moment où les deux fillettes arrivaient à la maison,

Rachel, André et Ranulph prenaient le thé dans la cuisine.
A la vue de sa mère, la fontaine de larmes que Jacqueline
avait pu sceller en route, se rouvrit de nouveau.

— Ma chérie ! s'écria Rachel, en se levant d'un bond.

Puis, se laissant choir sur la jonquière, elle prit Jacqueline dans ses bras. André, bouleversé, s'était approché
d'elle et caressait d'un doigt la joue mouillée de sa fille.
Ranulph sortit discrètement par la cour. Péronelle, rom-
pue, se mit à table pour manger une tartine; elle mourait
littéralement de faim; compatir à une infortune l'affamait
toujours.

— Ma chérie, ma chérie, qu'avez-vous donc ? disait
Rachel d'un ton suppliant.

Mais Jacqueline se contentait de sangloter, et André,
tout en continuant à la caresser d'un geste nerveux, se
sentait près d'en faire autant.

Péronelle prit immédiatement la situation en main.

— Maman, faites-la monter se coucher, dit-elle en
mordant dans sa tartine. Elle a eu mal au cœur et elle a
saigné du nez, mais il y a autre chose là-dessous. Elle
ne veut rien dire; c'est inutile de la questionner. Quand
elle sera couchée, papa pourra lui raconter des histoires
jusqu'à ce qu'elle s'endorme. En montant, dites donc à
l'oncle Ranulph qu'il peut revenir.

Rachel sortit docilement en entraînant Jacqueline et
en appelant Ranulph au passage... On entendit Jacqueline
sangloter jusqu'à sa chambre.

— La sécheresse semble avoir pris fin, dit Ranulph
d'un ton taquin en rentrant dans la salle et en prenant
une tranche de gâteau.

— La sécheresse ne dure jamais longtemps avec

Jacqueline, répondit Péronelle. Passez-moi la confiture, s'il vous plaît.

André les trouvait tous deux assez cyniques. Il se versait du thé sans arrêt mais ne pouvait rien manger... Pourquoi donc met-on des enfants au monde ?

Un instant plus tard, Rachel redescendit.

— Je lui ai fait prendre du lait et elle est plus calme maintenant, dit-elle, mais je ne puis rien tirer d'elle. Allez-y donc, André, vous savez mieux que moi consoler les enfants.

— Papa, racontez-lui des histoires ! lui cria Péronelle, contez-lui celle du géant qui devait porter son cœur dans un sac. Elle aime beaucoup celle-là.

André sortit de la salle avec docilité.

— Je vais dire à Sophie de débarrasser la table, j'ai mes devoirs à faire, dit Péronelle. Oncle Ranulph, emmenez donc maman au jardin et changez-lui les idées.

Sophie vint tout enlever avec la promptitude d'une esclave obéissant au sultan, et Ranulph, sans protester, emmena Rachel au jardin.

V

QUATRE Vulcains, trois Grandes Tortues et une Belle-Dame se chauffaient les ailes au soleil sur les reines-marguerites. Rachel et Ranulph les examinaient en silence.

— Je me demande pourquoi les papillons choisissent toujours les reines-marguerites pour se reposer ! dit Rachel.

— Le mauve est le meilleur cadre pour leur coloris, dit Ranulph; on les remarque à peine sur les dahlias. Les choses de la nature ont une sorte de génie pour découvrir le milieu qu'il leur faut. Il n'en est pas de même des hommes. Plus je vis et plus je trouve l'humanité idiote auprès des papillons, par exemple.

Il fit une pause, puis reprit :

— Cette maudite pension n'est pas un milieu favorable pour Jacqueline.

— Et je suis idiote de l'y envoyer ? demanda Rachel.

— Idiote, oui.

— On devait me changer les idées ! lui fit-elle remarquer.

— Vous ne tenez pas du tout à ce qu'on vous change les idées, répliqua Ranulph, vous voulez que je vous aide à débrouiller ce problème épineux qu'est Jacqueline.

— Oui, sans doute, répondit lentement Rachel.

Elle était brusquement frappée de s'apercevoir qu'elle se tournait souvent vers Ranulph pour lui demander conseil au sujet des enfants... C'était comme si un lien se fût créé entre eux et lui... Il les aimait, certes... Bien qu'il fît tous ses efforts pour cacher ses sentiments, elle avait néanmoins découvert cela.

— C'est ridicule d'envoyer une enfant comme Jacqueline à une pension comme celle-là, reprit Ranulph. Vous devriez avoir plus de bon sens. Elle n'a pas assez de cervelle pour profiter de ce qu'on lui enseigne là. Envoyez-la donc au couvent.

Il parlait d'un ton brusque et presque impoli, comme André ne l'aurait jamais fait; pourtant, elle ne s'en formalisait pas.

— Pourquoi au couvent ?

— Une enfant de cette sorte a besoin de religion.

— Je me demande ce qui peut vous faire parler ainsi, dit Rachel, puisque vous n'en avez pas vous-même.

— En effet, mais je me rends compte de la valeur psychologique de la religion sur une nature comme celle de Jacqueline.

— Les bonnes sœurs du couvent sont des femmes très simples, répliqua Rachel. Je ne crois pas que leur enseignement soit bien moderne.

— Je vous ai déjà dit que Jacqueline n'a pas ce qu'il faut pour profiter d'un enseignement moderne. Ce dont elle a besoin c'est de pouvoir appliquer des vérités religieuses tout simplement à ses tourments.

Rachel le regarda avec surprise. " Tourments ! " Quel mot pour parler des petits troubles d'une enfant !

— Oui, ses tourments, reprit Ranulph, comme s'il avait lu ses pensées. En vieillissant, nous risquons souvent d'oublier les tourments de l'enfance.

— Elles ont des cours d'enseignement religieux à la pension, dit Rachel, et je — j'en parle aussi aux enfants.

— Vous n'avez pas assez de simplicité pour enseigner la religion à un enfant, repartit brutalement Ranulph, et quant à l'école — tout ce que j'y ai jamais appris en fait de religion c'est qu'Abraham avait six femmes.

— Jamais de la vie ! Vous confondez avec Henri VIII.

— Peut-être bien, mais cela revient au même, répondit tristement Ranulph.

— Il faut que je sache ce qu'en pense André, dit Rachel. Je me laisse toujours guider par lui.

— Vraiment ? répliqua Ranulph, d'un ton où résonnait une note ironique qui fit rougir Rachel.

— Mais bien sûr ! je demande toujours conseil à mon mari, reprit-elle avec indignation.

— Je n'ai pas dit que vous ne le lui *demandiez* pas, dit Ranulph.

Ils s'étaient avancés dans le jardin jusqu'au petit rempart de terre, de pierres et d'arbres tordus qui le séparait de la falaise. Il y avait là une barrière par laquelle ils sortirent, puis ils se frayèrent un passage dans les touffes d'herbe et de thym sauvage pour aller jusqu'au bord de la falaise. La mer s'étendait, étincelante et polie, sous les longs rayons de soleil qui la caressaient, et son murmure était infiniment paisible et reposant. Rachel évoqua dans sa mémoire ses années de couvent. Elle avait passé des après-midi aussi tranquilles dans le parloir baigné de soleil à écouter la mer pendant que ses fuseaux à dentelle dansaient et bondissaient sur le coussin. La mer offrait tout à fait cet éclat poli le jour que Sœur Ursule lui avait lu l'histoire de saint Christophe transportant l'Enfant Jésus sur l'eau. Elle se rappelait avoir regardé par la fenêtre en s'attendant presque à apercevoir le saint lutter en haletant dans les flots sous le grand poids du Christ qui portait tous les péchés du monde... Comment porter ses chagrins... Les sœurs pourraient-elles enseigner cela à Jacqueline ?

— Oui, je vais envoyer cette enfant au couvent, s'écriat-elle brusquement.

— A condition, bien entendu, qu'André approuve cette idée, fit observer Ranulph d'un ton doux comme de la soie.

— Bien sûr ! répliqua sèchement Rachel.

Cette pointe venait de briser un beau souvenir qu'elle avait ranimé, et elle lui en voulait... Par moments, elle n'était pas très sûre d'avoir de la sympathie pour lui... Et à d'autres moments, elle se sentait violemment attirée vers lui... Elle se demandait souvent si l'on pouvait avoir confiance en lui... Avait-elle bien fait de l'amener à Bon Repos ?... En se reportant en arrière, elle trouvait assez sotte cette étrange clairvoyance qu'elle avait eue à son sujet... S'il était — dangereux, ne pourrait-il pas faire du mal aux enfants ?

Avec ce don inquiétant qu'il avait de lire ses pensées, il lui répondit :

— Vous devez vous demander souvent qui je suis ; mais je tiens à vous dire que, quoi qu'il en soit, je ne ferai jamais, en aucun cas, le moindre mal à vos enfants.

— Merci, dit-elle.

A mesure que le soir tombait, la lumière moelleuse de l'automne semblait se concentrer autour d'eux. La ligne d'horizon s'adoucissait, et les couleurs de la mer, du ciel et de la terre devenaient moins nettes, se fondaient les unes dans les autres. On eût dit que les bornes du monde, en se contractant lentement, les isolaient tous deux dans une grande solitude... Ils se sentaient très près l'un de l'autre.

Rachel avait conscience qu'un conflit violent agitait l'homme qui était à ses côtés... Il voulait lui faire des confidences et éprouvait une surprenante difficulté à commencer.

Elle avait deviné, dès le début, qu'il vivait en solitaire, qu'il se glorifiait d'avoir échappé à tous les liens et qu'il avait résolu de les fuir pour toujours. Elle avait deviné aussi qu'à mesure que les semaines s'écoulaient, cette résolution s'effritait... Les enfants l'avaient conquis... Et sa défaite était d'autant plus complète qu'il s'était cru très sûr de lui. Mais il ne voulait pas encore l'admettre... Elle tenta de venir à son secours.

— Asseyons-nous, dit-elle, il fait si bon ici. Personne n'a encore besoin de moi... Cette histoire du géant qui portait son cœur dans un sac de papier est d'une longueur impossible et les enfants ne laisseront certainement pas André en passer le moindre détail.

Ils s'assirent. Ranulph s'installa un peu loin d'elle, les bras autour de ses jambes croisées, et contempla la mer.

— Ce serait une bonne chose si André mettait *son* cœur dans un sac de papier et l'égarait de temps en temps, dit-il.

— Vous voulez dire qu'André a trop de sensibilité ? demanda Rachel.

— André est bon, et les êtres bons souffrent — ils sont encore plus fous que bons.

— Vous trouvez sage de ne pas être bon ? demanda-t-elle en souriant.

— Je ne sais pas. La vie est une question de choix et l'on n'a l'expérience que du chemin qu'on a choisi. On choisit soit le martyre soit l'enfer, et qui peut dire lequel est le plus sage ?

— Expliquez-moi ce que vous voulez dire.

Rachel craignait presque de l'encourager. Elle savait qu'il se sentirait apaisé de faire des confidences, mais elle craignait qu'une maladresse de sa part le fît se refermer.

Cependant, il continua.

— Il y a quelque chose en chacun de nous — donnez-lui le nom qu'il vous plaira — le noyau de la personnalité, une flamme, un esprit intérieur — mais lui être fidèle c'est souffrir un continuel martyre de discipline, et le trahir c'est brûler en enfer.

— Et vous avez choisi cette seconde voie ?

— Je ne m'en suis jamais écarté depuis le début.

— Comment avez-vous commencé ?

— J'ai commencé par le désir légitime d'être libre. — J'ai rompu mes fers comme tant de jeunes fous avant moi et suis parti pour l'Australie.

— La jeunesse ne comprend jamais la liberté, dit Rachel; elle la confond avec le chaos.

Ses pensées s'élancèrent avec angoisse vers Colin dont la passion pour la liberté ne cessait de la terrifier.

— Le chaos, c'est exactement ce que j'ai trouvé en Australie, dit Ranulph avec amertume.

— Qu'avez-vous donc fait là-bas ?

— Je me suis lancé dans les mines d'or. Inutile de vous parler de cela. Un inventaire exact de tout le mobilier de l'enfer ne présenterait pour vous aucun intérêt... Chose curieuse, j'ai fait de l'argent.

— Et ensuite ?

— Ensuite, j'ai voyagé en Orient pour tenter de me délivrer de cette amertume extraordinaire qui s'était déposée comme de la vase au fond de moi-même.

— Et vous n'avez pas pu ?

— Non. C'était à la fois comme un feu brûlant et comme du métal très dur... Il est bien dommage qu'aucune de nos actions ne nous abandonne jamais !

Rachel lui posa la question qui brûle la langue de toute femme lorsqu'elle s'enquiert du passé d'un homme.

— Vous êtes-vous jamais marié ?

— Oui — en Australie. Cela me semblait le meilleur moyen d'avoir ma maison tenue pour rien.

Le ton de sa voix fit frissonner Rachel; néanmoins, elle continua :

— L'avez-vous — abandonnée ?

— Oui, je n'ai pas pu supporter ces entraves et, de plus, c'était une femme méprisable... Après mon départ, elle s'est fait assassiner, ajouta-t-il.

Rachel eut l'impression d'avoir brusquement entrevu le fond d'un puits.

— Ah ! ce n'était pas un bien joli endroit ! reprit-il. Puis, après une longue pause, il ajouta :

— Maintenant, vous me connaissez un peu... Avez-vous envie que je quitte Bon Repos ?

— Non, répondit-elle.

Ils se mirent debout ensemble; Rachel tremblait légèrement; puis ils se regardèrent.

— Je me suis tournée vers vous bien souvent, ces derniers temps, pour vous demander conseil, dit-elle, et vos conseils ont toujours été bons.

— Cela vous étonne ?

— Oui, je croyais que, seul, un homme bon pouvait donner de bons conseils.

— Ceux qui ne peuvent pas entrer dans un jardin voient parfois le tracé des allées plus nettement par les barreaux de la grille que ceux qui sont à l'intérieur, dit-il. Je suis sûr que si vous le lui demandiez, Belzébuth vous dirigerait fort bien dans les sentiers du paradis.

Ils se tenaient tout près l'un de l'autre et il la regardait de cet air qu'elle devait, plus tard, toujours qualifier d'air " d'ange déchu ".

Elle tourna la tête et s'enfuit.

Ainsi finit la dernière journée que Jacqueline passa à la pension Sainte-Marie.

CHAPITRE IV

I

Ce moelleux septembre se termina brusquement par des journées de vent et de pluies orageuses. C'était un déluge. Le gazouillement de l'eau dans les gouttières et le sifflement de la pluie, dont les javelines se rompaient contre les vitres en formant des ruisselets minuscules, parvenaient presque à couvrir le fracas du vent d'ouest au large. Dans la cour et le courtil inondés, André et Ranulph en suroît, avançant péniblement, donnaient aux enfants, qui les observaient avec inquiétude, l'impression d'être en grand danger de se noyer.

— Regardez cela ! Il va y avoir un nouveau déluge ! s'écria Péronelle, qui pressait tellement son visage contre la fenêtre de la cuisine que le bout de son nez avait l'air d'un bouton de toile. Croyez-vous que Bon Repos flottera comme l'Arche ?

— Bien sûr que non ! répondit Colin, d'un ton de mauvaise humeur. Il est collé !

— Croyez-vous vraiment que nous allons avoir une

inondation ? demanda Jacqueline qui sentait la peur sourdre en elle.

— Oui ! s'écria Péronelle d'un air agité et en s'échauffant. Les Choses aquatiques qui vivent dans les airs sont en train de batailler contre celles qui habitent dans la terre et les eaux. Tous les soldats de ces armées ont été transformés en gouttes d'eau. Nous ne saurons jamais qui aura le dessus, car ils nous noieront bien avant la fin de la bataille.

Jacqueline se mit à sangloter. Les orages l'effrayaient toujours. Elle avait l'impression qu'ils battaient la charge avec d'invisibles petits bâtons sur tout son corps et les frissons ou les contractions de sa peau semblaient déterminer des sensations analogues au fond d'elle-même.

— Oh ! Jacqueline, taisez-vous donc, petite sotte ! s'écria Michelle, assise devant le feu, le dos courbé de façon fort disgracieuse.

Il semblait toujours à Jacqueline, quand on la traitait de *sotte*, qu'on lui donnait un coup de couteau... Elle sanglota de plus belle.

— Ma chérie, vous êtes vraiment la dernière des idiotes ! lui dit Péronelle en s'écartant de la fenêtre pour venir secourir sa sœur.

Après quoi, pour s'excuser, elle lui mit vivement un baiser sur la nuque.

— Mes enfants, si vous ne savez pas vous conduire convenablement, je vous envoie tous passer une semaine chez Grand-papa ! s'écria Rachel d'un ton menaçant, du fond du vestibule où elle se trouvait.

Le silence se rétablit aussitôt.

En vérité, le temps avait été si affreux depuis deux

jours que les enfants, ne pouvant se rendre en classe, n'avaient eu rien d'autre à faire que de se rendre parfaitement insupportables. Jacqueline surtout était exaspérante au point de lasser même la patience d'André. Elle ne cessait de pleurnicher dans son chagrin de ne pouvoir se rendre à son cher couvent, près de ses bonnes sœurs bien-aimées. Cela n'en finissait pas. Quand elle allait à la pension Sainte-Marie, elle pleurait tout le temps du regret de n'être pas chez elle, et maintenant qu'elle se trouvait à la maison, elle gémissait de la même manière parce qu'elle aurait voulu être au couvent.

— Ce n'est pas sa faute, la pauvre chérie, expliquait Péronelle, elle a une nature humide comme la mienne est sèche. On ne peut pas se refaire — il faut savoir se supporter en famille.

Michelle faisait des efforts louables pour y parvenir. On en était resté, dans sa classe, en plein milieu du *Roi Jean*, et elle était rentrée mercredi sans savoir si, oui ou non, on allait crever les yeux à Arthur; on était maintenant au jeudi, elle ne pouvait retourner à la pension et il n'y avait apparemment pas le moindre Shakespeare dans la maison.

— C'est une honte, pour une famille soi-disant cultivée, de ne pas posséder de Shakespeare ! dit-elle d'un ton aigre.

— Mais, ma chérie, nous en avons un ! s'écria Rachel. Seulement, je ne peux pas remettre la main dessus — il a dû s'égarer.

— Vous avez sûrement lu le *Roi Jean*, dit Michelle. Savez-vous si Hubert crève les yeux d'Arthur ?

— J'ai lu *le Roi Jean* certainement, ma chérie, mais

je ne m'en souviens pas très bien — il y a de cela si long-temps !

— J'ai honte de vous avoir pour mère ! s'écria Michelle.

A ces mots, Colin se précipita sur elle et le vacarme fut à son comble.

Le samedi matin, le déluge cessa brusquement, comme si l'on eût fermé un robinet, et le sifflement de la pluie fit d'abord place à un bruissement doux, semblable à la brise quand elle passe sur un champ d'orge, puis devint un simple murmure d'adieu; enfin les gouttes tombèrent à rares intervalles, accentuant ainsi le silence survenu de façon si soudaine que toute la maison s'éveilla.

A l'exception de Jacqueline, ils étaient tous habitués à dormir profondément dans le vacarme d'une tempête; mais cet arrêt soudain les dérangea comme un coup de tonnerre. Jacqueline, qui ouvrait les yeux à ce moment, aperçut Péronelle assise sur son lit. L'aurore n'était pas loin et la fenêtre avait l'air d'un rectangle d'argent opaque posé sur le mur gris. Au-dehors, les feuilles de la passiflore s'égouttaient doucement et, au fond du jardin, un rouge-gorge chantait.

— Jacqueline, murmura Péronelle, la rafale est passée.

Jacqueline s'assit sur son lit avec un soupir de soula-gement qui tenait du sanglot et releva sur son front moite ses cheveux, alourdis par les sueurs d'une nuit fiévreuse... C'était enfin fini... cet horrible fracas qui battait la charge sur tout son corps et la faisait frissonner de terreur; c'était fini... jusqu'à la fois prochaine.

— Êtes-vous heureuse, maintenant ? demanda Péro-nelle.

— Oh ! oui ! dit sa sœur.

Sa réponse était empreinte d'une telle béatitude que Péronelle, satisfaite, se retourna dans son lit, et fut bientôt endormie de nouveau; mais Jacqueline resta éveillée à jouir de la paix qu'apportait l'aube. Les yeux fixés sur la plaque argentée de la fenêtre, elle la voyait s'éclaircir peu à peu pendant que les bouquets du rideau de percale glacée fleurissaient dans la pénombre... C'était comme si l'on eût assisté à la venue du printemps après la longue obscurité de l'hiver... Elle aimait rien tant au monde qu'observer l'éveil de l'aurore. Elle avait une affection particulière pour cette plaque blanche de la fenêtre s'éclaircissant dans le mur gris. Comme elle ne dormait jamais très bien et avait souvent d'affreux cauchemars, et comme, de plus, l'obscurité la terrifiait, le lever du soleil lui apportait un soulagement exquis. Cette impression était, à cette époque, sa plus grande source de bonheur... Immobile dans son lit, elle respirait profondément, et la lente détente de ses nerfs contractés répandait dans tout son corps une sensation de bien-être si délicieuse qu'elle avait l'impression de se balancer très doucement dans un hamac tombé du ciel.

II

A L'HEURE du petit déjeuner, le soleil étincelait dans un ciel sans nuages et, n'eût été la délicieuse fraîcheur de l'air et le grondement de la mer encore houleuse, personne n'aurait pu deviner qu'il y avait eu de l'orage.

— Qui vient au marché avec moi ? dit Rachel.

Les enfants poussèrent des cris de joie. Rachel allait

toujours au marché le samedi et faisait, parfois, aux enfants la grande faveur de les y emmener, car c'était jour de congé.

— Nous irons à pied, dit-elle, et Brovard nous ramènera dans la carriole.

— Je vais vous accompagner en ville, dit Michelle, mais pas au marché. Il faut que j'aille me renseigner à la Bibliothèque au sujet d'Hubert... *Ils* ont sûrement un Shakespeare, ajouta-t-elle avec ironie.

— Je vous suivrai n'importe où, dit Ranulph à Rachel.

Elle sourit aimablement, mais elle eut un battement de cils qui dénotait de l'ennui, et André qui buvait son café s'arrêta, la regarda, puis reprit sa tasse... Elle trouvait parfois que Ranulph l'accompagnait un peu trop souvent... C'était à cause des enfants, évidemment... Pourtant, cela pourrait bien faire jaser les voisins... Et elle commençait à sentir qu'André devenait un peu jaloux... Mais quelle absurdité !... Elle se secoua mentalement... Tant pis pour les cancans des voisins... Si l'on s'occupait d'eux, on ne pourrait plus vivre en paix.

— Nous partirons dans une demi-heure, dit-elle à Ranulph avec son sourire étincelant; mais en passant près d'André avant de sortir de la salle, elle glissa son bras une minute autour de ses épaules voûtées...

Il s'en alla vers la porcherie complètement heureux.

Ils partirent en bande — Rachel, Ranulph, Michelle, Péronelle, Jacqueline, Colin et Maximilien. On laissa Colette à Sophie. La course était trop longue pour son poids et pour son âge tendre. Ils s'en allèrent par la sente d'eau et tous, en entrant sous cette voûte feuillue, devinrent silencieux. Ils avançaient en balançant leur panier en cadence et en marchant d'un pas allègre. Colin écarquillait les yeux pour tenter d'apercevoir quelque chose sous les ombrages des arbres, et Maximilien, à l'arrière-garde de la famille, baissait la queue. Au sortir de la sente, Rachel se retourna en riant vers Ranulph.

— Nous sommes absurdes, n'est-ce pas ? dit-elle. Vous savez ce que les insulaires pensent des sentes d'eau ?

— Les fées, dit Ranulph. N'ai-je pas compris qu'elles étaient vos ancêtres ?

— Ne connaissez-vous pas toute l'histoire ? s'écria Péronelle.

— Heu !... non ! répondit Ranulph.

— Maman, il ne sait pas l'histoire ! Racontez-la-lui tout de suite, pour l'amour du Ciel !

— Dites-nous une histoire, maman ! ajouta Colin.

— Je vois des choses ! commença Rachel.

Ranulph qui la regardait d'un air amusé s'aperçut alors que ses yeux devenaient bizarres et très clairs, comme si elle eût pénétré, hors de ce monde-ci, dans un autre.

— Il était une fois, dit-elle, il y a de cela des centaines d'années, une très jolie fille nommée Oriane, qui vivait à Bon Repos.

— C'était notre grand-tante au trente-six millième degré ! interrompit Colin.

— Peut-être bien, dit Rachel. Quoi qu'il en soit, il arriva qu'un certain matin de printemps, elle se dit qu'elle aimerait posséder quelques œufs de mouettes ; elle se leva donc de très bonne heure, à l'aube, et se laissa glisser de la falaise jusqu'à la Baie aux Mouettes.

— Descente très dangereuse, dit Ranulph. Elle aurait dû savoir cela.

— Oui, répondit Rachel; sa mère le lui avait bien souvent défendu, mais c'était une fille très obstinée — et mes enfants ont malheureusement hérité ce défaut. Enfin, au pied des rochers, dans la Baie aux Mouettes, il y a une très belle petite grotte que nous appelons le *creux des faies* [1].

— Elle est toute verte et jaune à l'intérieur, interrompit Péronelle; et l'on y trouve des flaques pleines d'anémones, et la mer alentour a si bien usé les rochers qu'ils ont l'air de gros champignons.

— Oriane était déjà allée bien des fois dans cette grotte, reprit Rachel, mais jamais encore à l'aube. Ce matin-là, la mer était basse et elle tomba juste sur une petite grève devant la grotte. Le soleil qui se levait à ce moment lançait de longues antennes dorées hors de la mer pour trouver son chemin dans le ciel; la mer était lisse comme une soie chatoyante; tous les galets scintillaient comme des joyaux de diverses couleurs et une lumière dorée emplissait la grotte. Cela formait un ensemble si magnifique qu'Oriane en oublia les œufs de mouettes et resta à contempler ce spectacle. Comme ses yeux s'habituaient aux reflets étincelants de la grotte, elle aperçut quelque chose qui la fit bondir avec un cri de joie : sur l'un des rochers arrondis comme des champignons était assis un petit homme vêtu de vert, qui trempait ses pieds dans une flaque pleine d'anémones. Il était d'une taille minuscule, mais très beau et fort bien proportionné, avec des oreilles délicieusement pointues.

— Comme celles de Colin ? demanda Jacqueline.

---

1. En français dans le texte. (N.D.L.T.)

— Oui, tout à fait, dit Rachel.

Colin porta la main à son oreille et se pavana comme un dindon.

— En entendant le cri d'Oriane, le petit homme se retourna pour la regarder; puis il poussa un cri à son tour, sortit ses pieds, tout ruisselants de gouttes de diamants, hors de la flaque, courut vers Oriane et, se hissant sur la pointe des pieds, l'embrassa. Aussitôt, Oriane se raccourcit comme une longue-vue et devint aussi petite que lui. Il l'embrassa de nouveau et elle oublia alors sa demeure et sa famille, ainsi que l'Ile et les œufs de mouettes; rien n'exista plus pour elle que le nain vert. Elle passait ses journées avec lui dans la grotte et dansait en sa compagnie sur la grève : le soir, quand le ciel bleu se parsemait de nuages d'or et que la mer devenait nacrée, elle s'enfonçait avec lui dans un petit canot en forme de conque et ils voguaient vers le pays des fées.

— Sa malheureuse famille était-elle inquiète ? demanda Ranulph avec politesse.

— Très inquiète, dit Rachel. Ils se figuraient qu'elle était tombée de la falaise en descendant vers la Baie aux Mouettes et qu'elle s'était noyée. Ils la pleurèrent pendant un an et un jour, tout en se consolant à la pensée qu'on l'avait prévenue du danger, ce qui contribua à les réconforter. Le temps passa; on ne pensait plus guère à elle, quand voilà qu'un beau matin, un homme qui cherchait des œufs de mouettes sur les roches qui surplombent la Baie aux Mouettes aperçut une troupe de petits nains verts qui sortaient comme un peloton d'abeilles du *creux des faies* et grimpaient vers lui. Sans broncher, il leur demanda qui ils étaient et ce qu'ils venaient faire dans

l'Ile. Ils lui dirent que, charmés par la grâce et la beauté
d'Oriane, qu'un de leurs cousins avait amenée au pays
des fées, ils désiraient trouver des femmes nées au même
endroit. L'homme répondit qu'il ne les laisserait certainement pas faire pareille chose, puis il leur lança ses œufs
à la tête et escalada les roches pour aller avertir les insulaires. Ceux-ci, indignés, se groupèrent pour se défendre
et il s'ensuivit l'une des batailles les plus terribles auxquelles l'Ile eût jamais servi de terrain. Mais que peuvent,
hélas ! de pauvres mortels contre des êtres surnaturels ?
Les nains les poursuivirent de charges et de coups d'épée
aussi rapides que le passage du vent, et le carnage fut
affreux. Le dernier combat eut lieu au coucher du soleil,
près de Saint-Pierre, et les insulaires, rompus et décou-
ragés, tombèrent finalement aux mains de leurs impi-
toyables ennemis, qui les passèrent tous au fil de l'épée.
Le sang coulait le long des rues escarpées de Saint-Pierre
et teintait de rouge l'eau du port — elle a encore cette
couleur aujourd'hui au coucher du soleil. Les nains
prirent ensuite tranquillement possession des familles
et des domaines des combattants tués. Les veuves et les
orphelins se sentirent d'abord assez bouleversés par la
tournure qu'avaient prise les événements, mais dès que
les nains eurent embrassé les femmes, les faisant ainsi
devenir aussi petites qu'eux en effaçant tout souvenir
de leur esprit, elles acceptèrent leurs nouveaux amoureux
et l'Ile redevint bientôt prospère. Cependant, cet heureux
état de choses ne pouvait toujours durer. Les lois du pays
des fées ne permettent pas à leurs sujets de vivre parmi
les mortels plus d'un certain nombre d'années, si bien
qu'un beau jour, les nains se virent obligés de dire adieu

aux anémones de mer, à la bruyère et aux sentes d'eau
et de larguer les voiles de leurs barques, mouillées dans
la Baie aux Mouettes, pour repartir. Ils avaient tant de
chagrin de s'éloigner, et ils versèrent tant de larmes que,
depuis lors, la grève de la Baie aux Mouettes et du *creux
des faies* a toujours été recouverte par l'eau, sauf aux
marées de morte eau. Et les sorcières de l'Ile n'ont plus
jamais eu besoin de manche à balai pour voyager, ayant
hérité les ailes de leurs ancêtres féeriques. C'est ainsi que
les vieillards expliquent la petite taille de la plupart des
insulaires.

Rachel s'arrêta et son regard avait l'air de revenir de
très loin. Les enfants soupiraient de joie et de fierté. Leurs
ancêtres du pays des fées étaient pour eux une source de
grande satisfaction; ils en éprouvaient un sentiment de
supériorité vis-à-vis des enfants des îles voisines, ou de
ceux d'Angleterre, de France ou d'Allemagne qui, les
malheureux, descendaient des singes et en avaient bien
l'air !

— Ah ! dit Ranulph d'un ton grave. On s'explique
maintenant Péronelle.

— Pourquoi elle en particulier ? demanda Rachel,
les yeux fixés sur les jambes de sa fille qui sautillait devant
eux.

— Elle a hérité plus que tous les autres du charme
des fées, répondit Ranulph. Cela lui fera faire un Beau
Mariage.

Rachel eut dans la gorge un gloussement d'irritation.

— Vraiment, dit-elle, il y a des moments où vous me
faites penser à mon beau-père !

— Ah ! dit Ranulph. Est-ce un compliment ?

— Non, répliqua Rachel.

Après quoi, la conversation languit jusqu'à l'arrivée au marché.

III

COMMENT décrire les merveilles de ce marché ? Il faisait songer à la rue Clubin un samedi soir, mais une rue Clubin embellie, spiritualisée, pourrait-on dire. Ici on ne voyait ni malpropreté, ni crasse, ni rue étroite, mais un grand bâtiment surmonté d'un dôme et plein de fraîcheur, de lumière et d'éclat. Il y avait aussi des éventaires chargés de tourteaux, de homards d'un bleu noirâtre posés sur un lit d'algues fraîches; mais ces éventaires étaient plus grands, les tourteaux semblaient plus gros et plus imposants, les homards revêtus d'une armure plus lisse et plus reluisante. Le marché ne renfermait que les produits des fermes et des jardins et les récoltes de la mer; on n'y voyait ni les jupons rouges, ni les bonnets jaunes de la rue Clubin, mais la couleur, pourtant, n'y manquait pas — les éventaires chargés de fleurs y pourvoyaient. Les dahlias cramoisis et dorés flamboyaient près de grosses reines-marguerites pourpres et de leurs claires petites sœurs étoilées, dont de candides cils blancs bordaient délicatement l'œil doré. Bien qu'on fût en octobre, on trouvait encore quelques bottes de roses-choux et les lis blancs et roses, particuliers à l'Ile, montraient encore leurs trompes fines au sommet de leur tige vert-de-gris.

Les éventaires des crémeries étalaient des pains de beurre, couleur de soucis, des corbeilles d'œufs bruns et des pots de petit-lait et de crème. Les paysannes étaient assises près de leurs denrées, vieilles et ridées pour la plupart, grand-mères trop âgées pour les travaux de la ferme.

Une coiffe blanche gaufrée encadrait leur visage fané et un tablier blanc recouvrait leurs jupes volumineuses. Elles tricotaient tout en bavardant sans arrêt et, apparemment, sans respirer, le cliquetis de leurs aiguilles suivant la cadence de leur patois.

Une odeur splendide régnait sur ce marché : un mélange de roses, d'algues, de petit-lait et de tabliers fraîchement amidonnés, une odeur délicieusement stimulante qui semblait être faite de propreté. Les bruits étaient aussi calmants : le grand dôme rassemblait le cliquetis des aiguilles, le doux patois, le jaillissement du petit-lait mousseux qu'on versait des grands pots, le frisselis des fleurs qui passaient en saluant dans les mains des acheteurs, et faisait de tout cela un ensemble harmonieux de sons et d'échos dont l'air joyeux vous restait dans la mémoire alors qu'on oubliait de plus grandes symphonies.

Ce marché de l'Ile était, certes, un lieu aimable et charmant; pour Colin, néanmoins, il manquait de fantaisie et ne pouvait soutenir la comparaison avec la rue Clubin. Il était convenable au point d'être ennuyeux et lui rappelait trop toutes les consignes qui limitaient son existence d'écolier; tandis que la rue Clubin représentait pour lui la liberté de l'homme mûr et les horizons sans bornes de la vie de marin. Colin regardait l'oncle Ranulph qui écoutait poliment Rachel pendant qu'elle lui expliquait la façon de faire le lait caillé; il s'aperçut que la barbe et la moustache de Ranulph se rapprochaient pour dissimuler un bâillement. Lui aussi semblait s'ennuyer un peu au marché... Colin forma aussitôt le projet téméraire d'emmener l'oncle Ranulph dans la rue Clubin... Il se laisserait sûrement pénétrer de son charme... Et il ne trahirait pas son compagnon.

L'éventaire de Bon Repos se trouvait au milieu du marché, tenu par la vieille Mme Brovard, la mère du fermier. Elle leur sourit et leur fit un petit salut, mais n'entra pas en conversation... Quand les familles des propriétaires parcouraient le marché, elles n'avaient jamais l'air d'y avoir un éventaire... Ce n'aurait pas été considéré *comme il faut* [1]... Les gens bien ne se livraient pas au commerce. Rachel s'arrêta juste assez pour sourire à Mme Brovard et lui faire remarquer combien le beurre de Bon Repos surpassait les autres en qualité; puis elle se dirigea vers un étal qui pliait positivement sous le poids des tourteaux, des homards et des poissons de toute espèce. Elle acheta du congre destiné à cette spécialité bien connue de l'Ile, la soupe au congre, et un poisson qu'on ne trouve que dans les eaux de l'Ile, et qui a des arêtes vertes !

— Il faut que vous goûtiez à toutes nos spécialités, dit-elle à Ranulph, qui y avait goûté bien avant qu'elle fût née.

Puis elle se tut, la bourse à la main, et se mit à réfléchir. Péronelle pâlit. Horreur des horreurs ! Maman allait acheter un tourteau !

Les amateurs de tourteaux, quand ils en achetaient un, le rapportaient du marché vivant et gigotant dans un

1. En français dans le texte. (N.D.L.T.)

panier, sous les livres de la Bibliothèque qui l'empêchaient
de se sauver; puis on le plongeait dans l'eau bouillante
encore tout vivant... Au moment où la chaleur pénétrait
par les défauts de la cuirasse, les pinces se dressaient un
instant puis, après un ou deux tremblements, ne bou-
geaient plus... Péronelle voyait là un acte de cruauté
particulièrement odieuse. Elle n'arrivait pas à comprendre
comment sa famille pouvait se livrer à de pareilles pratiques, et surtout comment ils avaient le cœur, ensuite,
de manger le malheureux tourteau ! Papa, si tendre pourtant, appréciait fort le tourteau et on le voyait retirer
d'une pince, avec un évident plaisir, les moindres filets
de chair blanche... Péronelle en était presque malade...
Les jours de tourteau devenaient pour elle des jours de
tourment. Ils étaient rares, heureusement, car les tourteaux coûtaient un bon prix.

Elle ne se rappelait avec plaisir qu'une seule de ces
journées : ils avaient rapporté un tourteau qui remuait
faiblement ses pinces, l'avaient posé sur la table de la
cuisine pour laisser Sophie le préparer, puis ils étaient
allés enlever leur chapeau... Mais Sophie était occupée
autre part... En redescendant, Péronelle avait aperçu le
tourteau au milieu du vestibule... Il semblait très affaibli
et pouvait à peine se traîner sur les dalles polies, mais il
savait qu'au-delà de cette affreuse terre desséchée, il
retrouverait la mer quelque part... Péronelle le saisit et
s'élança en courant... Elle traversa le jardin et la falaise,
bondit dans le sentier qui menait aux roches, puis arrivée
là, elle lança le grand crabe dans la mer. Colin, dans une
occasion semblable, eût inventé une longue histoire
merveilleuse pour expliquer la disparition du tourteau...

Rien de pareil avec sa sœur. Elle revint à la maison, s'arrêta au milieu du vestibule et cria de toutes ses forces : " J'ai jeté le tourteau à la mer ! Il n'y a plus rien pour le dîner... Dieu merci ! "

Mais cet incident datait de loin et si Rachel s'en souvenait, elle le considérait comme une extravagance de Péronelle et non comme une leçon dont elle eût dû faire son profit... Elle acheta donc le tourteau... On le mit dans le panier de Jacqueline... Péronelle aperçut une pince qui se levait en signe de protestation avant de perdre de vue l'animal sous une avalanche de pommes qu'on versait sur lui pour le faire tenir tranquille.

Le poisson aux arêtes vertes fut confié aux soins de Péronelle, mais elle ne s'en souciait guère. Il était bien mort, et d'ailleurs une créature assez excentrique pour avoir des arêtes vertes méritait d'être mangée.

Pendant que Rachel consultait sa longue liste d'emplettes, Colin glissa sa main dans celle de Ranulph.

— Je veux vous emmener quelque part. Maman va en avoir pour des siècles.

Ranulph s'avança vers Rachel.

— Pouvons-nous repartir tous deux ensemble ? Je veillerai à ce qu'il rentre sans encombre à la maison.

Rachel sourit en faisant un petit signe de tête... Elle avait une confiance absolue en Ranulph pour tout ce qui concernait les enfants.

IV

COLIN entraîna Ranulph hors du marché vers la grande rue aux arcades et la descente du côté de l'église.

— Je veux vous montrer un coin où je vais quelquefois, lui dit-il : c'est merveilleux ! On s'y sent libre. Tous les marins y vont aussi... On les entend bavarder. Et puis, il y a là une dame que j'aime beaucoup... Maman ne sait pas que j'y vais... Vous ne lui direz rien, surtout ?

Ranulph se sentit assez embarrassé, mais il fit un signe de tête... Colin avait confié son secret, il en éprouvait une grande joie... Quelle absurdité !

— Comment s'appelle cette dame ? demanda-t-il en souriant.

— La mère Tangrouille, répondit Colin.

Ranulph eut un léger sursaut. Il y avait autrefois dans la rue Clubin une jolie fille aux yeux noirs qui s'appelait Blanche Tangrouille et qu'il avait connue très intimement au temps de sa folle jeunesse. Il se souvenait très nettement de l'époque où il montait la rue Clubin et voyait les cheminées torses de la maison qu'habitait la jeune femme se découper en noir sur le ciel étoilé; puis il trébuchait sur les deux marches fendues, poussait la porte qui grinçait sur ses gonds, entrait dans la petite pièce étouffante et admirait avec un plaisir sensuel les chandelles qui brûlaient de chaque côté des géraniums rouges sur le rebord de la fenêtre... Ces fleurs n'étaient pas plus rouges que les lèvres peintes de Blanche Tangrouille.

Ses cheveux étaient noirs comme la nuit du dehors, ses yeux farouches comme ceux d'une panthère prise au piège, et sa poitrine chaudement réconfortante... Sa présence lui avait donné une impression de licence bienheureuse après la discipline sans tendresse de son père... Quand il la tenait dans ses bras, il se sentait enfin vivre, et il pouvait voir, de sa fenêtre, la mer et les bateaux en partance vers la vie libre... Cette vie qui l'attirait et qu'on lui refusait.

Il se ressaisit tout à coup et s'aperçut que Colin lui décrivait gravement la mère Tangrouille.

— Elle est grosse, disait-il, très grosse, et quand elle a bu, elle n'a pas un très joli langage. Mais il faut qu'elle boive, vous comprenez, parce que cela lui fait oublier son asthme. Elle est très gentille pour moi. Je l'aime bien, mais je ne crois pas que maman l'aimerait autant, aussi je ne parle pas d'elle à maman... Je ne lui dis pas, d'ailleurs, que je vais dans la rue Clubin... Quand on fait des choses qui déplaisent aux autres, je trouve qu'il vaut mieux n'en rien dire, n'êtes-vous pas de cet avis ?

Par loyauté envers Rachel, Ranulph tenta, avec quelque lourdeur, de jouer son rôle d'oncle.

— Mon avis est que vous ne devriez jamais rien faire que vos parents puissent désapprouver, dit-il en dissimulant dans sa barbe un sourire sardonique.

— Oh ! mais j'ai besoin de me sentir libre ! s'écria Colin, sinon cela me fait mal — là — comme si j'avais un oiseau emprisonné dans la poitrine.

Incapable de s'exprimer, il bouchonnait le jersey de marin qui couvrait son torse mince. Son visage étincelait d'une passion soudaine et violente. Ranulph, qui le regar-

dait, comprenait son état d'esprit. Cet enfant, lui aussi,
avait donc été mordu par cette vocation ! Ce besoin de
liberté qui vous donne la sensation d'un battement d'ailes
emprisonnées... Ce garçon pourrait être son fils.

Ils entraient dans la rue Clubin... Et Colin avait aussi
découvert, si jeune, la rue Clubin et la mère Tangrouille !...
Serait-ce la même Blanche ? Ranulph éprouvait — il ne
savait pas très bien ce qu'il éprouvait, mais il fallait
s'occuper de cet enfant. Il suivait une mauvaise voie.
Certes, il possédait ce qui avait toujours manqué à
Ranulph, un amour plein de sympathie pour le guider;
malgré cela, il suivait une mauvaise voie... Que faire pour
lui ?... Ranulph remerciait sa bonne étoile de ne lui avoir
jamais donné de fils — un neveu était bien suffisant.

La rue Clubin n'avait pas encore pris sa physionomie
curieuse et magnifique des samedis après-midi; elle était
encore dans cet état de confusion qui précède et suit les
moments glorieux. On dressait les éventaires et les
hommes maugréaient sans cesse contre les chiens et les
enfants qui se jetaient continuellement dans leurs jambes.
Sur la chaussée, on trouvait des piles de paniers pleins
de crabes et de cartons de bonneterie aux couleurs voyantes
parmi des chats, des ordures et des marins en bordée qui
mâchonnaient du tabac et encombraient la rue. Tout le
monde criait contre son voisin et le vacarme était assourdissant.

Les yeux brillants, Colin se frayait gaiement un passage
dans ce tumulte.

— N'est-ce pas que c'est magnifique, oncle Ranulph ?
cria-t-il par-dessus son épaule.

Ranulph qui se redressait, car il venait de trébucher

sur un chat, se souvint que tel avait été, autrefois, son sentiment.

La mère Tangrouille n'avait pas encore commencé à dresser son comptoir, mais, par sa porte entrouverte, on l'entendait qui, de l'intérieur de sa maison, donnait son opinion sans fard sur sa voisine... La mère Tangrouille était la franchise même.

Colin sauta sur les marches fendues, poussa la porte grinçante et entra... Ranulph le suivait comme dans un rêve... On étouffait dans la petite pièce... Des géraniums rouges flamboyaient sur le rebord de la fenêtre... Derrière eux, on apercevait la mer et les bateaux en marche.

Mais elle, Blanche Tangrouille ? Ranulph qui, pendant des années, était resté aussi indifférent aux événements qu'un bloc de bois, avait acquis, ces derniers temps, à son vif déplaisir, une sensibilité toute nouvelle. En ce moment même, une douleur soudaine le lancinait. Cette masse humaine, informe et hideuse, au visage bouffi, à la bouche édentée, au dos voûté, qui semblait plier sous le poids d'une lassitude et d'un dégoût excessif !... Ce spectacle lui parut si affreux qu'il eut un mouvement de recul... Les yeux seuls étaient restés les mêmes... Ces yeux sombres, hardis et pathétiques, au regard perplexe et inquiet, étaient bien ceux de Blanche Tangrouille, qu'il avait, autrefois, passionnément aimée. Elle avait été pour lui le symbole de tout ce qu'il désirait dans la vie, celle qui l'avait fait échapper à son martyre; et maintenant, il lui semblait voir en elle le symbole de ce qu'il avait trouvé.

Ils entrèrent. Colin présenta Ranulph, puis ils s'assirent. La mère Tangrouille embrassait Colin avec passion, et

Ranulph observait avec quelle courtoisie, par fidélité à son affection, le petit garçon supportait ces embrassades.

La pièce était d'une propreté méticuleuse. Malgré son âge, son asthme et la boisson, la mère Tangrouille trouvait toujours moyen de se tenir propre, ainsi que son logis. Lorsque les voisins lui faisaient des observations à ce sujet, elle leur répondait fièrement que, dans sa jeunesse, elle avait eu affaire à des messieurs et qu'ils aiment ces sortes de choses. Aujourd'hui, elle se trouvait dans un de ses bons jours et virait dans la pièce, tout épanouie d'une joie bienveillante. Elle sortit du gin et des verres et but en compagnie de Ranulph qui interdit sévèrement à Colin d'y toucher; mais l'enfant s'en moquait... Tout cela était si merveilleux... Il voyait la vie.

A ce moment, il eut la joie de voir entrer Guilbert Hérode et Hélier Falliot. Hélier donna une bonne tape sur l'épaule de Ranulph, qui lui rendit la pareille... L'un avait sauvé la vie de l'autre; cela créait un lien entre eux. On alla chercher encore de la boisson à la taverne du bas de la rue; on sortit d'autres verres et on alluma des pipes. A la grande surprise de Colin, l'oncle Ranulph se mit à parler en patois... Ce qu'il était intelligent, cet oncle Ranulph !... Apprendre le patois en deux mois !

La conversation tomba sur la mer et les bateaux. Colin ne pouvait tout suivre, le patois allait trop vite. Mais cela devenait de plus en plus passionnant... Ces histoires de terres lointaines où des mers d'un bleu brillant dorment pendant des jours sous des ciels cuivrés et où des poissons aux vives couleurs resplendissent dans l'eau tranquille... récits de tempêtes terribles, plus épouvantables que tout ce qu'on connaissait dans les parages de l'Ile, quand le ciel devient noir comme de l'encre, que presque tout le monde est bloqué dans l'entrepont et que ceux qui restent sur le pont doivent ramper en se faisant amarrer fortement afin que les lames énormes, en s'abattant, ne puissent les enlever par-dessus bord... Ces histoires de port où l'on mouille parmi tous les voiliers du monde et où l'on contemple des pics couverts de neige au-dessus de palmes légères... Par la fenêtre, Colin voyait passer des bateaux, qui s'en allaient comme il eût voulu le faire, comme il le ferait un jour... Assis dans cette petite pièce étouffante, il serrait les dents et refermait ses mains l'une contre l'autre d'un geste énergique. Il serait libre — libre — libre — rien ni personne ne l'arrêterait !

Les voix devenaient plus fortes et plus hautes, la fumée plus épaisse et l'odeur des boissons assez entêtante. Sans qu'on le vît, Hélier avait laissé Colin boire une goutte dans son verre et le petit garçon commençait à branler de la tête... Il se figurait voguer par la fenêtre jusque dans le port... Son navire avait une voilure blanche que le vent gonflait doucement... Les voiles se tendaient en avant comme des cheveux blancs, qui l'emportaient très loin, très loin... au-delà de la ligne d'horizon... Tout à coup, la voix de Ranulph tomba sur ses rêves comme un claquement de fouet.

— Colin, rentrez vite à la maison !

Colin était furieux. Il ne savait plus très bien où il se trouvait ni ce qu'il faisait, mais il n'allait pas se laisser renvoyer ainsi du paradis tant que l'oncle Ranulph resterait en arrière, parmi les poissons couleur d'arc-en-ciel, les voiles blanches, les palmiers et les bouteilles de gin. Il eut vaguement conscience de pas mal de cris et de coups

de pied et d'avoir mordu très fort la main de l'oncle
Ranulph avant de se retrouver tout seul dans la rue...
L'oncle Ranulph l'avait tout simplement jeté dans le
ruisseau, puis était rentré dans la maison en fermant la
porte sur lui... C'était trop fort, par exemple !... Colin se
releva, lança un violent coup de pied dans la porte de la
mère Tangrouille, puis avec des sanglots de fureur, il
reprit les degrés qu'il montait si joyeusement deux mois
auparavant avec Maximilien... Mais où était donc Maximilien ?... Il s'arrêta pour jeter tristement un coup d'œil
autour de lui et il sentit, à ce moment, un museau humide
se poser contre son genou nu... Maximilien était là. Il les
avait suivis et les avait attendus patiemment tout ce
temps-là dans la rue Clubin. Colin se dit (et ce ne fut
pas la dernière fois de sa vie) que les chiens sont bien
supérieurs aux hommes, à tous points de vue. Il s'assit,
appuya au mur sa tête lourde et prit Maximilien dans ses
bras. Il se sentait profondément malheureux... L'oncle
Ranulph s'était conduit d'une façon cruelle à son égard...
Il l'avait renvoyé... Pourquoi donc ?... Ce n'était pas
juste... Ses sanglots redoublèrent... Maximilien, qui était
couvert d'ordures et sentait affreusement mauvais, se
nicha tout contre lui et passa sa langue sur le visage et
le cou de son maître. Sa queue battait très vite d'un
mouvement circulaire qu'elle adoptait chaque fois que
Maximilien voulait exprimer la profondeur et la fidélité
de son amour... Colin embrassa son chien et se sentit
un peu réconforté. Ranulph, resté en arrière dans le bruit
et la confusion de la salle, chez la mère Tangrouille, était
demeuré là, non parce qu'il se divertissait, mais parce
qu'il avait une dette à payer. A cause du passé, il devait

à cette horrible femme de la courtoisie et des égards. Il restait là à payer les tournées et à entretenir la conversation pour le simple amusement de cette femme; il lui racontait des histoires et la traitait comme d'autres eussent traité une duchesse. Après le départ d'Hélier et de Guilbert, il s'attarda un instant pour la saluer et lui dire adieu. La mère Tangrouille se leva en titubant au moment où il se redressait... Pendant tout ce beau tapage, elle ne l'avait pas quitté des yeux, examinant ses traits, ses mains, la façon dont ses cheveux étaient plantés, la forme de sa tête dont elle voyait la silhouette contre la fenêtre, tous ces détails qu'une femme qui a aimé un homme n'oublie jamais. Elle n'avait pas bu autant que d'habitude, trop occupée à l'examiner. Elle avait connu beaucoup d'hommes et les avait oubliés pour la plupart, mais elle se souvenait très nettement de l'un d'eux — le seul qui eût jamais été poli envers elle.

— Jean du Frocq! dit-elle d'une voix rauque.

Ranulph sursauta comme transpercé d'une balle.

— Je m'appelle Ranulph Mabier, répondit-il froidement.

— Ah! dit-elle. Je m'en souviendrai. Vous pouvez vous fier à Blanche.

Il vit avec horreur des larmes couler sur ses joues... Cela la rendait plus hideuse que jamais. Il restait là, écœuré de ce spectacle, ne sachant que faire. Elle s'avança de quelques pas vers lui, et lui qui avait connu tant de joies à la tenir dans ses bras se sentit frémir de dégoût à son approche.

— Vous viendrez me voir quelquefois, monsieur? Pour parler de l'ancien temps? demanda-t-elle.

Elle se tenait si près de lui que des bouffées de gin et de menthe lui montaient au nez... Il se recula légèrement.

— Oui, Blanche, certainement, dit-il.

Il lui fit de nouveau un salut avant d'ouvrir la porte et de s'esquiver.

Dans la rue, il s'aperçut qu'il titubait. Le gin était fort et il avait dû en boire une grande quantité pour lui faire plaisir. Il s'essuya le front et prit une gorgée du bon air frais d'octobre, délicieux comme une eau de source après l'atmosphère empestée de la salle de Blanche. Encore une autre ! Encore un lien qui le rattachait à l'Ile !... Il se sentait pris au piège... Jamais il ne s'échapperait vivant de cette Ile... jamais !... Une violente nostalgie des vastes solitudes du désert l'envahit — de ces ondes formées par le vent sur les sables et nées du rire d'Allah... Comme il ne pouvait rentrer à Bon Repos dans cet état, il descendit vers le port. Là, au moins, le regard pouvait jouir de l'immensité; là, au moins, on pouvait attacher son âme à la pointe d'un grand mât et la voir voguer vers le large.

V

COLIN et Maximilien, très sales et très heureux, rentrèrent fort tard pour dîner. Colin avait complètement oublié sa détresse récente. Il aimait trop profondément l'oncle Ranulph pour lui en vouloir longtemps; et il était, en outre, assez raisonnable pour savoir que les grandes personnes ont souvent des raisons sérieuses pour agir d'une façon incompréhensible ou absurde.

— Où donc avez-vous été, Colin ? demanda André.

— Oncle Ranulph et moi avons fait une longue promenade le long de la digue, répondit doucement Colin. Après ça, nous avons été faire nos prières à Saint-Raphaël. Oncle Ranulph y est encore.

— Allez donc vous laver, Colin ! s'écria brusquement Rachel.

Le récit de son fils lui semblait tout à fait invraisemblable et, contrairement à son habitude, il manquait d'invention, comme si l'esprit de Colin fût préoccupé d'autre chose et n'eût pas assez d'énergie de reste pour composer une belle histoire.

Colin alla se laver, puis se hâta de rattraper les autres qui commençaient à dîner, afin de pouvoir, ensuite, jouir tout à son aise de la tarte. Il ne leva les yeux de son assiette que lorsque, légèrement essoufflé, il eut avalé la dernière bouchée de bœuf, juste en même temps que Péronelle. Puis, encore essoufflé, il déclara : " Je veux être marin. "

André et les petites accueillirent cette déclaration avec calme, sans y attacher la moindre importance, mais Rachel releva vivement la tête. La voix de Colin avait une résonance métallique qui l'effrayait... Il ne parlait pas en l'air.

— Non, Colin, dit-elle.

— Pourquoi pas ? répondit le petit garçon d'un ton tranchant.

— Parce que c'est une vie dangereuse et que vous êtes mon seul fils.

Colin ne répondit rien et se plongea en silence dans la dégustation de la tarte.

Après le dîner, Rachel monta à sa chambre. Elle y faisait toujours, à cette heure, une petite retraite, et malheur à qui osait la déranger ! Elle veillait jalousement sur cette oasis de paix au milieu de ses journées de travail. Tout le reste du temps, la besogne quotidienne, les domestiques et les enfants la réclamaient, et les soirées étaient consacrées à son mari. Ce moment de solitude était le seul instant de la journée où elle s'appartenait... Elle se disait parfois que c'étaient ces heures de détente qui lui permettaient de garder sa raison. Sa famille s'imaginait qu'elle se reposait sur son lit; mais elle faisait souvent autre chose; parfois elle priait ou lisait, mais, d'habitude, elle restait parfaitement immobile, les mains sur les genoux, les yeux fermés; à d'autres moments, elle murmurait en s'asseyant : " Vous êtes soutenus par des bras immortels "; elle avait alors l'impression que son esprit s'enfonçait dans des profondeurs doucement illuminées qui devenaient de plus en plus fraîches et bienfaisantes à mesure qu'il y plongeait, jusqu'à ce qu'il atteignît un point où il pût se reposer en toute sérénité pendant que la force et la paix se répandaient dans toutes les fibres de son être. Cette belle aventure ne se produisait pas toujours; elle en avait eu la première révélation un jour qu'une grande douleur physique l'avait déchirée au point d'arracher presque son âme de son corps... Cette fois-là, elle avait eu très peur en se figurant qu'elle mourait. " C'était comme si mon âme se fût détachée ", disait-elle ensuite à André. Mais elle retrouvait maintenant cette expérience chaque fois qu'elle était parfaitement maîtresse d'elle-même; à la première nuance de faiblesse, même en pensée, l'aventure s'enfuyait; seule, une lutte inces-

sante la faisait revenir. Aussi luttait-elle, car la vie sans
cette aventure eût été un désert sans oasis.

Aujourd'hui, pourtant, elle n'arrivait ni à se calmer
ni à se concentrer... Colin avait dit qu'il voulait être
marin. En fermant les yeux, elle voyait le visage de
son fils flotter sur l'eau, tout gris comme celui de cette
femme qu'elle avait vu enlever de la barque après le
naufrage... Le fracas d'un grand orage lui bourdonnait
aux oreilles.

Tout à coup, une main impérieuse lui saisit le bras et,
en ouvrant les yeux, elle vit son fils devant elle. La colère
la saisit. Personne, et pas même Colin, n'avait le droit
de la déranger pendant son heure de retraite. Ses yeux
lançaient des éclairs.

— Colin ! Qui vous a permis de venir ici ?

Colin était lui-même trop en colère pour se laisser
déconcerter.

— Maman, dit-il, je *serai* marin.

— Non !

— Si !

Ils se mesuraient des yeux.

L'absurdité de cette scène frappa soudain Rachel, qui
se mit à rire. Quelle sottise de se mettre dans un tel état
à cause d'un caprice de mioche ! La semaine prochaine,
il déclarerait sans doute qu'il voulait devenir dentiste
ou archevêque de Cantorbéry... Néanmoins, elle sentait
au fond d'elle-même qu'il n'en ferait rien. Elle l'attira
vers elle pour l'embrasser; il était délicieusement tiède
contre son cœur, mais aussi morne et indifférent qu'une
bouillotte.

— Mon chéri, dit-elle, vous n'allez pas être marin !

Je n'aurai plus une minute de joie. Mon petit garçon, vous ne ferez pas cela ! Faites-vous plutôt mécanicien de chemin de fer, mon trésor !

Colin lui mit un baiser très courtois sur l'oreille droite, juste au-dessus de la petite boucle d'oreille en forme de conque, mais sans dire un mot.

— D'ailleurs, vous êtes encore trop jeune pour que nous y songions, dit-elle, pour biaiser. Filez vite d'ici !

Elle lui rendit sa liberté et il sortit tranquillement de la chambre, en silence. Sa nuque exprimait une obstination de roc.

Revenue à sa solitude, Rachel tenta en vain de retrouver sa tranquillité ; le fracas d'un grand orage résonnait encore à ses oreilles et elle voyait les vagues accourir en hurlant comme des loups.

VI

CETTE soirée eut ceci de mémorable qu'elle mit pour la première fois en présence le grand-père et Ranulph. Le vieillard arriva le premier. Il avait pris, depuis peu, un associé. Après des années de mauvais traitement, son patient estomac commençait à se plaindre timidement, et Grand-papa avait fini par conclure qu'il serait plus sage de passer plus de temps à digérer en paix et moins de temps à courir par toute l'Ile pour voir ses malades. Il avait donc amené un pauvre jeune Anglais, affligé du nom de Blenkinsop, qui eut à souffrir entre les mains du vieillard d'une façon dont nous n'avons pas à nous occuper ici puisque cela n'importe pas à l'histoire des du Frocq ;

mais l'arrivée de Blenkinsop avait procuré de grands
loisirs au vieux docteur et il prenait l'habitude de venir
à tout propos voir si Rachel ne donnait pas trop à manger
aux enfants... Il la rendait positivement enragée.

Ce soir-là, après s'être débarrassée du souper et des
enfants, et avoir allumé la lampe, Rachel et André s'étaient
installés, avec un soupir de soulagement, dans l'espoir
d'avoir une bonne heure paisible avant le retour de
Ranulph.

Rachel cousait. Elle avait abandonné ses raccommo-
dages et travaillait à un bel ouvrage de broderie, une
bande de satin blanc brodé de bleuets et de pavots jaunes,
qu'elle avait commencé pendant les loisirs de sa lune de
miel et n'avait jamais terminé. Elle n'espérait pas le moins
du monde le voir jamais achevé, mais elle y travaillait
de temps à autre pour le simple plaisir qu'elle y prenait.
Cette création d'un objet qui n'avait d'autre but que d'être
beau, sans rien de plus, lui donnait une certaine impression
d'espace qui lui semblait délicieuse.

— Pourquoi donc ai-je cette impression ? demanda-
t-elle à André.

Son mari qui lisait enleva ses lunettes pour réfléchir.

— Parce qu'un objet qui n'a aucune valeur pratique
et n'existe que pour sa beauté — un tableau, une sym-
phonie, des pavots jaunes enrichissant du satin blanc —
est une vision de la réalité.

— Mais pourquoi ? demanda de nouveau Rachel.
Vais-je donner à ce pavot des pétales orangés ou citron ?

— Un objet destiné à être utile attache votre esprit
à la vie courante, tandis qu'un objet qui est simplement
très beau ouvre une fenêtre et vous libère — c'est ce qui

vous donne cette impression d'espace... Il faut sûrement
que ce pavot-ci ait des pétales orangés.

Rachel enfila de la soie citron à son aiguille et regarda
son mari. Il penchait la tête de nouveau sur son livre,
mais son visage, si souvent assombri par les soucis, avait
pris un air épanoui. Il trouvait fort peu de temps pour
lire et elle le regrettait, car un livre était pour lui ce que
la broderie était pour elle.

— André ! murmura-t-elle. J'aimerais que vous ayez
plus de loisirs !

Il la regarda un instant et la lumière qui éclairait son
visage eut l'air d'être entraînée à l'intérieur en le laissant
tout sombre. Cet éclat ne reparut que lorsqu'il fut, de
nouveau, absorbé par sa lecture.

Ils étaient côte à côte, en paix, le corps à l'aise, l'esprit
ailleurs, mais le cœur attentif et tendrement conscients
l'un de l'autre, pendant que le battement de l'horloge
faisait l'effet d'une chevillette qui aurait fermé de plus
en plus la porte aux bruits du monde. Sur cette paix
tomba soudain le martèlement rapide de sabots de chevaux, le grincement d'un frein de voiture appliqué brusquement, puis le son d'une voix stridente :

— Faites marcher les chevaux, que diable !... Ne les
laissez pas prendre froid !... En ai pas pour longtemps.

L'horloge émit un son plaintif, comme si les portes
closes se fussent ouvertes sous la pression de tous ces
bruits. André laissa tomber son livre et Rachel s'enfonça
son aiguille dans un doigt.

— C'est père, dit-elle, d'un ton de résignation infinie.

Grand-papa, engoncé dans son volumineux carrick,
et son castor penché de côté, fit une entrée majestueuse.

Ses enfants se levèrent pour lui offrir un siège, mais il ne s'y laissa tomber qu'après avoir passé la salle en revue dans ses moindres détails. Il glissa un doigt sur la planchette du buffet pour voir si elle avait de la poussière, il compara l'horloge à sa montre, regarda le graphique des œufs suspendus près de l'âtre, prit dans un panier quelques tomates malades et les examina, puis sortit son monocle pour regarder fixement, et dans un parfait silence, une tache d'humidité au mur. Cette façon de faire était ce qu'il appelait "surveiller les choses à Bon Repos".

Rachel, faisant appel à toute sa patience, parla du temps.

— Comment ? dit Grand-papa. Oui, une soirée diablement froide. C'est octobre. Il faut s'y attendre... Votre horloge ne va pas. Elle n'est jamais à l'heure... Il n'y a, pour ainsi dire, pas d'œufs... Et les tomates ont la maladie... Quel pauvre fermier vous faites, André !... J'en étais sûr... Je vous l'avais prédit... Ce n'est pas étonnant que les enfants soient toujours malades à vivre dans cette maudite maison si malsaine... Hein ?... Regardez-moi cette marque d'humidité !

— Les enfants vont parfaitement bien, dit Rachel d'un ton glacial.

— Vraiment ? répliqua Grand-papa. Vous en avez perdu trois, n'est-ce pas ?... Par votre faute... Vous avez tenu à venir dans ce trou malgré mes conseils... Hein ?

Le visage de Rachel pâlit jusqu'aux lèvres et André se pencha en avant en poussant un cri... Même entre eux, ils ne parlaient presque jamais de ces trois enfants morts... La voix du vieillard continuait à les meurtrir.

— Ceux qui vous restent sont trop maigres. Même

Colette est en train de s'affaiblir... C'est le résultat de trop
de nourriture, naturellement.

— Trop de nourriture ? s'écria Rachel.

Elle froissait sa broderie entre ses mains, écrasait sans
pitié un pavot jaune contre un bleuet au point d'enlever
le duvet de leurs pétales.

— Trop de nourriture, répéta Grand-papa. C'est une
vérité médicale bien connue que si l'on charge trop
un estomac d'enfant il faut qu'il se libère, et il en résulte
une perte. — Oh ! c'est inutile de continuer; mais avec
cela et cette maudite maison, vous en avez déjà tué
trois.

C'est à ce moment que Ranulph parut sur le seuil de
la porte. Rachel le regarda et, malgré l'indignation qui
l'agitait, elle remarqua qu'il titubait un peu et que ses
yeux étaient injectés de sang... Elle poussa un soupir de
désespoir... Cela s'était produit une fois... Et quel ennui,
étant donné qu'André était secrétaire de la Société de
Tempérance !

Ranulph était assez maître de lui pour saisir la situation...
Rachel souffrait... Ce vieux mécréant les tenait, elle et
André, à sa merci, et les broyait... broyait leur cœur par
sadisme... Il s'avança et, s'appuyant à la table, fit face au
docteur du Frocq.

— Sortez d'ici ! lui cria-t-il.

— Comment ? Comment ? Qui diable êtes-vous donc ?

Les veines se gonflaient au front du vieillard. Il poussa
la lampe d'une main tremblante afin de mieux voir la
figure de Ranulph... Ils se dévisagèrent... L'horloge
continuait à battre... Ils se tinrent immobiles pendant
un moment qui fit à Rachel l'effet d'un siècle... Puis

Ranulph rejeta la tête en arrière pour mettre son visage dans l'ombre.

— Sortez d'ici ! répéta-t-il, avant que je vous broie comme vous les avez broyés !

Son ton, sourd et empâté, devenait extrêmement dangereux. André s'approcha de lui et lui toucha le bras.

— Monsieur Mabier, c'est mon père. Je me permets de vous rappeler que vous êtes ici chez moi.

Ranulph se retourna pour regarder André. Son visage semblait tout déformé par la souffrance et, néanmoins, moqueur.

— Votre père ? dit-il. Ah ! je vous demande pardon.

Il se dirigea vers la porte, mais oubliant de se courber, il heurta de la tête le linteau d'un coup terrible.

— André ! s'écria Rachel. Accompagnez-le ! Il va se blesser !

André le suivit et l'on vit bientôt les deux hommes traverser la cour, l'un supportant l'autre. C'était pour Rachel un spectacle singulier que celui de ces deux êtres, si dissemblables, liés ainsi comme par un lien fraternel.

Un silence absolu régna dans la salle jusqu'à ce que la rage du vieillard fût assez refroidie.

— Est-ce que cette brute d'ivrogne est votre pensionnaire ? marmotta-t-il enfin.

— Oui, répondit Rachel d'une voix éteinte.

Son beau-père l'avait fait souffrir avec une telle intensité pendant un moment qu'elle se sentait toute meurtrie.

— Ivre comme un lord, ajouta Grand-papa.

— Je ne le crois pas, dit Rachel.

Grand-papa émit un son analogue à celui du dernier litre d'eau qui se déverse d'une baignoire, et il s'écria :

— Vous n'allez pas prétendre, ma chère, que vous êtes assez candide pour ne pas savoir reconnaître un homme ivre !

— Je n'ai jamais dit qu'il n'était pas ivre, dit Rachel d'une voix sans timbre, mais je trouve simplement qu'il ne l'était pas assez pour être un aristocrate. Il m'a semblé assez légèrement parti pour n'être considéré que comme un bourgeois — vous avez sans doute observé qu'il a fait preuve d'une faculté toute bourgeoise en se rendant compte des sentiments de son prochain. — Mais non, vous êtes vous-même si aristocratique que vous n'avez pas dû remarquer cela.

Le vieillard ne répondit pas à ces sarcasmes.

— Avez-vous l'intention de le garder ici, au milieu des enfants ? Hein ? Un individu de cette sorte ? demanda-t-il.

— Certainement.

— Qu'est-ce qu'en dit André ? Hein ?

— André est de mon avis.

— Ah ! vraiment ? repartit méchamment Grand-papa. André, ce pauvre diable, fait toujours ce que vous voulez, sinon il aurait à s'en repentir avec une femme comme vous ; mais pour ce qui est de ses pensées, ma chère, même celles d'un mari sont sa propriété, permettez-moi de vous le dire... Non, je ne resterai pas plus longtemps ici, vous êtes trop diablement susceptible, ce soir.

Il s'en alla fièrement, tout en bougonnant, et Rachel l'entendit jurer après le cocher en soufflant avec violence pendant qu'on le hissait sur son siège ; puis le claquement des sabots de chevaux se fit entendre de nouveau, et tout redevint silencieux.

Mais combien ce silence était différent de celui dont

Grand-papa avait détruit la beauté ! Celui-là contenait la paix d'un univers enclos dans l'amour et ouvert sur l'éternité, tout en étant fermé aux clameurs du monde vulgaire. Celui-ci, au contraire, était muet de tout le poids de la haine et du chagrin... Quand André revint dans la salle, il trouva Rachel accroupie par terre, la tête sur la jonquière, et sanglotant de toutes ses forces.

Il s'agenouilla près d'elle et l'entoura de ses bras, mais pendant un long moment il lui fut impossible de dire un mot. A la fin, elle exprima une crainte, implantée en elle depuis longtemps par son beau-père, et qui l'obsédait depuis des années.

— André, André ! Est-ce que j'ai vraiment tué les enfants en leur donnant trop à manger ?

— Non ! non ! non !

Et il mit des baisers passionnés sur ses cheveux, sur son cou et sur ses mains, dans lesquelles elle cachait son visage. Il sentait sous ses doigts les battements de son cœur et les halètements de sa poitrine.

La lampe s'éteignit à ce moment et, enlacés ainsi dans la pénombre, ils semblaient n'avoir plus qu'un seul corps. Les ténèbres s'épaississaient autour d'eux, leur univers se refermait de nouveau sur eux et sur leur amour, si bien que Grand-papa et Ranulph n'existaient plus ; mais la douleur survivait ; son poids les empêchait de retrouver la béatitude qu'ils avaient connue au début de la soirée... Chaque battement de l'horloge leur faisait l'effet d'un marteau qui refermait sur eux une porte de plus en plus inexorable... Ils n'étaient plus que deux enfants égarés dans la nuit et qui pleuraient ensemble... Quelle lourde responsabilité pour Grand-papa !

CHAPITRE V

I

LA passion de Péronelle pour Robert Browning n'avait été, jusqu'alors, qu'un sujet d'ennuis pour les siens; elle disparaissait pour lire juste au moment où l'on avait besoin d'elle ou elle restait au milieu de tout le monde pour citer son auteur favori à tout bout de champ dans les instants mêmes où personne ne désirait sa présence; mais quand vinrent les sombres matinées d'hiver cette passion eut des effets admirables; elle entraîna ses sœurs et son frère à se lever de bonne heure pour se rendre en classe. Rachel en conçut une grande estime pour Robert. Elle n'avait plus besoin d'enfiler sa robe de chambre au petit jour (alors que les courants d'air qui passaient sous les portes vous transperçaient) pour aller arracher les couvertures des lits de sa progéniture rétive — Péronelle s'en chargeait. La paresse et le laisser-aller, se disait-elle, étaient étrangers à la nature de Robert; ce qu'il prônait, c'était la promptitude, la maîtrise de soi, la fermeté, le courage; or sortir d'un bon lit bien chaud par un sombre matin d'hiver formait pour les quatre enfants la plus belle discipline. Péronelle s'imaginait fort bien comment cette merveilleuse famille Browning se serait conduite par un matin de décembre. Dès le réveil, la tête (ornée d'une coiffe) de Mme Browning, de son mari et du petit Browning se serait soulevée d'un même mouvement et on aurait à peine eu le temps d'ouvrir les rideaux et de poser les brocs d'eau chaude dans leurs cuvettes qu'ils se seraient déjà trouvés debout sur la descente de lit. Ils auraient fait leur toilette avec le plus grand soin, sans oublier de se laver derrière les oreilles, ni de boutonner tous leurs boutons; puis, avec une vaillance calme et joyeuse, ils seraient descendus pour entreprendre les nobles tâches de la journée. Péronelle ne manquait jamais d'exécuter ce programme; mais entraîner les autres à suivre son exemple était une tâche ardue. Elle y réussissait pourtant. On ne l'avait jamais vue ne pas arriver à accomplir ce qu'elle entreprenait. A sept heures, Rachel l'éveillait en frappant au mur; aussitôt, et sans se donner le temps de réfléchir, elle murmurait : " Je tâtonne dans les ténèbres, je sens ce que je ne puis voir et je garde ma foi "; elle allumait la bougie et lançait ses pieds dans l'air froid; puis elle versait l'eau glaciale dans sa cuvette en récitant : " Dieu est au ciel, tout va bien dans le monde. " Après quoi, elle allait tirer les couvertures de Jacqueline et, laissant la pauvre petite se mettre en boule comme un cloporte au contact du froid, elle passait dans la chambre de Colin; mais son frère lui suscitait une besogne beaucoup plus difficile; dès que, derrière la cloison mince qui séparait leurs chambres, il entendait sa sœur déclamer ses renseignements sur Dieu et sur l'état du monde, il s'enroulait de telle façon dans ses couvertures que, lorsque

Péronelle entrait, il ressemblait tout à fait à une momie égyptienne. Néanmoins, elle l'en faisait rapidement sortir : s'élançant sur son dos, armée de sa brosse à cheveux, elle le battait, le houspillait, le pinçait et le secouait jusqu'à ce qu'il demandât grâce; ils roulaient alors sur le plancher avec fracas. Près de Michelle, elle se servait de son talent oratoire, car la violence rendait toujours Michelle insupportable.

" Pourquoi la tentation naît-elle si ce n'est pour que l'homme la regarde en face, la maîtrise et, l'écrasant sous ses pieds, s'en fasse un piédestal pour son triomphe ?... Seigneur ! Ne nous laisse pas succomber à la tentation, mais Toi dont les serviteurs sont les cœurs courageux... "

disait-elle à sa sœur. Mais Michelle, l'interrompant, s'écriait : " Oh ! fermez cela ! J'en ai assez de vous et de votre Browning ! " Et elle se levait. Avec Colette, on n'avait aucune difficulté; dès que Péronelle entrait, le petit chérubin roulait par terre avec la soudaineté d'une pomme rose qui tombe dans l'herbe d'un verger, et elle y restait tranquillement jusqu'à ce qu'on l'emportât pour la laver.

Un matin particulièrement maussade du début de décembre, Colette dégringola de son lit juste au moment où sa sœur ouvrait la porte; elle se releva aussitôt et, tout engourdie encore de sommeil, elle se dirigea en titubant vers la table de toilette avant que la bougie fût allumée. Elle allait passer la journée chez Grand-papa; c'était pour elle un sujet de grande agitation.

De temps à autre, quand le vieillard était trop las de lui-même, de l'Ile, de ses organes en mauvais état comme de ceux de ses malades, il invitait Colette à venir chez lui. Passer toute une journée en compagnie de Grand-papa eût été pour tout autre le purgatoire ou pis encore; mais pour Colette, qui l'aimait, c'était un délice... Il est extraordinaire de voir quelle affection les pires des hommes peuvent faire naître chez les meilleurs représentants de l'autre sexe.

— Je vais passer la journée chez Grand-papa ! s'écria l'enfant en faisant passer sa chemise de nuit par-dessus sa tête avant que Péronelle ait eu le temps de verser l'eau froide dans la cuvette.

En attendant le petit déjeuner fort copieux, qu'elle dévora positivement ensuite, elle gazouillait comme un moineau; et dans la voiture qui l'emmenait entre Michelle et Péronelle, elle chantait des cantiques à tue-tête — signe, chez elle, de joie extrême.

II

JACQUELINE et Colette mirent pied à terre au haut de la côte pendant que les autres continuaient leur course. Grand-papa habitait assez près du couvent pour que Jacqueline pût conduire sa petite sœur jusque chez lui.

Elles descendirent la rue pavée en gambadant, la main dans la main, ballottées comme des bulles de savon par le vent fou qui venait de la mer; elles avaient boutonné jusqu'au menton leur manteau bleu marine et enfoncé jusqu'aux oreilles leur béret rouge. L'humidité faisait boucler leurs cheveux plus que d'habitude et les boucles

blondes comme les brunes virevoltaient autour des
visages et se suspendaient comme des vrilles aux bérets.
Colette emportait ses escarpins et un tablier blanc tout
propre dans un gros papier brun et, tout en marchant,
elle balançait son paquet avec la même aisance joyeuse
qu'un jeune chien qui remue la queue... Elles étaient
toutes deux absolument charmantes.

Jacqueline se dressa sur la pointe des pieds pour
atteindre la sonnette de Grand-papa et elle resta près de
sa sœur jusqu'au moment où elle entendit qu'on tirait le
verrou, de l'intérieur; elle embrassa alors Colette et s'enfuit.

La porte s'entrouvrit très légèrement et le nez méfiant
de Mme Gaboreau apparut dans l'ouverture; mais juste
un instant; dès que le nez de Mme Gaboreau eût fait savoir
à son cerveau qu'elle se trouvait en présence de Colette,
la porte s'ouvrit toute grande et Mme Gaboreau montra
son imposante personne toute gonflée de bienveillance.
Elle n'était pas aimable mais elle aimait Colette, et la
petite fille lui rendait son affection. Comme elle s'agenouillait pour presser l'enfant sur les sequins de son
corsage, elle reçut un baiser tendre et humide de rosée
sur son visage que durcissait une bouche trop mince et
assez cruelle.

D'habitude, Colette ne voyait Grand-papa qu'à l'heure
du déjeuner, car il sortait le matin pour aller voir quelques
malades et, avant cela, son humeur et son langage laissaient
tellement à désirer qu'il ne pouvait même pas supporter
la présence de sa petite-fille; il se voyait obligé de jurer
et de tempêter tout seul devant ses œufs au jambon et
sa tasse de café. Colette était d'ailleurs parfaitement heu-

reuse dans le petit salon de Mme Gaboreau à feuilleter
des albums de photographies remplis des affreux membres
de sa famille; ou mieux encore, elle allait faire des emplettes
avec la gouvernante en portant le panier et en trottinant
près d'elle comme un poussin jaune suit une vieille poule
noire. Mais, ce matin-là, elle n'était pas plus tôt arrivée
qu'une ondée s'engouffra dans la porte avec le vent, si
bien que Mme Gaboreau déclara qu'il faisait trop mauvais
pour aller au marché.

— Mais j'ai deux paires de souliers ! dit Colette.

— N'importe, répondit Mme Gaboreau. Les enfants
marchent toujours dans les flaques pour se rendre insupportables.

— Je ne marcherai pas dans les flaques, madame ! dit
Colette d'un ton suppliant.

Mais la gouvernante resta inflexible et sortit seule sous
un immense parapluie vert, en laissant à Colette ses
albums de photographies.

Toute propre dans son tablier blanc la petite fille s'assit
devant le feu, sur le bord d'une chaise très dure, rem-
bourrée de crin et recouverte d'une étoffe noire luisante.
Les crins qui ressortaient, par endroits, de la chaise,
piquaient la chair tendre des mollets de l'enfant, juste
derrière les genoux, cette oasis entre ses chaussettes et
son pantalon que tous les moustiques et tous les piquants
du monde semblaient affectionner particulièrement. Elle
tournait gravement, un par un, les feuillets d'un album
ouvert sur ses genoux, accordant une attention polie à
tous les Gaboreau en crinoline ou ornés de favoris qu'elle
y apercevait. Cette occupation, si différente de tout ce
qu'elle faisait chez elle, lui procurait, d'ordinaire, le plaisir

de la nouveauté, et tous ces Gaboreau, assez replets pour la plupart, et fort satisfaits d'eux-mêmes, ressemblaient si peu à ses parents qu'ils l'intéressaient au plus haut point; mais, ce matin-là, elle ne se sentait pas tout à fait heureuse. La pluie qui chuchotait le long des vitres ne semblait pas l'être davantage, et dans la cheminée le vent pleurait certainement. Le papier et les rideaux de la pièce étaient d'une teinte marron bigarrée et la cheminée en marbre noir; en fait de bibelots, on ne voyait que deux vases d'aspect funèbre emplis de roses de papier fanées. Il faisait vraiment sombre dans cette salle à mesure que la tempête empirait au-dehors... Colette commençait à éprouver des sensations bizarres. Elle aimait les fleurs autant que sa mère et, se sentant attirée par la couleur des roses qui brillaient dans cette pièce triste, elle se laissa glisser de son siège pour aller les examiner. Elle les toucha du doigt et s'aperçut qu'elles n'avaient pas la douceur des roses de juin à Bon Repos; elles piquaient autant que les chaises et elles avaient une vilaine odeur de papier sale... Elles n'étaient pas du tout ce qu'elles paraissaient.

Colette avait cru, jusqu'alors, que le monde était un livre heureux et sûr où toutes les jolies choses étaient aussi belles qu'elles en avaient l'air; mais, maintenant, elle se sentait perplexe. Elle avait eu ses six ans la semaine précédente et, à mesure qu'elle s'éloignait du nid douillet de la petite enfance, elle sentait croître en elle ce sentiment d'insécurité, né le jour où elle était tombée pour la première fois dans l'escalier.

Aujourd'hui, en examinant cette vilaine pièce qui exprimait la personnalité de Mme Gaboreau, elle eut peur. Sans se rendre compte de ce qu'elle éprouvait, elle sentait obscurément, pour la première fois de sa vie, l'existence de ce monde de péché et de bassesse qui répand sa lie sous la belle apparence des choses. Cette magnifique maison de Grand-papa, lisse et reluisante comme les herbes vertes qui sont si dangereuses à la surface des marais boueux... qu'y avait-il sous son apparence brillante ? Elle était encore trop petite pour se poser consciemment cette question, mais ce léger sentiment d'insécurité qui naissait en elle posait la question en silence pour qu'elle pût y répondre au cours des longues années qui l'attendaient. Colette savait seulement qu'elle avait peur et qu'elle allait descendre à la cuisine pour rester avec les domestiques jusqu'au retour de Mme Gaboreau.

Elle ouvrit la porte en jetant un regard craintif derrière elle comme si elle se fût attendue à voir un sargouset s'élancer des rideaux de la fenêtre pour lui sauter sur les épaules; puis elle se dirigea vers l'escalier, qu'elle descendit avec la plus grande prudence, le pied droit le premier et en se tenant à la rampe.

Elle n'avait pas encore atteint le rez-de-chaussée qu'elle vit s'ouvrir la porte de la salle à manger et Grand-papa en sortir pour aller consulter le registre de ses clients dans la bibliothèque.

Comme il passait sans voir Colette, sa figure ne portait pas cette expression affectueuse qu'elle avait toujours quand l'enfant était là. Ses yeux, privés de l'éclat qu'y faisait naître la vue de sa petite-fille, étaient froids comme si des cailloux eussent été enchâssés dans ses bajoues; les coins de sa bouche tombaient avec une sorte de molle amertume, et il marmottait quelque chose... Il avait l'air très vilain.

La porte de la bibliothèque se referma sur lui; Colette restait frappée de stupéfaction. Était-ce vraiment là Grand-papa ? Son Grand-papa gentil et joyeux qui lui contait des histoires et lui chatouillait le menton ? Non, certainement non ! Il existait sans doute un autre grand-père, et celui-ci lui faisait peur. Abandonnant toute prudence, elle descendit en courant le reste de l'escalier et poussa la porte verte matelassée qui, au rez-de-chaussée, ouvrait sur l'escalier de service.

Cet escalier était très sombre et assez malodorant, car la cuisine étant au sous-sol ne recevait que peu d'air et de lumière. Colette, tâtonnant dans l'obscurité, dut descendre très lentement et eut ainsi le temps d'entendre les sons qui lui parvenaient d'en bas. C'étaient tous les sons ordinaires — la cuisinière qui bavardait gaiement avec le boucher, l'eau qui bouillait, le chat qui miaulait, le garçon de service qui sifflait tout en cirant les chaussures de Grand-papa — mais il y avait encore autre chose : un bruit de sanglots. Elle en fut bouleversée. Elle avait déjà entendu des gens pleurer, mais ils rugissaient comme des taureaux furieux ; elle avait elle-même versé des larmes grosses comme des billes quand il lui était arrivé de se faire mal, et elle avait découvert, avec intérêt d'ailleurs, en les léchant à la pointe de son nez, qu'elles étaient salées; mais ces sanglots-ci étaient tout différents : ils ne faisaient pas grand bruit et résonnaient à courts intervalles comme s'ils eussent été arrachés d'une gorge presque trop faible et trop torturée pour leur livrer passage. Le sifflement de l'eau et le fracas de la vaisselle les couvraient de temps à autre, mais Colette se rendait compte qu'ils venaient de la laverie, à sa droite, de l'autre côté du couloir de la cuisine. La porte était entrouverte, elle la poussa et entra dans la laverie.

C'était une pièce très sombre qui ressemblait plus à une cellule de prison qu'à quoi que ce fût — et même pas à l'appartement confortable d'une prison moderne, mais à une prison du moyen âge. L'unique petite fenêtre qui l'éclairait se trouvait placée très haut et était couverte d'un treillis de fer; les murs couleur de boue pelaient sous l'action de l'humidité, et le sol de pierre restait toujours trempé, quoi qu'on pût faire, avec des flaques dans les crevasses qui faisaient penser à un être vivant tout en larmes.

Le soir, il était noir de cafards; on en voyait parfois aussi dans la journée. Une odeur de moisi, de choux et d'égouts défectueux régnait dans ce réduit, où il faisait extrêmement froid.

En ouvrant la porte, Colette trouva devant elle Toinette, la fille de cuisine, qui lui tournait le dos et qui, debout devant l'évier, faisait retentir ces sanglots déchirants tout en lavant une montagne de vaisselle sale. Absorbée dans son chagrin, elle n'entendit pas la porte s'ouvrir et Colette eut le temps de l'examiner de dos.

Ce dos semblait bien chétif. Toinette était encore plus maigre que Péronelle et avait, de plus, le dos voûté comme si elle eût passé sa vie à se courber et à porter de lourds fardeaux. Elle était vêtue d'une robe de percale mince qui ne semblait pas recouvrir des jupons bien chauds et qui la serrait tellement qu'elle accentuait encore sa maigreur; sur cette robe, un tablier sale, deux fois trop grand, l'enveloppait comme un linceul et était fixé dans le dos par une grande épingle double; ses bas retombaient sur ses chevilles d'une maigreur incroyable et ses souliers avaient fait tant de kilomètres sur des dalles que, de désespoir, les talons en étaient tombés en miettes; ses cheveux, tordus en un chignon serré sur la nuque, étaient retenus par trois épingles à cheveux grandes comme des lardoirs.

Colette s'arrêta un instant derrière les épaules maigres secouées par les sanglots, puis elle s'élança d'un bond vers l'évier.

— Toinette ! murmura-t-elle.

Toinette sursauta et tourna la tête. Ses joues étaient bleuies par le froid et marbrées par les larmes, et toute la peau de son visage donnait l'impression d'être trop tendue sur les os. Ses petits yeux noirs se voyaient à peine tant ses paupières étaient gonflées et ils avaient le regard trouble et désolé d'un chien perdu.

— Qu'est-ce que vous venez faire ici, donc, Mam'zelle Colette ? demanda-t-elle d'une voix rauque.

C'était une enfant de l'Ile; elle n'avait abandonné son patois contre un mauvais anglais qu'en entrant au service du docteur. Colette qui se tenait fermement près d'elle n'eût pas compris grand-chose si on lui avait dit que Toinette était une pauvresse de la rue Clubin. Elle ne savait encore rien de la misère ni des coups sous lesquels Toinette avait lutté pour parvenir à vivre, ni du labeur et des mauvais traitements qui avaient empêché la pauvre petite de s'épanouir; elle sentait pourtant la différence qui existait entre elles deux et elle en éprouvait un grand trouble.

— Toinette, reprit-elle, faut-il vraiment que vous laviez tout ça ?

La petite servante fit un signe de tête affirmatif en prenant un plat sur l'énorme pile et en le plongeant dans l'eau grasse de l'évier. Sans s'arrêter une minute dans sa besogne, elle procédait comme une machine.

— Y a de la vaisselle de trois jours entassée là ! dit-elle d'une voix où se faisait entendre un nouveau sanglot.

Colette ouvrit des yeux tout ronds.

— Sophie lave la vaisselle tous les jours, chez nous ! dit-elle.

— Il a fallu que je m'en aille chez moi parce que ma mère est morte, Mam'zelle, dit Toinette, et quand je suis revenue, j'ai trouvé qu'on m'avait laissé trois jours de vaisselle à laver !

Il y avait dans ce réduit une telle atmosphère de tragédie que Colette en était sens dessus dessous. Puis elle se rappela que les gens qui meurent vont au ciel et elle en éprouva quelque réconfort.

— Avez-vous vu votre maman aller au ciel, Toinette ? demanda-t-elle. Avait-elle des ailes ?

La jeune servante la regarda d'un air morne.

— On l'a mise dans une boîte noire et on l'a portée en terre, répondit-elle. C'est la mère Tangrouille qu'a payé pour le cercueil — maman et moi avions point assez d'argent. Elle est bonne, la mère Tangrouille, tout plein bonne. C'est le monsieur qui vient la voir qui lui a donné l'argent.

Une boîte noire ? Colette avait toujours compris qu'on allait au ciel ! Elle considérait de ses yeux à fleur de tête les taches humides sur le mur et se sentait de plus en plus troublée. Et si l'on mettait aussi sa mère à elle dans une boîte noire ?

— Toinette ! s'écria-t-elle brusquement. Votre père n'est pas parti au ciel, n'est-ce pas ?

— J'en ai jamais eu ! répondit Toinette en frottant désespérément un plat où des taches d'œuf qui dataient de trois jours semblaient incrustées dans la faïence.

Pas de père ? Colette croyait que tout le monde avait un père ! Sa poitrine se gonfla d'une façon presque intolérable. Elle s'accrocha à Toinette en enfonçant sa tête dans ses jupes comme elle le faisait avec sa mère quand celle-ci avait la migraine.

— Ne faites pas ça, Mam'zelle, balbutia Toinette, vous me démolissez le bras.

Colette leva la tête pour examiner le bras de Toinette; il était tout bleu et tout contusionné.

— Est-ce que vous êtes tombée dans l'escalier ? demanda-t-elle en se rappelant certains souvenirs cuisants.

La jeune servante baissa la voix encore plus, en jetant autour d'elle des regards terrifiés.

— C'est Mme Gaboreau qui m'a fait ça. Elle m'avait dit de faire la vaisselle hier soir avant de me coucher; mais j'ai pas pu, j'avais trop mal à la tête. Et ce matin, quand elle a vu que j'avais rien lavé, elle...

On entendit à ce moment un pas lourd dans l'escalier. Toinette s'arrêta brusquement et la terreur de son regard envahit tout son visage d'une façon qui faisait mal à voir. Elle se remit à son travail avec l'activité fiévreuse de celui qui tente désespérément d'apaiser la vengeance des dieux.

Mme Gaboreau poussa la porte et entra dans la laverie. Elle ne voyait pas Colette, et sa figure portait une expression de cruauté telle que l'enfant n'en avait jamais vu.

Les sanglots de Toinette avaient cessé, étouffés par la terreur.

— Si cette vaisselle n'est pas faite d'ici une demi-heure, commença-t-elle d'une voix dure; puis elle aperçut Colette : " Bonté divine ! mon enfant, qu'est-ce que vous faites ici ? " dit-elle en sautant sur la petite fille et en la prenant par le poignet pour la faire sortir de la pièce.

— Si vous ne faites pas convenablement votre besogne, Toinette, vous aurez vos huit jours ! lança-t-elle par-dessus son épaule en refermant la porte.

— Où ira Toinette si vous la renvoyez ? demanda Colette en montant l'escalier.

— N'importe où ! répliqua Mme Gaboreau d'un air indifférent.

— Sa mère est morte, murmura Colette.

— Bon débarras ! dit la gouvernante. Il ne faut pas aller à la cuisine. Votre mère en serait malade si elle vous y voyait.

— Pourquoi ça ? demanda l'enfant.

— Vous ne devez pas fréquenter les basses classes, répondit Mme Gaboreau.

Colette ne comprit pas ce qu'elle entendait par là, mais elle fut frappée par le mot *basses*. Là-haut, dans la maison de Grand-papa, tout était joli et confortable; mais, en bas, il y avait un sous-sol tout noir et quelqu'un qui pleurait. Son bel univers venait de se briser à ses pieds et, en regardant par les fêlures, elle venait de découvrir, en dessous, un autre monde hideux. Son esprit d'enfant en fut bouleversé d'horreur. Elle avait envie de retourner près de sa mère, mais la matinée n'était pas même achevée, elle ne pouvait pas encore s'en aller chez elle. Elle dut rester à jouer aux jonchets avec Mme Gaboreau, dans le petit salon, empli maintenant de terreurs sans nom. Ce jeu l'amusait toujours, auparavant, et la gouvernante se montrait aussi aimable que d'habitude envers elle; mais Colette pensait sans cesse aux marques bleues du bras de Toinette, faites par Mme Gaboreau, et elle se demandait si celle-ci lui en ferait autant au cas où elle se rendrait insupportable. La petite fille se sentait effrayée comme elle ne l'avait encore jamais été. Toute sa vie, elle se rappela cette matinée, où elle avait connu la peur pour la première fois, et l'expression " les bas-fonds du monde " devait toujours lui causer un sentiment de répulsion.

A une heure, tout alla mieux, car on lui lava les mains et on lui brossa les cheveux pour l'envoyer déjeuner avec Grand-papa.

En entrant dans la salle à manger, avec ses boucles bien nettes et son tablier immaculé, elle craignait un peu que l'autre grand-père, entrevu dans le vestibule, ne fût là, mais il n'y était pas. Celui qui la souleva pour l'embrasser, avec un air de plaisir et d'affection répandu sur tout son visage, était son vrai Grand-papa et non l'autre. Tout allait bien : il avait dû s'en aller. Dans sa joie, elle en oublia tout à fait le double de son grand-père.

— Cette petite est venue déjeuner avec le vieux, n'est-ce pas ? bougonna aimablement le docteur du Frocq en lui chatouillant les côtes d'une façon qui la faisait toujours pleurer de rire. Hein ? Hein ? Sur mon âme, quelle petite caille ! Vous mangez trop, c'est sûr. Tout comme votre grand-tante Augusta. Morte d'apoplexie. Barker, donnez un siège à Mlle Colette ! Allons, hisse !

Barker, le valet anglais de Grand-papa, installa l'enfant sur une chaise où il avait empilé des coussins, et l'approcha du vieillard. Puis, d'un geste élégant, il lui déplia sa serviette et la lui fixa obligeamment sous le menton, ou plutôt sous ses mentons, car elle en avait trois.

— Est-ce que Votre Seigneurie voudrait s'amuser avec un morceau de poulet ? demanda Grand-papa.

Colette se mit à rire. Une des plaisanteries favorites du grand-père consistait à la traiter comme une grande dame délicate, douée d'un appétit capricieux. Après lui avoir mis sur son assiette un gros morceau de blanc, Grand-papa se retourna vers Barker.

— Donnez à Sa Seigneurie un peu de légumes, dit-il, à peine un soupçon, juste de quoi tenter son palais !

Barker, en clignant de l'œil, empila des légumes sur l'assiette de la petite fille et le repas commença.

Colette était trop occupée à absorber lentement et gravement cet excellent déjeuner pour dire grand-chose ; mais le vieillard bavardait, lui contait toutes sortes d'histoires sur des drôles de choses qu'il avait faites ou qu'il avait vues au cours de ses tournées dans l'Ile ; et elle l'écoutait avec joie, en posant parfois son couteau et sa fourchette quand le récit devenait particulièrement amusant, et en riant de son rire singulier. A ces moments-là, Grand-papa se sentait aussi fier que celui qui, dans un grand dîner, réussit à s'attirer un sourire de la plus jolie femme de la soirée.

Debout derrière son maître, Barker s'émerveillait de la transformation que causait la présence de Colette.

— Quand la petite est là, dit-il ensuite à la cuisinière, le vieux sacripant devient tout autre. On ne le reconnaît

plus. Dommage qu'elle ne vienne pas plus souvent, voilà
mon avis ! Ce serait plus agréable pour tout le monde.

— Oui, dit la cuisinière d'un air sombre.

Pendant qu'elle mangeait son morceau de poulet,
Colette se sentait parfaitement à son aise. C'était là le
monde qu'elle connaissait, le monde sûr et heureux où
chacun était bon et affectueux. Mais, tout à coup, pendant
qu'elle faisait disparaître sa platée de tarte, elle se rappela
l'existence de l'autre univers et laissa retomber sa cuillère
et sa fourchette dans son assiette.

— Qu'y a-t-il ? demanda Grand-papa. Vous vous
êtes bourrée jusqu'aux dents, hein ?

— Est-ce que Toinette a aussi de la tarte aux pommes
et de la crème ? dit Colette.

— Qui d... hum ! Qui est-ce donc que Toinette ?
demanda le grand-père.

— Elle est en bas avec les cafards, répondit l'enfant.

Barker toussa discrètement. Grand-papa, se tournant
brusquement, lui dit :

— Ne toussez donc pas ainsi ! Parlez !

— Toinette, Monsieur, est la jeune personne qui
aide la cuisinière ; c'est la fille de cuisine, Monsieur.

— La fille de cuisine ! s'écria le vieillard. Est-ce que
la fille de cuisine a de la crème ? Grands dieux, non !
Croyez-vous donc que je regorge d'argent ?

Son visage devenait si congestionné que Barker se
hâta de lui verser de l'eau dans son verre.

— Sa maman est morte, dit Colette ; on l'a mise dans
une boîte noire.

— Comment ? dit Grand-papa. Ma foi, je n'y peux
rien ! C'est la loi de la nature.

Barker toussa de nouveau.

— Laissez-nous, Barker, dit Grand-papa.

Barker s'éclipsa.

— Vous avez donc été à la cuisine avec les domestiques, mademoiselle ? demanda le vieillard d'un ton assez sévère quand Barker eut disparu.

— Oui, répondit l'enfant.

— Hein ? s'écria le docteur. Eh bien, vous me ferez le plaisir de ne pas recommencer, vous entendez ?

— Pourquoi donc ? demanda la petite fille.

— Il n'est pas convenable de vous mêler à vos inférieurs, répliqua le vieillard. Maintenant, finissez votre dessert.

Colette vida son assiette et la saveur de la crème apaisa le trouble de ses sentiments; cependant, elle continua de songer à Toinette jusqu'au soir.

Après le déjeuner, le docteur et sa petite-fille passèrent en se tenant par la main dans la bibliothèque pour y faire leur sieste. Colette ne voyait pas la nécessité d'en faire une, mais elle le demandait pour que Grand-papa se sentît tout à fait à l'aise en faisant la sienne... Rachel lui avait dit qu'il était bon d'agir ainsi en pareille circonstance.

Ils s'assirent face à face dans deux fauteuils si profonds que les jambes de Colette se projetaient en avant comme si elle eût été couchée. Grand-papa posa son journal sur sa tête, et la petite, ayant fait de même avec son mouchoir, ferma les yeux et croisa ses petites mains grassouillettes sur son ventre pour imiter l'attitude de son grand-père. Elle restait généralement ainsi dans une immobilité complète, à penser tranquillement à toutes sortes de choses, jusqu'à ce que Grand-papa, après un ronflement,

s'éveillât; mais, ce jour-là, dès qu'une série de ronflements
cadencés lui eut appris que le vieillard dormait, elle rejeta
le mouchoir qui lui couvrait la tête, descendit promptement de son siège, traversa la pièce en courant et sortit
dans le vestibule. Pendant qu'elle finissait sa tarte, elle
avait décidé de donner son collier de corail, le plus cher
de ses biens, à Toinette pour la consoler. Par une chance
étonnante, Rachel lui avait mis, ce matin-là, ce collier
au cou. Comme c'était Grand-papa qui le lui avait offert
pour son quatrième anniversaire de naissance, Rachel
avait pensé que le vieillard serait content de voir que la
petite le portait... Mais il ne l'avait même pas remarqué;
donc cela ne lui avait rien fait... Il arrive ainsi bien souvent
que les intentions charmantes des femmes restent sans
effet à cause de l'inattention des hommes.

Colette ouvrit la porte matelassée qui conduisait au
domaine de la cuisine et resta un instant perplexe. L'escalier sombre menait aux cafards du sous-sol, et un autre
escalier sombre menait aux souris des mansardes; or elle
ignorait où elle pourrait trouver Toinette, et elle voulait
la voir seule ! Heureusement, elle eut pour elle la bonne
chance, ou la coopération divine (comme vous voudrez
l'appeler), qui vient en aide aux actes charitables des
saints.

Pendant qu'elle restait ainsi dans l'incertitude, des
pas maladroits se firent entendre en bas et elle aperçut
presque aussitôt le dessus de la coiffe assez malpropre
de Toinette. Cette coiffe s'élevait des régions infernales,
arrivait au niveau de ses pieds, puis de ses genoux, et
finalement passa au-dessus d'elle.

— Toinette ! chuchota l'enfant.

La servante fit un bond de côté comme un lapin effrayé, puis porta la main à sa poitrine.

— Ce que vous m'avez fait peur, Mam'zelle ! marmotta-t-elle.

— Voilà pour vous, parce que vous pleuriez, dit Colette en lui tendant son collier de corail.

— Oh ! s'écria Toinette.

Ses yeux étincelaient de joie dans leurs paupières gonflées, comme des étoiles qu'on verrait scintiller au fond d'une eau profonde. Puis, en se reculant, elle se frotta les mains sur les jambes.

— Je peux point accepter ça, Mam'zelle, on me battrait pour avoir pris vos jolies choses, chuchota-t-elle.

— Personne ne le saura, dit Colette. Je vous en prie. Toinette, prenez-le !

Elle soulevait le collier et les petites boules de couleur luisaient dans l'obscurité comme des lampes minuscules. Toinette tendit ses mains glacées d'un air avide pour le toucher. Il était encore tiède de la chaleur du cou potelé de Colette. La jeune servante le saisit dans un transport d'affection pour la petite donatrice, qui s'enfuit en le lui laissant. Toinette poursuivit sa lente montée vers les mansardes ; à mi-chemin, elle s'arrêta, détacha le col droit de sa robe, mit le collier autour de son cou, puis boutonna le col par-dessus. Les perles dures, pressées par le col contre son cou maigre, la blessaient un peu, mais elle endura cette gêne dans le même sentiment de béatitude que le pèlerin qui marche vers la châsse de son saint patron avec des pois dans ses chaussures. Toutefois, l'amour du pèlerin pour le saint ne saurait se comparer à l'adoration passionnée de Toinette pour Colette, et les cierges allumés devant la châsse à la vue de tous ne peuvent être ni aussi chauds ni aussi brillants que l'était pour Toinette le petit collier rouge qui, dans l'ombre, suivait la cadence de son souffle.

Colette, revenue sans bruit dans la bibliothèque, grimpa sur le fauteuil, étendit son mouchoir sur sa tête, se croisa les mains sur le ventre, et quand son grand-père s'éveilla après un dernier ronflement, elle ressemblait tout à fait à un petit Bouddha immobile.

— Hein ? Comment ? dit Grand-papa. J'ai dû faire un somme. Vous aussi ?

Colette qui ne mentait jamais sourit largement sans mot dire.

— Vous avez des dispositions à être une sainte, grâce à d'excellentes dents et à des organes digestifs en parfait état, lui dit le vieillard. Veillez à ne pas trop manger et à ne pas laisser venir le diable.

— Oui, Grand-papa, répondit Colette.

— A la bonne heure ! Maintenant, jouons un peu au jacquet.

Colette n'était pas d'âge à suivre les difficultés de ce jeu, mais son grand-père prenait toujours plaisir à lui en expliquer les rudiments; il remuait ses pions pendant qu'elle secouait les dés et le temps passait très agréablement jusqu'à ce que Barker vînt servir le thé.

En général, les insulaires prennent le thé fort tard, entre cinq et six heures, avec des crabes ou des crevettes, du lait caillé et de la *gâche ;* mais Barker, qui ne pouvait supporter ces mœurs de rustres, avait réussi, après plusieurs années de patients efforts, à convaincre son maître que les gens *bien* ne se livraient jamais à ces bombances

indécentes et qu'une rôtie beurrée avec le thé, à quatre
heures, était le summum de la distinction. Tout en reconnaissant que sa position sociale exigeait qu'il fût distingué,
Grand-papa n'en appréciait guère ce signe visible. " Du
pain brûlé et de l'eau de vaisselle ", appelait-il cela; et il
gardait pour sa consommation privée un morceau de *gâche*
caché dans son coffre-fort.

Quant à Colette, elle trouvait admirable ce thé de
l'après-midi.

Le thé parfumé, couleur d'ambre, que vivifiaient
quatre morceaux de sucre, et que Grand-papa lui servait
dans une belle tasse de porcelaine, était très différent
du lait assaisonné d'un seul morceau de sucre et servi
dans une tasse bleue, tel que Rachel le lui donnait
à la maison; quant aux petites rôties beurrées, elles ne
vous rassasiaient certainement pas aussi bien que le pain,
la confiture et la gâche, mais elles étaient délicieusement
onctueuses et croustillantes.

Colette, dont le chagrin silencieux au sujet des misères
de ce monde avait été apaisé par l'offrande de son collier,
se sentait heureuse et à l'abri pendant qu'elle dégustait
son thé assez bruyamment et se barbouillait le nez de
beurre fondu.

Après le thé, toutefois, la terreur l'envahit brusquement
de nouveau. Mme Gaboreau vint annoncer qu'il était
quatre heures et demie et que Jacqueline serait là dans
un instant pour emmener sa sœur; elle entraîna donc
Colette dans l'intention de la préparer pour le départ.
La gouvernante était, à ce moment, fort en colère.
Toinette avait cassé deux plats et sa façon de supplier
en levant les mains comme une taupe morte exaspérait

au dernier point Mme Gaboreau. Sans mot dire, elle
conduisit Colette au premier étage et la pression de ses
doigts sur le petit poignet potelé faisait penser à un dur
bracelet de fer. La petite fille se sentait terrifiée. La main
froide de Mme Gaboreau la faisait frissonner de la tête
aux pieds, et à chaque détour de l'escalier, il lui semblait
entrevoir dans l'ombre des formes maigres qui sanglo-
taient.

Arrivée dans la chambre de la gouvernante, son effroi
redoubla. La pièce n'était éclairée que par une bougie
qui fondait et vacillait dans le courant d'air; la pluie
frappait et griffait la fenêtre comme une créature folle
qui eût essayé d'entrer, et le vent plaintif du matin s'était
transformé en une tourmente qui grondait et battait en
vain des ailes dans la cheminée.

— N'êtes-vous pas capable de ne pas vous salir en
mangeant ? Quelle petite fille dégoûtante vous faites !
dit Mme Gaboreau en frottant le petit visage maculé de
beurre avec une éponge froide et pleine de piquants, et
en secouant l'enfant par l'épaule.

Un sentiment d'injustice vint s'ajouter à la crainte de
Colette. Elle savait qu'elle n'était pas une petite fille malpropre. Elle restait toujours aussi soignée que les circonstances le permettaient; mais les circonstances étaient
parfois trop fortes pour elle, et comment résister à Barker
quand son affection l'entraînait à mettre au moins une
demi-livre de beurre sur sa rôtie ? Deux larmes surgirent
derrière ses cils, puis coulèrent sur ses joues.

— A propos de quoi pleurez-vous ? Et où donc est
votre collier de corail ? demanda Mme Gaboreau.

Colette dont les lèvres tremblaient ne répondit pas.

— Qu'est-ce que vous avez fait de votre collier de corail ? Répondez, petite ?

Colette secoua ses boucles. Son obstination ne fit qu'exacerber l'humeur déjà fort noire de Mme Gaboreau.

— Je ne peux pas vous renvoyer à votre mère sans votre collier, dit-elle d'un ton tranchant. Si vous ne me dites pas ce que vous en avez fait, vous allez recevoir une gifle. Vous n'êtes qu'une sotte et qu'une entêtée !

Avec le courage et la droiture des saints, Colette ne voulait ni se sauver par un mensonge ni livrer Toinette en disant la vérité. Elle ne broncha pas et Mme Gaboreau lui envoya une gifle magistrale.

C'était la première fois que l'enfant recevait des coups et il lui sembla qu'un tremblement de terre venait d'ouvrir le sol sous ses pieds. Dans la matinée, elle avait jeté les yeux par une fissure où des horreurs lui étaient apparues ; maintenant, ces horreurs s'élançaient sur elle et la suffoquaient. La cruauté, l'effroi, le chagrin, la souffrance bondissaient dans la chambre obscure en dansant une ronde infernale et elle sentait un linceul de ténèbres se refermer sur elle et l'étouffer. Folle de terreur, elle s'échappa de la chambre, et tout en courant, elle entendait encore le grattement fou aux vitres et le battement d'ailes tourmenté à l'intérieur de la cheminée.

Elle descendit l'escalier à toute vitesse, suivie de Mme Gaboreau qui portait son chapeau et ses souliers, et elle tomba la tête la première le long des six dernières marches et jusque dans les bras du docteur, qui l'attendait en bas.

— Hein ? Comment ? s'écria-t-il. On dirait, ma parole, que les furies sont à vos trousses !

Elles y étaient en effet, mais l'enfant ne pouvait donner aucune explication; toute haletante, elle restait silencieuse, le visage plongé dans la barbe de son grand-père.

— Elle a eu peur de quelque chose, dit Mme Gaboreau en arrivant derrière elle. C'est une enfant bizarre, par moments. Une éducation bizarre aussi, si j'ose dire.

— Hum! dit le docteur en échangeant un coup d'œil avec la gouvernante.

Tous deux tenaient en piètre estime Rachel et ses façons de faire.

Colette tremblait encore d'effroi pendant que Mme Gaboreau lui mettait ses chaussures, son manteau et son béret et elle se suspendait par moments à son grand-père pour qu'il la protégeât des puissances diaboliques qui semblaient émaner de Mme Gaboreau. A un moment où elle levait les yeux vers lui, elle revit, dans la lumière basse, les traits de l'homme qu'elle avait aperçu le matin, avec des poches sous les yeux et une bouche aux coins tombants; dans un nouveau spasme de frayeur, elle laissa retomber sa main qui s'accrochait au veston de son grand-père : sa dernière protection lui échappait! On entendit, à ce moment, un coup de sonnette... C'était Jacqueline.

Mme Gaboreau alla ouvrir la lourde porte d'entrée et Jacqueline apparut sous le lampadaire du porche, comme un visiteur venu d'un autre monde. Son béret avait l'éclat d'une baie de houx, son visage fouetté par le vent était couleur de rose rouge et ses yeux étincelaient tout en portant la douceur d'une singulière joie intérieure. Il était évident qu'une aventure merveilleuse venait d'arriver à Jacqueline. Immobile sur le seuil, elle souriait avec innocence et personnifiait, en vérité, l'amour et la netteté de Bon Repos; mais elle ne dépassait pas ce seuil comme s'il y eût eu là une ligne de démarcation entre son monde et l'autre. Derrière elle, le vent du soir limpide qui envoyait son souffle frais dans la maison trop fermée enleva Colette comme un duvet et la lança dans les bras de sa sœur.

— Elle n'a même pas dit adieu à son vieux grand-père, n'est-ce pas ? gémit le vieillard.

Dans la sécurité du seuil de la porte, Colette se retourna vers le vestibule et vit Grand-papa et Mme Gaboreau qui se tenaient là, non plus terrifiants, mais vieux et pitoyables, pauvres personnages enfermés en eux-mêmes, loin d'un monde dont ils ignoraient même l'existence. Dans un élan de courage et d'affection, Colette courut les embrasser, puis revint en toute hâte se remettre en sûreté près de Jacqueline.

Le vieillard et la gouvernante restèrent un instant à regarder la porte fermée, avec le sentiment d'avoir fait une perte, mais ils sentaient, toutefois, qu'un peu de la clarté cristalline de Colette demeurait dans la maison sombre, perçait les vapeurs des mauvaises pensées, les rendaient moins épaisses et les rejetaient pour un instant dans les coins obscurs. Puis Mme Gaboreau poussa un soupir et se dirigea vers l'escalier.

— Cette chère petite ! dit-elle. Je voudrais qu'elle vienne plus souvent. J'ai peur d'avoir été un peu vive à son égard. J'ai assez d'ennuis pour perdre patience, pour sûr !

A la pensée de Toinette et de son exaspérante incompétence, la bouche de Mme Gaboreau se referma brus-

quement comme un piège et les mauvaises pensées se
disposèrent à revenir d'exil.

Le docteur grommela peu aimablement et retourna
dans la bibliothèque dont il fit claquer la porte en la refermant. Il s'assit devant le feu pour fumer un cigare et
bougonna devant les charbons rouges. Il avait effrayé
Colette de quelque façon, aujourd'hui. Elle s'était écartée
de lui dans le vestibule. Pourquoi ? Le souvenir de ce
geste pesait à ses épaules. Il lança un juron et se mit à
bousculer le feu avec le tisonnier. Allait-il la perdre, elle
aussi ? Les uns après les autres tous s'étaient écartés de
lui et l'avaient abandonné : sa femme, Jean, André, les
aînés de ses petits-enfants, et maintenant — Colette allait-
elle aussi s'en aller ? Dieu savait pourtant qu'il avait été
bon mari, bon père et bon grand-père ! Un peu autoritaire
peut-être, sans patience envers les idées du dehors, mais
cela n'en valait sûrement que mieux chez un chef de
famille. Les jeunes sauvages, tels que Jean l'avait été
autrefois, avaient besoin de sentir la cravache pour se
former, et les imaginations inutiles telles qu'André en
avait eu jadis doivent être détruites en germe pour
qu'un garçon ne devienne pas, dans l'avenir, un serin
trop sensible. Était-ce de sa faute si le fouet et les rênes
avaient excité son aîné jusqu'à la fureur et jeté l'autre
dans une solitude morbide ? Non, la faute venait d'eux.
Ils avaient hérité de leur sotte de mère la passion de la
liberté dans leurs pensées et dans leurs actes, et c'est ce
qui l'avait rendu enragé et avait causé leur perte. " La
liberté ! " Que de fois sa femme et ses fils avaient employé
ce mot détestable en lui parlant ! Il en avait horreur. Que
de fois Jean lui avait réclamé la liberté de vivre sa vie,

comme André de penser ce qu'il voulait ! Et que de fois
sa misérable piailleuse de femme s'était plainte, à tort et
à travers, de ce que son mari la possédât cruellement de
corps, d'âme et d'esprit, et l'avait supplié de la laisser
libre de respirer et de penser un peu, d'être elle-même
une fois par hasard, sinon elle en mourrait !... Et elle en
était morte, l'imbécile !... A cette pensée, le vieillard se
leva et se mit à parcourir la pièce à courtes enjambées
qui témoignaient de son irritation. Pour lui, la vie était
une affaire d'efforts disciplinés vers le bien-être matériel,
où l'humanité devait être conduite avec l'ordre et la régu-
larité d'une armée dirigée par ceux que la froideur de leur
jugement et la force de leur caractère désignaient comme
chefs — ce qui était son cas. Ces chefs avaient le droit
d'exiger de leurs subordonnés une obéissance passive,
l'abandon complet de leur personnalité et un service
loyal autant qu'admiratif... La liberté !... foutaise !...
Cela menait au chaos... Chacun de ses fils avait suivi sa
propre voie, et où en étaient-ils maintenant ? Jean, plus
que probablement mort dans une maison de jeu, et André,
raté sentimental, vivant aux crochets de sa femme. A la
pensée de sa belle-fille, les réflexions du vieillard prirent
un tour positivement féroce. Elle avait toutes les qualités
qu'il admirait le plus chez un homme : un jugement froid,
un caractère fort et le don de commandement; mais chez
une femme, ces facultés l'exaspéraient. Les femmes
n'avaient nullement le droit de diriger — elles devaient
se laisser diriger. Leur rôle consistait à suivre docilement
à l'arrière-garde avec l'intendance, et non à s'emparer
du drapeau, de l'épée et des éperons au premier rang de
la bataille. Rachel, cette maudite femme, s'était instituée

chef et tutrice des siens au lieu de laisser ce rôle à son beau-père, et on pouvait voir tous les désastres qui en étaient résultés ! Toute leur entreprise menacée de banqueroute et ses petits-enfants éloignés de lui. Le diable emporte cette femme ! D'ailleurs, tous les malheurs du monde venaient des femmes. Il n'y avait qu'à voir sa femme et sa belle-fille : à elles deux, elles avaient gâché sa vie.

Les réflexions furieuses du docteur du Frocq se terminèrent soudain dans une violente envie de boire quelque chose. Il s'arrêta de tourner en rond dans la pièce pour aller brusquement tirer la sonnette. Pendant que, devant le feu, il attendait en silence la venue de Barker, il eut tout à coup conscience d'une façon assez agréable du vent et de la pluie qui grattaient à la fenêtre comme une créature folle essayant d'entrer, gémissant et battant des ailes dans la cheminée — cris inarticulés du faible écrasé par le fort. Il lança un juron et empila des charbons sur le feu pour que le ronflement des flammes étouffât ces plaintes.

III

Si l'esprit de Colette avait, pour la première fois ce jour-là, voyagé jusque dans les ténèbres qui entourent la vie humaine, Jacqueline, familiarisée depuis longtemps avec la peur et la souffrance, avait fait un plus grand voyage encore : elle était allée à travers le cercle des ténèbres jusqu'à celui de la lumière infinie.

" J'ai vu, l'autre nuit, l'éternité comme un grand cercle

de lumière infinie ", écrivait le poète Vaughan; mais dans la vision qu'en avait eue Jacqueline, ce jour-là, c'était plutôt quelque chose d'analogue à l'infini du ciel, enclos seulement là où il entourait le ballon de ténèbres qui enfermait l'humanité, et lançant ses flèches de lumière pour atteindre les hommes à travers ces ténèbres. C'est ainsi que cette lumière avait pénétré Jacqueline. Comme toujours, l'accident le plus banal avait servi de pointe à cette flèche : Jacqueline avait brisé un vase et, par là, trouvé Dieu.

Cela ne s'était pas fait en un jour; le voyage avait commencé dès son entrée au couvent; mais cette journée pluvieuse et venteuse de décembre l'avait vue entrer au port et jeter l'ancre. Cette journée resta toute sa vie dans son souvenir comme celle de son arrivée à la pension, qui lui semblait maintenant dater de plusieurs siècles tant elle avait fait de chemin depuis lors. C'était par un beau matin de septembre dont la chaleur était frangée d'une fraîcheur délicieuse et d'une clarté cristalline. Jacqueline, le cœur palpitant de frayeur et en serrant la main de sa mère, avait monté avec elle les degrés escarpés qui menaient au couvent, et elles avaient passé le portail de la vieille église avant d'arriver à la lourde porte bardée de fer de la pension. Rachel dut utiliser ses deux mains et toute sa force pour mettre en branle la grande sonnette dont le son creux parut terrible à Jacqueline et évoqua aussitôt dans son esprit des donjons, des rats et des tortures, ce qui la fit trembler de tous ses membres. Quand le battant grinça et s'ouvrit, une immense paire de lunettes apparut et, derrière ces lunettes et presque effacée par elles, une figure âgée encadrée de lin blanc.

— Rachel, mon enfant chérie ! s'écria la personne aux lunettes, d'une voix douce un peu aiguë.

Après des grincements et des grondements de verrous, la grande porte s'ouvrit et révéla la minuscule personne vêtue de noir qu'était Sœur Ursule. Elle se dressa sur la pointe des pieds pour serrer la grande Rachel dans ses bras et l'embrasser sur les deux joues ; car de toutes les élèves que Sœur Ursule avait instruites entre les murs du vieux couvent, Rachel était celle qui lui faisait le plus honneur. La beauté corporelle et spirituelle de la jeune femme était peut-être due en partie à son hérédité et à la façon dont sa mère l'avait élevée ; mais, en tout cas, Sœur Ursule tenait cela pour négligeable et en reportait tout l'honneur sur elle-même et sur Sœur Monique, tout en admettant, bien entendu, que la grâce de Dieu et l'intercession des saints avaient contribué à seconder leurs efforts.

Elle gazouillait maintenant comme un oiseau, en se tournant tour à tour vers Rachel et vers Jacqueline, qu'elle avait également pressée sur son cœur, et avec volubilité, elle ponctuait sa causerie de réflexions sur la beauté, le charme de Jacqueline, son front intelligent et sa ressemblance avec sa chère mère. Jacqueline se sentait toute réconfortée. Ce n'est pas de cette manière que Mlle Billing l'avait accueillie quand elle était arrivée au collège Sainte-Marie. Ici, au moins, il y avait une femme susceptible de l'apprécier à sa juste valeur et qui se rendait compte que Jacqueline du Frocq était une créature exceptionnelle, dont l'intelligence et la beauté dépassaient de très loin la normale. Elle se jeta au cou de Sœur Ursule et l'embrassa dans un élan de gratitude ; l'amour, alors, ouvrit ses ailes aussi soudainement que la fleur du mouron rouge s'ouvre aux baisers du soleil.

Cependant, si Jacqueline devenait enthousiaste, Rachel, par contre, commençait à s'inquiéter. Elle se disait que cette excellente Sœur Ursule allait causer la perdition de sa fille. Pour ce geai paré de plumes du paon qu'était Jacqueline, la flatterie ne pouvait qu'être désastreuse. Chose bizarre, Rachel se trompait : les éloges des Sœurs assurèrent, en fin de compte, le salut de Jacqueline.

— Ma chère Rachel, disait Sœur Ursule, en conduisant la mère et la fille le long d'un corridor de pierre, puis en les faisant monter un escalier fort raide aux marches nues, je ne saurais dire à quel point nous sommes touchées de vous voir confier votre fleur précieuse aux soins de vos vieilles maîtresses. Cela prouve, ma chère Rachel, ajouta-t-elle en agitant un doigt d'un air grave, que vous comprenez combien l'éducation inspirée par notre sainte Église, qui se donne entre les murs de ce couvent, est la seule qui puisse convenir à une fillette catholique.

En disant ces mots, elle releva ses jupes sur ses bottines à élastique et se retourna pour continuer à monter l'escalier.

Rachel se disait avec remords qu'une seule de ses filles allait être élevée au couvent, et cela grâce à l'influence d'un inconnu peu recommandable sans doute, jeté par un naufrage à Bon Repos. Elle rougit violemment et suivit Sœur Ursule en silence.

— N'est-ce pas vrai, ma chère enfant ? reprit soudain la Sœur, parvenue au palier.

— Je n'oublierai jamais tout ce que j'ai appris ici, dit Rachel en toute sincérité.

Si elle avait appris peu de chose, ce peu lui avait été d'un prix inestimable.

Sœur Ursule ouvrit une porte et les fit entrer dans la classe baignée de soleil qui surplombait la mer. Rachel s'en souvenait si bien ! Depuis son temps, on n'y avait rien changé : elle voyait là les mêmes murs blanchis à la chaux, les mêmes tables maculées d'encre et les mêmes fillettes, aux nattes tombant sur des tabliers noirs, qui travaillaient avec des cahiers et des grammaires démodées, les mêmes coussinets à dentelle, chargés de gais fuseaux perlés, qui reposaient sur un banc devant le mur, en attendant la leçon de dentelle de l'après-midi, le même tableau noir fissuré, le même crucifix pendu au mur, avec un vase de fleurs placé au-dessous, sur une tablette, la même mer scintillante, murmurant derrière les fenêtres, la même paix sereine envahissant la salle, l'emplissant, la baignant toute de son doux flot.

Pendant un instant, Rachel se sentit submergée par l'impression de tendre sécurité qu'elle avait toujours connue au couvent, mais elle en fut vivement distraite en s'apercevant que les fillettes assises devant les longues tables étaient toutes des enfants de commerçants. Autrefois, les élèves se recrutaient dans les milieux les plus distingués, tandis que, maintenant, depuis l'ouverture du nouveau collège, le niveau social des bonnes sœurs semblait avoir légèrement baissé. Rachel en fut assez contrariée. Elle se disait que Jacqueline, trop portée déjà à se donner des airs supérieurs, allait, du fait de sa meilleure éducation, se sentir établie sur un piédestal, ce qui ne pouvait manquer de la rendre tout à fait insupportable. Avec sa gaieté et son affabilité coutumières, elle prit

congé de sa fille et de Sœur Ursule, mais c'est le cœur
très lourd qu'elle quitta le couvent... Cette enfant allait
être perdue !... Elle aurait dû l'envoyer de nouveau à
Sainte-Marie !... Tout le long du chemin qui la ramenait
chez elle, elle regretta que Ranulph Mabier eût jamais
mis les pieds dans l'Ile, et elle se considéra comme une
idiote avec sa manie de croire aux pressentiments et aux
fantaisies sans plus de bon sens que le " Faeu Bellengier[1] "
lui-même.

Cependant, Rachel se trompait et Ranulph avait raison.
Le couvent fut pour Jacqueline le chemin du bonheur.
Toutes ses petites poses, ses pensées vaniteuses et ses
mensonges incessants venaient d'un sentiment d'infériorité inconscient. A Sainte-Marie, il lui fallait jouer un
rôle d'emprunt ou s'avouer inférieure, tandis qu'au
couvent on la prenait telle qu'elle était. Les leçons très
simples ne lui fatiguaient pas l'esprit, l'affection sans
critique des bonnes sœurs, qui étaient fières de l'avoir
comme élève, réchauffait son cœur affamé, et l'admiration
de ses compagnes, qui la plaçaient sur un piédestal en
vertu de sa naissance et de sa beauté, lui était un baume.
Elle ne cherchait plus sans cesse à forcer l'affection des
autres, ni à lutter pour atteindre un niveau trop élevé
pour elle, ni à s'exténuer pour jouer un rôle. Ses nerfs
se détendaient si bien que, quinze jours après son entrée
au couvent, elle avait engraissé au point que Rachel dut
élargir ses ceintures; et, chose étrange, elle devenait moins
poseuse; elle était reconnaissante de l'affection qu'on
lui témoignait; or, la gratitude va de pair avec l'humilité

1. Feu follet. (N.D.L.T.)

comme la santé avec l'équilibre. Elle n'avait jamais su, jusqu'alors, ce que c'était que de se sentir bien portante, tandis que, maintenant, cette vie sereine lui donnait un tel bien-être qu'elle en arrivait presque à oublier son existence. A vivre sans lutte et sans effort, elle perdait toute pénible conscience d'elle-même, et son horizon, en s'élargissant, l'habituait à tenir compte de Sœur Ursule si menue, de la plantureuse Sœur Monique, de ses compagnes, du petit chat, des coussinets à dentelle et des métiers à broder — par-dessus tout, peut-être, de ces métiers à broder, car à toutes les autres joies venait de s'ajouter la découverte de son adresse manuelle. Sœur Monique s'était aperçue que Jacqueline avait des doigts de fée : ils pouvaient manier les fuseaux et l'aiguille avec l'adresse d'une active petite araignée occupée à tisser une toile précieuse — et elle ne s'en était jamais douté ! Elle pouvait faire naître sur du satin crème tout un jardin de roses rouges et de lis d'or et composer avec du fil blanc des papillons, des pâquerettes et des étoiles de Bethléem — et elle avait toujours ignoré qu'elle possédait ce talent !

— Mon enfant, n'avez-vous donc jamais fait de broderie au collège Sainte-Marie ? lui demanda la grosse Sœur Monique, un après-midi qu'elles brodaient ensemble une nouvelle bannière (composition étonnante où des lis et des roses fleurissaient autour d'une Vierge vêtue d'une robe bleu roi).

— On nous apprenait à repriser, dit Jacqueline, en retenant son souffle pendant qu'elle nuançait un pétale de fleur qui devait contenir tout le dégradé des teintes allant de la nuance d'un œillet giroflée au rose brillant d'une églantine.

Un grognement de mépris s'échappa du nez romain de Sœur Monique. C'était une forte femme, franche et droite, qui reniflait pour rien.

— Repriser ! s'écria-t-elle. N'importe quelle sotte peut repriser — et même une païenne ! C'est un don naturel, comme de manger ; tandis que la faculté de broder est un don de Dieu.

— Ah ? fit Jacqueline avec intérêt, en posant son aiguille enfilée de soie rouge comme une libellule sur son ouvrage.

— C'est un don de Dieu, répéta Sœur Monique, et on aurait dû le découvrir en vous. On se figurait, je suppose, faire votre éducation au collège Sainte-Marie ?

— Je pense que tel était le but, en effet, dit Jacqueline. On nous enseignait tout, là-bas, la géométrie, l'algèbre, la littérature, l'histoire...

Sœur Monique l'interrompit par un nouveau reniflement.

— On vous instruisait peut-être, mais on ne vous élevait pas, dit-elle.

— Ah ? répondit Jacqueline.

Sœur Monique jeta ses ciseaux sur la table, ajusta ses lunettes et se lança dans son sujet favori avec un vigoureux entrain.

— La fonction d'un éducateur, déclara-t-elle, c'est de découvrir dans chaque enfant les dons que Dieu y a semés et de les développer pour les consacrer à Son service.

Sœur Ursule, assise près d'elle avec une *Vie des Saints* sur les genoux, et qui attendait pour en faire une lecture à haute voix que Sœur Monique voulût bien arrêter son discours, fit entendre une parole indulgente en faveur du collège Sainte-Marie.

— Il est parfois très difficile, dit-elle, de découvrir quels dons (s'il y en a) ont été semés par Dieu dans une créature humaine. Et quand une pension doit s'occuper d'un si grand nombre de fillettes...

— Des femmes douées du moindre discernement peuvent découvrir en un clin d'œil les aptitudes d'un enfant, interrompit Sœur Monique. Jacqueline n'était pas avec moi depuis dix minutes que je savais déjà, rien qu'à la forme de ses mains, qu'elle serait capable de broder. A Sainte-Marie, autant que je puis voir, on n'a rien découvert du tout, sinon qu'elle était une oie en géométrie, en algèbre, en littérature, en histoire. Leurs découvertes étaient toutes négatives, et non positives; or, les découvertes négatives ne sont d'aucune utilité pour servir Dieu.

Jacqueline rougit fortement; elle se sentait encore blessée quand on la traitait d'oie.

— Vous n'avez pas besoin de rougir ! s'écria Sœur Monique d'un air revêche. Cela n'a aucune importance pour vous d'être une oie dans le domaine intellectuel. Ce qui importe c'est que les quelques dons que vous possédez soient consacrés au service de Dieu... Je ne vous ai pas vue vous servir de votre aiguille depuis cinq minutes.

L'aiguille inactive de Jacqueline s'enfonça aussitôt dans le cœur de la rose pendant que les sages paroles de Sœur Monique s'enfonçaient dans son esprit.

— Alors, cela ne fait rien qu'on ne soit pas un aigle ? demanda-t-elle.

— Bien sûr que non ! Pourquoi cela aurait-il de l'importance ? répondit la Sœur. Dieu a besoin de vous telle qu'il vous a faite, et non autrement. Ses desseins exigent que nous soyons tous doués de façon différente. Ce serait du joli si nous étions tous des aigles ! Il n'y aurait plus personne pour avoir l'intelligence de cuire un œuf à la coque ou de chercher l'heure d'un train dans un indicateur !

Tout cela était du nouveau pour Jacqueline et cicatrisait comme une onde fraîche les coins malades et desséchés de son âme.

— Dois-je lire ou non des passages de la vie du bienheureux saint François ? demanda Sœur Ursule d'un ton où perçait une légère aspérité. Nous sommes soi-disant à l'heure du silence.

— Oui, ma sœur, je vous en prie, répliqua gracieusement Sœur Monique. Je parlais seulement en attendant que vous commenciez.

Sœur Ursule lut des pages de la vie de saint François que Jacqueline écouta avec surprise. Cet idéal de pauvreté était aussi tout nouveau pour elle.

— Alors, peu importe ce qu'on possède ? demandat-elle quand la lecture fut achevée.

— Bonté divine, mais bien sûr ! dit Sœur Monique. Pourquoi en serait-il autrement ?

— Mais on n'a aucun succès tant qu'on ne possède pas quelque chose, fit observer Jacqueline.

— Quelles choses ?

— La beauté, l'intelligence, la fortune, de beaux vêtements, dit Jacqueline. *Quelque chose* qui fasse que les autres vous admirent.

Sœur Monique poussa un grognement.

— Que vous ayez du succès ou non, cela n'a pas la moindre importance... Pourquoi donc auriez-vous du succès ?

— Cela me rend heureuse de sentir qu'on m'admire, marmotta Jacqueline, en rougissant de nouveau très fort.

— Quelle importance cela peut-il avoir que vous soyez heureuse ou non ? répliqua Sœur Monique. Rien n'importe que de servir Dieu... Bonté divine ! on ne vous a donc jamais rien enseigné ? Vous n'avez même pas l'air de connaître les rudiments de votre religion !

Quand Jacqueline rentra, ce soir-là, chez elle, toutes les anciennes valeurs de son existence se trouvaient dans la plus grande confusion. En réalité, le premier mois qu'elle passa au couvent fut une période de transformation intérieure et de réadaptation, facilitées par sa santé physique. Il s'agissait alors plutôt de déblayer que de construire. Ce ne fut qu'au cours du deuxième mois qu'ayant brisé le vase de la classe, elle vit s'ouvrir les portes du paradis.

Ce vase était un affreux produit de Birmingham que, depuis des années, on plaçait sur une tablette au pied du crucifix. Sœur Ursule l'admirait beaucoup; l'été, elle l'emplissait de fleurs fraîches; l'hiver, elle y mettait du houx et du statice séché. Elle y tenait comme à la prunelle de ses yeux et n'autorisait jamais personne à y toucher.

Un matin, au début de novembre, Jacqueline suivait avec ses compagnes une leçon de Sœur Monique sur la grammaire anglaise. C'était une leçon très simple et bien à sa portée; elle tenait la tête de la classe et s'amusait avec entrain. Toutes les élèves s'amusaient, d'ailleurs; mais il n'en était pas de même de Sœur Monique qui détestait la grammaire et n'avait pas l'intention d'en absorber jamais plus que les rudiments. Elles étaient toutes plongées dans leur travail quand la porte s'ouvrit brusquement en livrant passage à Sœur Ursule dont le vieux visage était tout rose d'excitation et qui portait une brassée de chrysanthèmes.

— Cela vient de la serre du Lieutenant-Gouverneur, dit-elle en haletant. J'ai toujours dit que cet homme valait mieux qu'on ne le pensait. Nous allons pouvoir faire de la chapelle un vrai bosquet. Les enfants vont-elles m'aider à les arranger, ma Sœur ?

Sœur Monique ajusta ses lunettes pour regarder la pendule. La leçon de grammaire devait durer encore vingt minutes, mais comme ses élèves en savaient déjà beaucoup plus qu'elle n'en savait elle-même et que, d'autre part, elle trouvait très fatigant de se maintenir à leur niveau, elle inclinait à l'indulgence.

— Vous n'ignorez pas, ma Sœur, que je n'aime guère à interrompre mes leçons, dit-elle d'un ton sévère à Sœur Ursule ; mais, bien entendu, si vous y tenez...

— Cela fait tant de bien aux élèves d'apprendre à décorer la chapelle, dit Sœur Ursule d'un ton suppliant ; surtout quand je suis pressée ! ajouta-t-elle.

— Entendu pour cette fois, dit Sœur Monique d'un air complaisant.

A ces mots, les élèves bondirent avec des cris de joie ; puis Jacqueline jeta un coup d'œil sur le vase de Birmingham. Les gelées s'étaient produites de bonne heure, cette année-là, et les reines-marguerites qu'il contenait n'étaient vraiment pas dignes d'être placées au pied du crucifix.

— Puis-je prendre ce vase pour en refaire le bouquet ? demanda-t-elle.

Sœur Ursule hésita : nulle autre main que la sienne n'avait jamais touché ce trésor précieux. Puis elle céda : c'eût été peu charitable de désappointer cette enfant.

Jacqueline emporta l'affreux objet dans la petite office où l'on préparait, d'habitude, les vases de la chapelle; et un brouhaha de fillettes jacassantes, d'eau courante, de brocs heurtés se fit entendre, sur lequel planait le parfum piquant des chrysanthèmes blancs, or et bronzés. Sœur Ursule suivait Jacqueline et son vase avec les gloussements frénétiques d'une poule qui voit le caneton qu'elle a élevé se diriger vers la mare. Jacqueline en éprouvait une certaine irritation. Comme si l'on ne pouvait lui confier le soin de faire un bouquet sans penser qu'elle allait casser le vase !

— Ne le posez pas dans l'évier, Jacqueline ! dit Sœur Ursule d'un ton suppliant, car vous le casseriez. Mettez-le sur la table et emplissez-le d'eau avec le broc.

— Oui, ma Sœur, répondit Jacqueline.

Or, il arriva qu'au moment d'emplir le vase, la fillette se trouvait seule avec le petit chat dans l'office. Elle avait passé beaucoup de temps à choisir ses fleurs, et ses compagnes se trouvaient déjà dans le passage conduisant à la chapelle, titubant un peu sous le poids des vases chargés des lourds chrysanthèmes, et suivies de Sœur Ursule, caquetant à leur suite. Jacqueline sentait qu'elle devait se hâter. Cela allait bien plus vite d'emplir le vase dans l'évier ! Mais juste au moment où l'eau en débordait, le petit chat s'élança sur sa jambe gauche et s'y suspendit en lui enfonçant ses griffes dans le mollet. Jacqueline poussa un cri en chancelant; le vase de Birmingham alla heurter le rebord de l'évier et se brisa en miettes.

L'instinct qui la poussait à fonder son jugement sur la supposition qu'elle avait toujours raison, quoi qu'il advînt, et que les faits devaient répondre à cette hypothèse, cet instinct était encore si fort chez Jacqueline qu'avant de se rendre compte de ce qu'elle faisait, elle avait groupé tous les objets de l'office de manière à témoigner de sa vertu. Après avoir enlevé de l'évier les fragments du vase, elle les disposa sur la table en plaçant par-derrière le petit chat dans une attitude de contrition; puis elle se mit à genoux par terre comme pour ramasser des morceaux, et elle versait des larmes sincères sur les iniquités de la race féline quand Sœur Ursule revint de la chapelle.

— Le petit chat l'a renversé! s'écria Jacqueline en sanglotant et en se jetant dans les bras de la Sœur.

Celle-ci l'embrassa et la consola, bien que des larmes de regret pour le fameux vase apparussent derrière ses lunettes, et elle s'entendit avec Jacqueline pour blâmer le petit chat de tout son cœur.

— Vous n'avez rien fait de mal, mon chou, murmura-t-elle d'une voix douce. Vous avez rempli le vase sur la table, exactement comme je vous l'avais dit. C'est de ma faute; je n'aurais pas dû laisser Minet dans l'office. Allons, allons, ne pleurez pas ainsi, ma petite Jacqueline, la faute en revient à moi et au chaton. Ah! c'est un vilain chaton!

Celui-ci qui levait sa queue comme une bannière en guise de protestation, en en faisant mouvoir légèrement la pointe, sauta par terre et sortit fièrement de l'office avec une dignité incomparable.

Le couvent fut plongé dans la tristesse pour tout le reste de la journée. Sœur Ursule aimait ce vase comme une mère aime son enfant unique. Elle l'avait empli de fleurs et mis au pied du crucifix, chaque jour, pendant quarante-cinq ans ! Elle n'eut pas un mot de reproche, mais on la vit aller et venir toute la journée, les yeux rouges, si bien que tout le monde, au couvent, prenait part à sa peine. On ressortit d'un placard un très beau vase vénitien, couleur de mer, et effilé comme un lis; on l'emplit de chrysanthèmes dorés et on le plaça sous le crucifix où sa beauté fit l'effet d'une bonne action dans un méchant monde; mais cela ne consola ni Sœur Ursule ni les autres, et Jacqueline moins que quiconque !

Jacqueline, victime de la sottise du chat, se voyait l'héroïne du jour, ce qui lui eût procuré, naguère, un vif plaisir, mais ne lui en causait plus aucun. Elle avait perdu, jusqu'à un certain point, depuis un mois, l'habitude de se voir telle qu'elle voulait paraître et elle commençait à connaître cette humiliante et désagréable sincérité qui nous permet de nous voir tels que nous sommes. Pour la première fois depuis son entrée au couvent, elle revint, ce soir-là, chez elle, dans un état de grande dépression, et Rachel choisit précisément ce moment pour lui annoncer à brûle-pourpoint la nouvelle terrible que les bonnes sœurs désiraient qu'elle se préparât à communier et à faire, dans ce but, sa première confession en décembre.

A partir de ce moment, Jacqueline se trouva, de nouveau, plongée dans son ancien état de terreur et d'angoisse morbides. Elle ne connaissait plus que deux mots : péché et confession. Deux faits seulement dans le vaste monde lui semblaient clairs : d'abord, que ses péchés, et surtout

l'affreux mensonge au sujet du vase et du chat, étaient
les pires qu'on pût trouver, puis qu'elle ne pourrait jamais,
jamais, les confesser. Il serait difficile de dire ce qui l'effrayait
le plus dans le supplice qui la confrontait : la pensée
d'être enfin obligée de se voir telle qu'elle était et d'avoir
l'humiliation de mettre une autre personne dans le secret
de ses affreux méfaits, ou bien la peur d'avoir, selon toute
probabilité, à avouer la faute à Sœur Ursule, ce qui lui
ferait perdre son affection. Le fameux vase envahissait
tout son horizon; il rendait terrible à supporter le fardeau
qui l'étouffait. Ce péché, cette désobéissance, cette trom-
perie paraissaient bien pires que tous ses autres péchés
et plus impossibles à confesser. W. S. Gilbert disait un
jour que le mot *Basingstoke* pourrait servir de talisman
pour calmer les nerfs; le mot *Birmingham* resta désormais
pour Jacqueline associé au souvenir d'une agitation
douloureuse. Des journées d'épuisement succédaient à
de longues nuits d'angoisse nerveuse et Jacqueline mai-
grissait tant qu'il fallut resserrer de nouveau ses ceintures.
Ni ses sœurs ni sa mère ne parvenaient à découvrir ce
qui la torturait ainsi. Elles lui administraient des forti-
fiants et de la crème, l'entouraient de tendresse et se
tourmentaient infiniment; mais rien n'y faisait. Le chaton
seul eût pu expliquer les choses; malheureusement,
convaincu du peu de moralité qui régnait à l'office, il
l'avait abandonnée fièrement pour la cuisine.

   Une seule lueur d'espoir éclairait les ténèbres des nuits
et des jours de Jacqueline : l'espoir de tomber très malade
avant la date fatale. Mais hélas ! à la veille de ce jour —
la veille aussi de la visite de Colette à Grand-papa — elle
allait parfaitement bien, sans même le moindre rhume

de cerveau ! Il fallait abandonner toute espérance, à moins de se résoudre à une décision vraiment tragique, comme, par exemple, de refuser d'aller à confesse avec ses compagnes, ou de s'enfuir, ou de se jeter à l'eau. Mais, au fond, rien de tout cela ne la tentait. Elle avait la conviction profonde que tout irait bien si elle trouvait seulement le courage de traverser cette épreuve. Elle était comme le malade qui tremble d'angoisse devant le bistouri du chirurgien, tout en sachant que ce serait pire pour lui de ne pas se faire opérer que de supporter l'opération.

La veille du jour fatal, elle se tenait donc à la fenêtre de la classe et contemplait la mer couleur d'ardoise, parsemée de légers moutons blancs, en sachant d'avance qu'elle accepterait l'épreuve. Trois de ses compagnes s'y préparaient aussi, mais elles ne paraissaient pas s'en tourmenter. Les joues roses et l'air tranquille, elles se livraient à leurs travaux de couture et de copie comme à l'ordinaire, tout en parlant de leurs robes, de leur coiffure et de leurs familles, ainsi qu'elles en avaient l'habitude. Jacqueline seule restait silencieuse, la gorge serrée et les doigts paralysés.

Dans l'après-midi, elles durent descendre à la chapelle où l'Abbé Lefèvre, curé de Saint-Raphaël, les attendait pour les aider à se préparer.

L'Abbé Lefèvre était un vieillard plein de sagesse, qui avait une longue expérience des enfants. Il leur parlait toujours avec beaucoup de douceur et de simplicité. " Dieu vous voit telles que vous êtes, leur disait-il. Il connaît déjà tous les secrets de votre cœur; pourquoi donc craindriez-vous de les révéler tout haut ? Oubliez le prêtre assis dans le confessional; tant qu'il est là, il

n'est plus un homme; il n'est que l'intermédiaire de la
miséricorde divine qui vous enveloppera. " Les autres
fillettes se sentaient touchées et encouragées par ces
paroles; mais Jacqueline se disait que tout cela était très
bien, mais qu'en vérité, les choses n'avaient pas tout à
fait cette simplicité. Certes, l'Abbé Lefèvre, en tant que
prêtre, serait l'intermédiaire de la miséricorde divine,
mais en tant qu'homme, l'Abbé Lefèvre qu'elle aimait,
et dont elle prisait tant l'affection, saurait d'ici vingt-quatre
heures toute l'histoire du vase de Birmingham... A cette
pensée, elle se tordait les mains et sentait la sueur lui
couler dans le dos.

L'Abbé Lefèvre leur donna sa bénédiction, puis les
laissa dans la chapelle avec du papier et des crayons. Les
autres fillettes, faisant appel à leurs souvenirs en mor-
dillant la pointe de leur crayon, inscrivaient au fur et à
mesure les peccadilles qui leur revenaient à la mémoire
et les ajoutaient joyeusement à leur liste ; tandis que
Jacqueline écrivait lentement et sérieusement de ses
doigts engourdis. Elle n'avait nul besoin de rechercher
ses péchés : depuis un mois, ils étaient imprimés dans
son esprit comme s'ils y eussent été gravés par une pointe
d'acier rougie à blanc. Son âme en restait dolente et douloureuse. Depuis un mois, elle avait examiné avec attention
Jacqueline du Frocq, et l'humiliation causée par ce
spectacle lui semblait presque intolérable. A la fin de sa
liste venait l'accident du vase de Birmingham. Elle avait
eu, un moment, la tentation de l'omettre ; mais elle ne
s'y était pas laissée aller... C'eût été, pour le coup, lancer
son âme en enfer.

Elle acheva machinalement son travail, revint chez

elle et monta se coucher de la même façon, après avoir
tendu une joue froide aux baisers de sa famille inquiète.
Elle resta éveillée presque toute la nuit. Le lendemain,
elle se leva, pâle et les paupières lourdes, mais avec le
calme du condamné le jour de son exécution. Elle marchait
comme une somnambule, tout étourdie et à demi con-
sciente. La nature miséricordieuse lui avait accordé une
dose de stupéfiant.

Il convenait sans doute que ce jour de crise dans la
vie de Jacqueline fût une journée d'orage. Dans la rue
de Grand-papa, on se trouvait un peu à l'abri, mais à
mesure qu'elle gravissait les degrés escarpés du couvent
et de l'église, le vent accourait en hurlant à sa rencontre,
et elle entendait le fracas des vagues sur les roches, derrière
le vieux mur gris. Le vent la terrifiait toujours ; mais,
ce jour-là, bien qu'il lui coupât le souffle et la lançât,
toute chancelante, contre le mur, elle n'y prenait pas garde.
Ce qui l'attendait était si important pour elle que cela
réduisait à rien tous les ennuis secondaires.

Le moment fatal arriva très tôt dans la matinée. Les
fillettes partirent pour Saint-Raphaël avec Sœur Monique,
qui bavardait près d'elles afin de leur donner du courage ;
puis elles s'agenouillèrent sur un banc près du confessionnal.

Les compagnes de Jacqueline la poussèrent, avec de
petits ricanements, au bout du banc, pour qu'elle passât
la première. Elle se laissa faire.

La vieille église était très sombre. Les cierges qui
brûlaient devant la statue de la Vierge scintillaient comme
des vers luisants dans une forêt obscure et les fleurs
étaient à peine visibles dans l'ombre. Derrière le mur

épais, la tourmente faisait rage, mais nul tremblement ne secouait l'église ; pas le moindre courant d'air ne venait faire vaciller la flamme des cierges ni les pétales des fleurs. Entre ses murs régnaient une paix et une sécurité que rien ne pouvait ébranler.

Jacqueline, agenouillée, se sentait froide et rigide avec cet étau qui lui serrait la gorge. Comme dans un rêve, elle vit l'Abbé Lefèvre, et comme dans un rêve, elle se leva, se dirigea vers le confessionnal et s'agenouilla. Le prêtre chuchota des paroles qu'elle n'entendit même pas ; puis il attendit qu'elle parlât. Mais, horreur des horreurs ! elle ne pouvait même plus parler ! L'étau semblait se resserrer au point d'arrêter tout son dans sa gorge. Pendant un instant qui lui parut durer des heures, elle lutta contre cette paralysie, puis, tout à coup, cela disparut et elle s'entendit parler couramment, avec calme et sans effort. Elle avait l'impression de s'observer du dehors, en s'émerveillant de son aisance. Elle s'aperçut brusquement que tout était fini, même l'aveu relatif au fameux vase ; tout cela fini en quelques minutes, alors qu'elle avait tremblé pendant des jours à la pensée de cette terrible épreuve ! Le temps de dire un chapelet et c'était fini, et l'Abbé Lefèvre lui parlait tranquillement, sans paraître le moins du monde bouleversé par cette confession !

C'était un confesseur parfait pour les enfants ; il se rendait compte des souffrances aiguës qu'ils peuvent éprouver et de l'énormité que prennent à leurs yeux les taupinières qui, à la mesure de leur petite taille, leur font l'effet de montagnes ; il ne traitait rien à la légère, mais il savait leur redonner confiance en eux-mêmes et leur inspirer courage. Ce jour-là, Jacqueline entendit à peine un mot de ce qu'il dit ; mais par la suite, elle l'écouta avec ferveur.

Elle se releva alors et regagna sa place en chancelant, tout étourdie et incapable encore de saisir quoi que ce fût, sauf que l'épreuve était finie ; elle se sentait prête à rire nerveusement en voyant que ce qu'elle avait craint si longtemps s'était passé si vite — bien que tout ne fût pas absolument terminé. Elle se sentait poussée à faire encore autre chose, et tout de suite, pendant que durait cette aisance nouvelle. Elle se releva, sortit de l'église, rentra dans le couvent et courut vers l'office où Sœur Ursule arrangeait les fleurs — le lieu même de son crime.

Debout au milieu de la pièce, elle déversa toute l'histoire dans les oreilles de la Sœur, puis attendit avec angoisse l'expression de haine et de mépris qui allait se répandre sur ses traits. Mais elle ne vit rien de cela. La consternation et l'ahurissement étaient visibles sur le visage de la pauvre Sœur pendant qu'elle s'évertuait à mettre de l'ordre dans ce récit confus où se mêlaient le chat, les chrysanthèmes, le vase et l'évier ; mais dès qu'elle y vit clair, personne n'eût pu apercevoir autre chose que de la tendresse derrière ses lunettes.

— Ah ! mon petit chou ! s'écria-t-elle en serrant Jacqueline dans ses bras, comme je suis contente que vous m'ayez dit cela ! Que c'est courageux de votre part !

— Je ne l'aurais pas fait si l'Abbé Lefèvre ne me l'avait pas conseillé, dit Jacqueline, déterminée à être enfin sincère, même au péril de sa vie.

— Ah ! le bon petit chou ! murmura Sœur Ursule, en renouvelant ses baisers.

La dernière épreuve passée, Jacqueline se mit à san-

gloter de soulagement. Sœur Ursule, par sympathie, en
fit autant. Elles pleuraient dans les bras l'une de l'autre.
Le chaton arriva à ce moment sur le seuil de la porte ;
il les regarda d'un air cynique, remua dédaigneusement
ses moustaches, s'assit par terre, dressa l'une de ses pattes
de derrière comme un mât et s'occupa des détails les plus
intimes de sa toilette. Après quoi, il se leva, remua de
nouveau ses moustaches pour manifester une fois de plus
son dédain et s'en alla, la queue toute droite et frémissant
légèrement du bout, avec la tolérance souriante d'un
sceptique.

Pendant tout le reste de la matinée, Jacqueline n'éprouva
plus qu'un sentiment de soulagement exquis, accompagné
d'une fatigue irrésistible. Après le déjeuner, pendant que
ses compagnes jacassaient devant le feu du réfectoire,
elle se nicha dans un fauteuil et s'endormit profondément.
Elle eut l'impression de couler pendant des siècles au
fond d'un océan de sommeil, dans les profondeurs où une
paix délicieusement fraîche la baignait toute. Puis, très
lentement, elle revint à la surface, en flottant comme si
des bras puissants l'eussent soutenue. La lumière perçait
l'eau peu à peu ; finalement, elle ouvrit les yeux. Bonté
divine ! elle devait aller chercher Colette à quatre heures
et demie, et il devait être au moins minuit ! Elle jeta un
regard vers la pendule : il était trois heures ! Elle n'avait
dormi qu'une heure et demie. Elle se redressa sur son
siège et se frotta les yeux. Elle était seule au réfectoire,
mais un murmure étouffé lui parvenait de l'étage supérieur.
Les autres étaient à la leçon de couture, et cette bonne
Sœur Monique avait dû la laisser là pour lui permettre de
dormir à son gré. Elle restait immobile. Une joie radieuse

montait lentement en elle comme une chaude flamme.
Elle se sentait à la fois exténuée et ardente. Elle s'attendait
presque à voir la lumière qu'elle sentait en elle éclairer
les murs du réfectoire et s'y répandre peu à peu comme
la teinte jaune des crocus se glisse, en mars, par-dessus
l'herbe d'hiver. En tournant les yeux vers la fenêtre, elle
vit, à ce moment, la mer houleuse, blanche de fureur
sous le fouet du vent, et le ciel gris bouleversé par l'orage.
Elle les plaignit de la perte de leur splendeur bleue, elle
qui se sentait dans une telle béatitude ! Près des fenêtres
du réfectoire, et sur le rebord d'une roche, on avait créé
un étroit jardin alpestre, à l'abri d'un parapet. Jacqueline
sortit de la salle en courant et s'en alla, par le couloir,
jusqu'à ce petit jardin. La pluie avait cessé, et le vent
d'ouest, malgré sa sauvagerie, n'était pas froid. La fillette
s'approcha du parapet qui lui venait presque à la poitrine,
et elle s'y accouda. De même que, le matin, la tempête
n'avait pas eu de prise sur son angoisse, de même elle
n'en avait pas maintenant sur son bonheur. Sa joie était
si grande qu'elle baignait toutes choses autour d'elle dans
son rayonnement.

Penchée sur le parapet, elle ferma les yeux. Le vent
qui la fouettait avait tant de force qu'elle en perdait la
respiration, mais son contact était, néanmoins, si doux,
qu'il lui semblait sentir des pétales de roses effleurer ses
joues. Son grondement ne lui paraissait plus terrible ;
il lui faisait plutôt l'effet de grandes orgues répandant
des actions de grâces triomphales. Et, pendant ce temps,
une flamme de bonheur étincelait en elle. Derrière ses
paupières fermées, il lui semblait voir les flammèches
dorées de cette joie à la crête de chaque vague tourmentée,

consolant la mer de ce tumulte gris. Cette belle flamme
réconfortante l'emplissait d'ardeur sous la caresse et le
son du vent. Elle et la tempête ne faisaient plus qu'un tout,
et autour d'elles, comme pour les unir, un cercle de pure
lumière s'étendait sur un rayon immense, cette même
lumière qui avait fait naître la joie en elle et avait mis la
bourrasque en mouvement. Cramponnée au parapet, les
yeux fermés, elle se laissa couler de nouveau, comme
peut seul le faire un enfant, dans les limbes d'où elle était
venue, comprit ce que ne sauraient retenir les mailles de
l'intelligence et vit derrière ses paupières fermées ce qui
eût aveuglé ses yeux ouverts. Les portes du Ciel devaient
se refermer devant elle, mais qui peut oublier ce qu'il a
aperçu quand il les a vues s'ouvrir et cesser de guetter la
lumière sous la fente de la porte ?

IV

JACQUELINE et Colette étaient à peine sorties de chez
Grand-papa que le vent les enlevait comme si elles eussent
été portées par des ailes. C'est, en vérité, ce qu'elles
s'imaginaient, car elles étaient, toutes deux, dans un état
d'extase. Jacqueline marchait encore dans les nuées et
Colette avait oublié toutes ses craintes dans la joie de sa
libération. La tempête qui, dans la maison, lui avait fait
l'effet d'appartenir au monde diabolique qu'elle venait
de découvrir, lui paraissait maintenant splendide, en
harmonie avec sa sœur et la lumière radieuse que sa
présence avait apportée. La pluie qui courait près d'elles
était pleine de tendresse et la bourrasque qui les soulevait

et les portait dans un grand fracas leur faisait l'effet d'une joyeuse compagne un peu turbulente.

Tout en courant et en bondissant au bras l'un de l'autre, elles arrivèrent au haut de la côte, essoufflées mais riant de bon cœur; et ce n'est qu'en tombant sur leur mère qu'elles virent que Rachel était venue à leur rencontre.

— Maman ! s'écrièrent-elles, en saisissant les pans de sa mante humide.

Rachel, dont les formes élancées se balançaient sous la fureur du vent et qui avait peine à respirer, semblait moins capable de résister à la rafale que ses légères filles; mais elle n'en était pas moins accourue à leur secours.

— Je suis venue avec Brovard vous chercher tous dans la carriole, dit-elle en haletant, car la bourrasque empire. Je voulais vous aider à remonter la côte, pauvres petites chéries qui vous êtes fait bourlinguer ainsi !

Un tourbillon la souleva presque de terre, si bien que ses filles se cramponnèrent à elle, de chaque côté, pour la retenir.

— Mettez-vous sous ma mante, leur dit-elle.

Elles se glissèrent sous le manteau. Quel jeu magnifique ! Après avoir connu la peur et l'extase, les deux petites filles se mirent à rire comme devant la meilleure des plaisanteries. Rachel tremblait d'amour pour elles; nichées ainsi sous sa mante, elle les sentait plus près d'elle qu'elles ne l'avaient jamais été depuis l'époque où elle les portait en elle.

Elles atteignirent enfin le sommet de la colline, où le vent les poussa dans un coin abrité; là, elles attendirent sous un réverbère le passage de la carriole qui ramenait les autres.

Rachel regardait ses deux filles. Quel singulier regard, profond et mystérieux, elles avaient sous cette lumière vacillante ! Leur bouche riait avec une gaieté enfantine, mais leurs yeux contenaient des secrets impossibles à communiquer. Où donc avaient-elles voyagé dans la journée ? A des hauteurs et à des profondeurs où il lui serait interdit, sans doute, de suivre leurs pensées ? Elle sentait que Jacqueline venait de connaître une grande aventure, et Colette aussi, peut-être; mais elles ne pourraient jamais rien lui en dire. Elle savait que les enfants, dont les ailes sont encore humides de la rosée céleste et dont les yeux ont encore la faculté de voir et les oreilles, celle d'entendre, passent par des voies particulières sans avoir de mots pour raconter leurs aventures. A l'âge où ils peuvent enfin s'exprimer et décrire ce qu'ils voient, ils ont perdu leurs ailes et les anciens chemins leur sont fermés. Les grandes personnes n'ont plus rien à raconter, sauf des souvenirs; il ne leur reste que l'espoir tremblant de revenir, un jour, vers les sentiers de l'enfance.

CHAPITRE VI

I

Noël à Bon Repos était une fête extraordinaire. Les du Frocq passaient tout le mois de décembre à s'y préparer et tout janvier à s'en remettre. Pour l'amour des vieilles traditions, ils gardaient toutes les coutumes ancestrales, auxquelles ils ajoutaient, pour être de leur époque, les coutumes modernes, et par-dessus tout cela l'observance rigoureuse de leurs devoirs religieux. Le fait qu'ils survivaient tous à pareille fête tient sans doute à ce que l'air de l'Ile est remarquablement fortifiant.

Dès le début de décembre, Rachel et Sophie s'affairaient avec frénésie à la fabrication des poudings, des pâtés et des gâteaux, tandis que les enfants, installés dans les encoignures des pièces, et barricadés derrière des sièges, se préparaient mutuellement des cadeaux mirobolants, dans une atmosphère de secret et d'agitation impossible à décrire.

C'est à la veille de Noël que la fièvre atteignait son plus haut degré. Ce matin-là, chacun arrivait au petit déjeuner avec une exactitude étonnante et s'empressait d'en finir pour se mettre à décorer la maison. La veille,

on avait coupé dans les haies des brassées de houx dont
on avait fait un énorme tas dans le vestibule, où chaque
feuille vernie et chaque baie polie reflétaient le soleil dans
son brillant petit miroir. La matinée semblait bienveillante :
un ciel clair et une mer bleu pâle qui étincelait, des arbres
dénudés, couleur de pourpre à l'ombre et d'un brun rosé
aux endroits où le soleil les touchait, l'herbe fauve couverte de givre à l'aurore et de gouttelettes de cristal à
midi, et çà et là, dans les replis abrités de la falaise, quelques
touffes d'ajoncs en fleur. Les roches étaient chaudes au
toucher près des parties atteintes par le choc des petites
vagues, et les pluviers, passant d'un vol rapide des *hougues*
couvertes d'algues rouges à la falaise jaunie par le lichen,
gazouillaient comme par une journée de printemps.
Les rouges-gorges se promenaient partout : à Bon Repos,
il y en avait trois dans le jardin; ils sautillaient sur l'allée
gazonnée où fleurissaient, l'été, les grandes campanules,
venaient chanter d'un air effronté à la porte d'entrée,
tenaient tête aux poules à la porte d'arrière et suivaient
hardiment Sophie jusque dans la cuisine pour réclamer
leur part des largesses de Noël sous forme de miettes
et de couennes de lard. Ils les recevaient, d'ailleurs, car
Sophie, comme tous les insulaires, tenait les rouges-gorges
pour des oiseaux sacrés.

   C'est par un rouge-gorge que le feu avait été introduit
dans l'Ile : en traversant la mer avec une torche au bec,
il s'était brûlé la poitrine, mais il avait poursuivi bravement son vol, petit oiseau souffrant perdu entre ciel et
mer; lorsqu'il avait abordé l'Ile, avec les plumes de sa
gorge toutes roussies, les autres oiseaux en avaient
éprouvé une si grande compassion que chacun d'eux

lui avait offert une plume, à l'exception du hibou qui avait refusé, l'égoïste, si bien qu'il n'osait plus, désormais, se montrer dans l'Ile en plein jour.

Décorer la maison de feuillages et empaqueter tous les présents étaient l'occasion d'un joyeux brouhaha, toute la matinée, à Bon Repos. Rachel vaquait en toute sérénité à ses besognes ménagères, se frayant un chemin parmi les pelotes de ficelle, les banderoles de papier de couleur, les monceaux de feuillages, les pots de peinture réclamés par Colin pour le cadeau mystérieux qu'il destinait à son père, Maximilien qui courait en rond en tirant la langue, et tous les enfants qui ne cessaient de monter et de descendre, à moitié fous d'excitation. Rien ne semblait troubler sa tranquillité; mais André et Ranulph avaient fui depuis longtemps vers la paix relative de la ferme. Quant à Colette, pour la tenir hors de danger, on l'avait enfermée avec Sophie à la cuisine, où, assise par terre, et poussant de profonds soupirs, elle fabriquait des bébés de pâte aux yeux de raisins et des animaux de pain d'épice d'espèces inconnues. Marmelade, cette créature païenne, était allée chasser les souris dans la grange; dénuée d'instinct religieux, les grandes fêtes de l'Église la laissaient parfaitement froide; elle différait en cela de Maximilien, qui était fort dévot : il s'en allait toujours à l'étable, sur le coup de minuit, la nuit de Noël, et s'agenouillait dans le bon fourrage avec les vaches; le lendemain, la langue pendante, il écoutait très poliment toute la famille chanter des cantiques.

Le déjeuner se composait de viande froide et de tous les débris des poudings faits la semaine précédente, amoncelés dans un plat et dissimulés sous une crème. Ce menu, auquel Sophie recourait dans les moments de presse, était accueilli, d'habitude, par des cris d'indignation; mais, ce jour-là, la bonne volonté générale était telle que tout le monde l'accueillait bien. Colin redemandait même de l'entremets, bien que sa première portion eût contenu, sous sa couverture jaune, une cuillerée de tapioca — qu'il détestait par-dessus tout —, un pouce de carré de tarte à la mélasse, une plaque de blanc-manger et les noyaux de trois pruneaux défunts.

Après le déjeuner, on enfila chapeaux et manteaux, André amena le landau à la porte, et l'on partit pour Saint-Pierre. André, Rachel, Michelle et Péronelle allaient à confesse, Sophie se préparait à faire la coquette près de Jacquemin Gosselin, et Ranulph avait promis d'emmener les trois petits voir les étalages. Le trajet jusqu'à Saint-Pierre prit un bon bout de temps, car Lupin trouvait la famille si lourde — y compris Sophie, qui avait mis un corset, un tailleur bleu électrique et un chapeau rouge — qu'André, Ranulph et Colin durent descendre de voiture, à chaque petite côte, pour faire la route à pied. Mais qui donc eût rechigné? Le bon air, attiédi par le soleil et, néanmoins, frais comme l'eau de mer, semblait couler dans leurs veines tel qu'un feu glacé, et tout autour d'eux, la nature resplendissait dans l'attente silencieuse d'un miracle, givrée, brillante et palpitante, riche de trésors enfouis, et cependant contrainte par les doigts de la gelée à retenir les munificences, les transports et les cris de joie du printemps. Mais si le renouveau de la terre était encore loin, un autre fleurissait pourtant dans leur cœur, et au fond d'eux-mêmes, sous l'excitation et les plaisirs, ils adoraient et priaient. Ranulph, qui ne croyait pas un mot de la légende de Noël, et André qui en doutait, se sentaient pris tous deux par la contagion et faisant, pour le moment, partie des fidèles.

II

ILS atteignirent enfin Saint-Pierre, où l'on détela Lupin, qui gonflait ses flancs de soulagement, et on le mit à l'écurie de l'auberge. Après lui avoir dit affectueusement adieu, toute la famille poursuivit son chemin vers le bas de la côte, et les uns et les autres se séparèrent au pied des degrés qui menaient à Saint-Raphaël. Sophie, toute congestionnée par son corset serré et le fond glacé de l'air, se dirigea vers la rue Clubin à la recherche de Jacquemin Gosselin; tandis que Ranulph, tenant Colette par la main, pendant que Jacqueline et Colin dansaient devant lui, descendait vers la ville.

— Allons dans la rue Clubin, chantonna Colin.

— Nous avons deux belles dames à notre charge; on n'emmène pas les dames dans la rue Clubin, lui fit observer Ranulph.

Colin, en jetant un coup d'œil par-dessus son épaule, rencontra le regard malicieux de Ranulph et devina confusément que les hommes et les femmes, qui habitent le même monde onze heures par jour, s'envolent loin les uns des autres à la douzième heure, vers un lieu de renouvellement jalousement gardé.

— Nous allons nous promener dans le port jusqu'à la tombée du jour, dit Ranulph; ensuite, nous irons voir toutes les belles choses sur la place du Marché.

Ils descendirent le long des rues sinueuses, Colette
enfourchant, de temps à autre, les épaules de Ranulph
pour reposer ses jambes potelées, Jacqueline et Colin
jacassant comme des pies. La joie éprouvée récemment
par la fillette avait été pour elle ce qu'est la venue du
printemps pour un oiseau ; elle semblait avoir perdu
tout souvenir de ses craintes et de ses épreuves, et elle
chantait et bondissait avec autant d'aisance que Péronelle.
Ranulph en était confondu. Quelle chose incroyable que
ces deux pauvres bonnes sœurs aient réussi à accomplir
un tel changement en si peu de temps ! Eh bien, Jacqueline lui devait cela. Il en éprouvait une grande fierté.

Ils allèrent jusqu'au bout de la jetée et s'établirent
dans un coin abrité d'où ils pouvaient observer le mouvement des bateaux. Là, hors des atteintes du vent et en
plein soleil, il faisait aussi chaud qu'en juin. L'Ile avait des
jours de tempête plus terribles que dans n'importe quelle
partie du monde, mais elle connaissait aussi des journées
d'hiver dont la chaleur et la beauté ressemblaient aux
dons qu'une joie inattendue apporte à la vieillesse.

Ranulph contemplait, en clignant des yeux, les eaux
du port tachetées par le soleil et le dôme bleu du ciel
gracieusement arrondi sur ces reflets ; il constatait avec
stupéfaction qu'il était content de vivre. Cette irruption
soudaine du bonheur dans son existence le surprenait
autant que cette belle journée au milieu de l'hiver. C'était
comme si des œillets roses avaient fleuri tout à coup dans
la neige. Il caressait du regard les enfants groupés autour
de lui ; c'est à eux qu'il devait cette floraison. Eh bien,
il s'était déjà acquitté envers Jacqueline ; il en ferait de
même envers les autres. Son ironie habituelle le ressaisit

un instant, et il se traita tout bas d'idiot sentimental.
Il avait toujours fui les sentiments. Allaient-ils le faire
trébucher et l'empoisonner sur ces vieux jours ? Ma foi !
tant pis ! Les sentiments servent peut-être à adoucir
l'acier du caractère comme la pluie tiède adoucit la terre
gelée; et la verdure naît, apparemment, de cette pluie.
Il résolut aussitôt d'avoir une verte vieillesse, quand bien
même il devrait devenir stupide.

Les enfants se sentaient aussi heureux que lui. Jacqueline parlait de ses cadeaux de Noël. Personne ne l'écoutait,
mais elle ne s'en formalisait pas. Son babillage n'était
que le trop-plein de son bonheur qui éclatait à la surface
en bouillonnant. Colette, protégée du froid par deux
jupons de flanelle et un bon manteau, était aussi gras-
souillette et somnolente qu'un oiseau trop nourri.
Accouvée dans son coin ensoleillé, elle regardait la mer
en songeant à on ne savait quoi.

Colin surveillait les mouvements des bateaux. C'était
un spectacle qu'il pouvait contempler des heures sans
bouger. Assis au bout du môle et surplombant la mer
comme dans le nid de pie d'un navire, il pouvait se
figurer qu'il voguait en plein océan dans un voilier, et
il se balançait un peu comme sous l'effet du roulis. Les
bateaux dormaient dans le port, jouissant du repos de
Noël; les voiles étaient ferlées et aucune fumée ne s'échappait des cheminées des vapeurs. Les barques vides reposaient le long de la digue, amarrées comme des bêtes au
repos dans leurs stalles; on ne voyait pas une âme à leur
bord. L'esprit de Colin, plongé dans ce silence, bondissait
et roulait dans un navire à travers l'espace; mais, pendant
ce temps, son pied gauche s'engourdissait à tel point que

la souffrance le ramena brusquement à la réalité. Il se leva en tapant du talon et en jurant.

— Colin ! s'écria Ranulph d'un ton de reproche.

Colin sourit d'un air penaud.

— Pourquoi se sent-on toujours soulagé quand on a lancé des jurons ? demanda-t-il.

— Parce qu'on vous le défend et que vous voulez être libre. Tous les garçons s'imaginent qu'échapper aux entraves c'est être libre.

— Est-ce que ce n'est pas vrai ? dit Colin d'un air surpris.

— Mais non !

Ranulph tira une bouffée de sa pipe en contemplant la mer d'un air grave. Depuis la visite qu'il avait faite avec Colin à la mère Tangrouille, il s'était promis d'expliquer au petit garçon en quoi consistait vraiment la liberté, afin que cet enfant ne suivît pas la voie qu'il avait choisie lui-même et ne mordît pas à la même illusion; mais le rôle de mentor ne lui semblait pas aisé.

— Je *veux* être libre ! s'écria brusquement Colin avec force. Je *veux* être marin !

— Est-ce là une vie libre ? demanda Ranulph.

— Bien sûr ! répondit l'enfant.

— Pourquoi, bien sûr ? Réfléchissez donc. Où peut-on mener une existence plus restreinte que sur un bateau ? Ce n'est pas grand, un bateau, vous savez. J'ai connu des hommes qui, une fois qu'ils étaient à bord, devenaient comme des hyènes en captivité. J'ai éprouvé cela moi-même.

— Mais on peut faire le tour du monde, repartit Colin.

— En cage, dit Ranulph. Après tout, faites-vous marin. Vous voulez la liberté; le marin est le type parfait de l'homme libre.

— Comment? Mais vous venez de dire le contraire! s'écria l'enfant.

— Il s'emprisonne afin de nouer une ceinture autour de la terre. Sa marche est bornée par la longueur et la largeur d'un pont étroit, et cependant, il voit jusqu'au fond de l'horizon et il peut saluer toutes les étoiles.

— Comment cela? répéta le pauvre Colin.

Il admirait Ranulph et avait une confiance aveugle en son jugement; il trouvait, néanmoins, très difficile de suivre ce raisonnement.

— Il y a une chose dont vous pouvez être sûr, mon garçon, reprit Ranulph en levant son index décharné. Quoi que vous puissiez désirer dans la vie, vous devez vous diriger vers son contraire. Si vous voulez des richesses, adorez Dame Pauvreté. Si vous voulez être libre, attachez votre corps et votre esprit à une discipline. Tout fonctionne par son contraire. Croyez-en un homme qui n'a pas fait ce qu'il vous dit et qui, par conséquent, sait ce qu'il en coûte.

Colin soupira et Ranulph poursuivit, en souriant avec ironie des caprices de son imagination.

— Oui, il y a de quoi soupirer, mon petit, car c'est chose ardue à comprendre à votre âge; et si vous êtes attiré par ce qui brille, il n'est pas aisé de repousser du pied les diamants qui sont à votre portée pour vous élancer vers les étoiles. On est si peu sûr d'y parvenir! Mais comment vous expliquer cela?... Pas moyen!... Je ne peux que semer la graine... Dans dix ans d'ici, demandez à votre mère le sens du mot *paradoxe*. C'est un mot très important. Quand on y songe, la légende de Noël est un paradoxe entre tous. Qui eût jamais pensé à chercher le royaume des cieux dans une étable ?... Et un jour, rappelez-vous aussi de demander à votre mère ce qu'a fait votre oncle Jean, et ensuite, ne l'imitez pas !

Colin abandonna la partie mais en retirant de cette discussion l'impression que la discipline avait du bon et que l'oncle Ranulph ne voyait pas d'objection à ce qu'il se fît marin. Son esprit s'attacha avec ténacité à ces deux idées.

Pendant qu'ils causaient, songeaient et rêvaient ainsi au-dessus du port, la chaleur disparaissait et le soir tombait. Une petite touffe de nuages, qui avait formé des entrelacs floconneux dans le ciel bleu, devenait rose à mesure que le soleil baissait, tandis qu'au-dessous d'eux, la mer reflétant ce rose et ce bleu tournait au mauve.

— Regardez ! Regardez ! s'écria Jacqueline.

Elle montrait un jeu de lumière tel que Ranulph n'en avait jamais vu au cours de tous ses voyages. Le rose et le bleu devenaient de plus en plus brillants et le reflet couleur de lavande fonçait au point de prendre la teinte d'un iris pourpre.

— La mer couleur de vin des anciens Grecs ! murmura Ranulph d'un air stupéfait. Je n'aurais jamais cru voir cela ici !

Tout à coup, les couleurs disparurent. Le soleil, jaloux de ses trésors, ne voulait pas les laisser à la disposition de la nuit. Il les entraîna avec lui au-delà des bornes de la mer, et le ciel, privé de sa gloire, devint pâle et mélancolique. La mer, se rappelant soudain qu'on était en hiver, poussa un léger soupir en sentant la fraîcheur soudaine de l'air. Tout le long de la digue et dans les rues de Saint-Pierre, les lumières ponctuaient le crépuscule comme des trous d'épingle dans un rideau sombre.

Ranulph se mit debout d'un bond et fit lever les enfants.

— C'est le 24 décembre, leur rappela-t-il. Il y a des marrons à faire griller sur la place du Marché pour vous amuser.

Ils partirent au galop devant lui en poussant des cris de joie; les bérets des petites filles brillaient comme des baies de houx, et les solides chaussures de Colin claquaient comme les sabots d'un poney impatient.

Ils suivaient la digue en laissant derrière eux la mer silencieuse et se dirigeaient vers les rues pleines de monde. Saint-Pierre ressemblait maintenant à une ville des *Mille et une Nuits*. Les étalages étincelaient et les vêtements de fête coloraient les rues. Oranges, citrons, jambons roses et bonbons de mille couleurs joignaient leurs teintes à celle des visages roses, des vareuses des marins et des bérets rouges des enfants. Les boutiques et la foule enguirlandaient ainsi en un joyeux bariolage les maisons grises et les rues aux pavés ronds. Maisons et pavés ne voulaient pas se laisser dépasser en splendeur, ce soir-là. On voyait des lumières briller derrière des rideaux rouges, des arbres de Noël dressés devant des fenêtres ouvertes scintiller dans leur cadre gris, et dans la fente des pavés, le givre scintillait.

La place du Marché était un cœur rayonnant dans un nid de flammes. Au centre, bondissait un grand feu de joie qu'entouraient des éventaires chargés d'oranges et de pommes. Les marchands de marrons circulaient dans la foule en poussant leur brasier rouge et en répandant autour d'eux l'odeur délicieuse des marrons grillés. La foule, en riant, en plaisantant et en se bousculant, cherchait à s'approcher d'eux et formait un kaléidoscope de couleurs chatoyantes sur les teintes orangées du feu de joie et le feu sombre de la nuit paisible.

Ranulph qui, par précaution, avait pris Colette dans ses bras, acheta des marrons pour les enfants à un homme en blouse bleue qui portait des anneaux aux oreilles et appela la bénédiction du Ciel sur eux tout en ajoutant un marron pour Colette parce que ses yeux étaient aussi bleus que le manteau de la Sainte Vierge. Après quoi, il lança d'affreux jurons à un petit chapardeur et se dirigea vers le cabaret. Ranulph, qui sentait les doigts de Jacqueline serrer craintivement sa main, se dit alors qu'il était temps de revenir à la maison et il chercha Colin des yeux.

Non loin du feu de joie, derrière une immense pile d'oranges, trônait la mère Tangrouille, et Colin, en la saluant poliment, lui présentait une souris de bois qu'il avait sculptée lui-même et à laquelle il avait fait des oreilles roses en taffetas d'Angleterre fixées par de gros clous noirs; la queue était en ficelle. Colin, qui avait pris une peine infinie pour faire ce travail, l'offrit à la mère Tangrouille comme le roi Salomon eût déposé des épices aux pieds de la reine de Saba. La mère Tangrouille prit le cadeau dans l'esprit où il lui était offert. Ce don du cœur avait été fabriqué avec soin pour son plaisir; elle l'acceptait ainsi. Son bonnet noir tremblotait de joie pendant qu'elle embrassait Colin, et ses petits yeux brillants étaient humides. Elle déclara qu'il était certainement un chérubin

descendu des cieux et qu'elle conserverait cette souris
toute sa vie; elle désirait justement une souris; son chat
avait tué toutes celles qu'elle avait, et un logis sans souris,
assurait-elle, n'était plus un vrai logis. Colin s'échappa
de ses bras aussi vite qu'il put le faire poliment et la salua
de nouveau en faisant claquer ses talons. Ranulph, qui le
regardait de loin, s'émerveillait de l'inconsciente beauté
de sa courtoisie. Ces enfants élevés dans une ferme, et
dans la seule compagnie des oiseaux, des bêtes et des
plantes, prouvaient bien que les choses de la nature sont
imprégnées de grâce. C'est ainsi qu'un hoche-queue
saluerait ou qu'un dahlia s'entretiendrait avec le vent.
Retenu dans la chaste compagnie de Jacqueline et de
Colette, Ranulph, à la grande surprise de Colin, ne vint
pas parler à la mère Tangrouille; mais il lui fit de loin
un signe de tête amical et appela le petit garçon. La mère
Tangrouille, en lui rendant son salut, n'eut pas l'air
froissée de son apparente indifférence. N'avait-elle pas
reçu, le matin même, par la poste, l'argent de son loyer,
cadeau de Noël du défunt Jean du Frocq ? Mais Colin,
qui ignorait cela, se sentait assez perplexe tandis qu'il
trottait dans la foule sur les talons de Ranulph. Il se disait
que, par pure courtoisie, l'oncle Ranulph aurait dû aller
parler à la bonne femme. Était-ce à cause de Jacqueline
qu'il ne l'avait pas fait ? Est-ce que les hommes, même
quand ils sont grands, cachent parfois leurs amitiés aux
femmes qui les entourent ? Cela le rendait songeur, comme
il l'avait déjà été au début de l'après-midi lorsque l'oncle
Ranulph avait refusé d'emmener Jacqueline dans la rue
Clubin. Il se demandait si tout cela avait un rapport avec
le discours confus de l'oncle Ranulph au sujet de la liberté.

Il avait dit que si l'on désirait quelque chose très fort, il fallait le chercher dans la direction contraire à celle qui semblait naturelle. Colin trouvait naturel de chercher sa liberté dans la rue Clubin. Mais il avait peut-être tort ! Le petit garçon sentit que sa tête s'échauffait et abandonna ses réflexions ; mais il commençait à avoir quelques doutes sur la sagesse qui consistait à chercher la liberté dans la rue Clubin. Si Ranulph avait pu s'en douter, il eût mieux dormi cette nuit-là.

L'animation de la place du Marché était sur le point d'atteindre son maximum et la foule se disposait à prendre l'élan voulu pour l'attaque finale des cabarets au moment où Ranulph emmenait d'un pas ferme les enfants qu'on lui avait confiés. Il ne fallait pas faire attendre leurs parents ni Lupin, leur disait-il, et il fallait se coucher de bonne heure pour se préparer au lendemain. Les enfants, qui commençaient à songer à leur bas de Noël, se soumirent de bonne grâce et le suivirent par les rues gaiement bariolées, parmi les vieilles maisons songeuses qui avaient connu tant de Noëls, le long des vieux pavés qui avaient résonné depuis des siècles sous les pas d'une multitude d'enfants. Au-dessus de leur tête, les étoiles scintillaient d'un éclat givré dans un ciel limpide comme elles l'avaient fait au temps où l'Ile n'était encore qu'une grande roche grise posée dans la mer affamée et qu'au loin, à Bethléem, un enfant venait de naître.

III

SOPHIE quitta Jacquemin Gosselin alors que l'animation
du marché était à son comble, car elle aussi voulait
rentrer de bonne heure à Bon Repos. Il faut dire qu'elle
méditait une aventure hardie sur le chemin du retour.
Elle avait décidé de se rendre à la fontaine de la sente
d'eau afin de savoir, une fois pour toutes, si elle était
destinée, oui ou non, à épouser Jacquemin. Les paysans
prétendent que, pendant les *Avents de Noël*, les puissances
surnaturelles sont très actives; les fées et les démons,
comme les anges, s'assemblent dans les sentiers, les
ruisseaux et les cours de ferme, et toute jeune fille qui a le
courage de regarder dans une fontaine hantée par les fées
voit sa destinée reflétée dans l'eau, soit le visage de son
futur mari, soit, si elle doit rester fille, une tête de mort
grimaçante.

Sophie se hâtait de remonter les rues de Saint-Pierre,
puis les chemins qui menaient à la sente d'eau. Ses jambes
tremblaient d'effroi et son cœur lui battait dans la poitrine
comme une batteuse mécanique. Ces expériences de
magie, à la veille de Noël, étaient dangereuses, elle le
savait, et blâmées par les prêtres. Il y a tant d'anges en
mouvement à cette époque qu'il vaut mieux laisser tranquilles les fées et les démons qui, par jalousie ou vengeance,
sont prêts à tout pour prouver leur puissance. Sophie,
tout en pressant le pas et en regardant d'un œil craintif
les moindres buissons et les moindres ombres, se rappelait

tous les sinistres contes de Noël qu'elle connaissait.
Il y avait l'histoire de cet homme qui s'en revenait tard
chez lui, par un des soirs fatidiques, et qui, s'étant laissé
égarer par le *faeu Bellengier*, avait été vers le bord de la
falaise au lieu de se diriger vers la ferme et s'était tué en
tombant de là-haut. Il y avait aussi ces hommes qui s'étaient
trouvés entourés de gros chiens noirs qu'aucune menace
ne pouvait faire fuir et qu'aucun coup ne pouvait atteindre;
et ces autres que des démons étaient venus harceler sous
forme de lapins blancs qui leur partaient sous les pieds
et les faisaient trébucher à chaque pas; et cette jeune fille
qui, ne s'étant pas confessée d'un péché mortel, était allée
à la fontaine vers laquelle Sophie se hâtait, et avait vu là
six squelettes regardant l'eau, ce qui l'avait fait mourir
de frayeur sur le coup. Le souvenir de cette dernière
histoire fit arrêter Sophie, la main gauche pressée contre
son corset; la terreur faisait battre son cœur au point
qu'elle ne pouvait plus avancer. Enfin elle baissa les yeux
sur son beau costume bleu électrique, couleur de l'eau
miroitante au clair de lune, et le courage lui revint. Elle se
sentait belle comme les ombres veloutées qui s'étendaient sous les arbres et les étoiles glacées qui scintillaient
sur la route, liée à ces choses dans le cercle du clair de
lune, dans une communion de beauté. Ce sentiment de
fraternité la réconforta et lui fit poursuivre son chemin.
Elle tourna le coin où, l'été, fleurissaient les digitales,
puis pénétra sous la petite voûte de la sente, d'un noir
d'encre, et qui plongeait comme pour mener aux régions
infernales. De très loin, dans le fond, venait le murmure
de la mer contre les roches que l'imagination surexcitée
de Sophie prenait pour le gémissement des âmes tour-

mentées. Elle se dit que si elle mourait subitement devant
la fontaine des fées — ce qui pourrait bien lui arriver,
pour la punir de se mêler de magie la veille de Noël — son
âme se joindrait à celles-là. Elle en frissonna d'effroi,
mais le désir qu'elle avait de connaître son sort l'entraîna
malgré elle. Il lui semblait impossible d'attendre que le
temps lui révélât son destin; il lui fallait désobéir et
écarter de force le voile qui lui cachait l'avenir. Un vide
dans l'entrelacs des branches qui retombaient sur la
fontaine laissait passer un rayon de lune qui éclairait
comme une lampe le miroir poli de l'eau; les herbes et
les fougères, de leurs doigts délicats, le présentaient à
Sophie. Elle s'agenouilla et posa une pièce d'argent dans
l'herbe — offrande à la fée de la fontaine. Autour d'elle,
le temps semblait aller et venir, tantôt en suivant le
ruisseau jaseur vers la mer, tantôt en revenant de la mer
vers les eaux de la terre. La sente était pleine, ce soir-là,
d'un murmure de voix inconnues et d'un bruit de pas qui
ne laissaient aucune empreinte derrière eux. Sophie se
sentait à la fois glacée et moite de terreur, et elle avait
devant les yeux une sorte de buée qui l'empêchait de
voir quoi que ce fût dans l'eau, bien qu'elle se penchât
de son mieux. Enfin la buée se dissipa et elle distingua la
surface de l'eau, claire et polie comme de l'ébène, où des
myriades d'étoiles se reflétaient. Le ciel entier semblait
reproduit là en miniature. On eût dit que tous les points
lumineux s'étaient rassemblés dans cette fontaine, devenue
ainsi comme un ciel minuscule sous l'immensité des
cieux, un ciel si petit que Sophie pouvait le mesurer de
ses bras, mais un ciel qui, pourtant, contenait l'éternité.
Elle se penchait de plus en plus, essayant de percer du

regard ces profondeurs ténébreuses et ces cristaux de lumière; et fascinée par cette beauté au point qu'elle en oubliait Jacquemin Gosselin et la tête de mort grimaçante. Le souffle de la nuit l'entourait et les Choses mystérieuses continuaient à aller et venir autour d'elle, mais elle restait là, à plonger de plus en plus profondément son regard dans ce reflet du ciel, où se perdait et se noyait son identité, de sorte que le temps n'existait plus et que l'éternité seule tournoyait autour d'elle. Une légère brise, venue de la mer, rida soudain la surface de l'eau, formant des moires et noyant les étoiles. Les Choses, troublées dans leur passage par ce bienfaisant courant d'air, furent refoulées dans l'ombre; Sophie redevint Sophie, assise dans l'herbe glaciale de la sente d'eau, les yeux fixés sur une fontaine, tandis que la nuit l'entourait et que les doigts entrelacés des arbres dénudés traçaient des arabesques dans le ciel, au-dessus de sa tête. Elle se releva, continua à descendre la sente obscure, puis obliqua vers la droite, dans le chemin sec et escarpé. Là, loin de l'influence mystérieuse de l'eau, elle revint à elle. Elle se sentait gelée et engourdie et positivement abrutie. Sans doute avait-elle été hypnotisée par cette longue contemplation — on dit que si vous fixez trop longtemps un objet brillant, cela vous tourne la tête. Elle n'avait pas vu Jacquemin Gosselin dans l'eau, mais pas davantage, d'ailleurs, la tête de mort. Qu'avait-elle vu, en somme ? Un ciel qu'elle pouvait enclore dans ses bras et une immensité si évidente qu'elle se jugeait capable de la comprendre. Était-ce là son avenir ? Ma foi, c'était un avenir à la portée de tout le monde et le seul qu'on pût prévoir avec certitude. Elle se sentit déçue et, néanmoins, étonnamment rassurée, pendant qu'elle remontait le sentier, puis la route bordée de chênes rabougris qui menait à Bon Repos.

Les cheminées et le toit de la vieille ferme se détachaient en noir sur le ciel, et les quelques fenêtres éclairées avaient l'air aussi amicales que les étoiles et illuminaient la nuit comme elles. Sous la porte de l'étable apparaissait une ligne claire. André devait y être occupé, malgré l'heure tardive. Sophie se dit, de nouveau, qu'on était à la veille de Noël et que les anges aussi bien que les démons sont, alors, en mouvement. Ce jour-là, les étables sont toutes des lieux saints. En regardant cette ligne de lumière qui filtrait sous la porte, Sophie comprit tout à coup que les étables contiennent un ciel qu'on peut tenir dans ses bras et une immensité si petite qu'on est capable de la voir et de la comprendre.

IV

L'UNE des vaches était malade; c'est pourquoi, ce soir-là, André avait passé tant de temps à l'étable. Quand il en ressortit, après avoir laissé, selon l'usage de l'Ile à la veille de Noël, du fourrage frais et tout parfaitement propre dans les stalles, il se garda bien de fermer la porte à clef, afin que, sur le coup de minuit, Maximilien pût s'y faufiler et s'agenouiller avec les bêtes de l'étable. André riait tout seul en empochant la clef inutile, et il se demandait ce que Ranulph penserait de lui s'il apprenait cela; mais il n'en avait pas honte; il aimait les coutumes de l'Ile; sa mère les lui avait enseignées et il les respectait et s'y conformait chaque fois qu'il le pouvait. En revenant vers la maison, il remarqua que Sophie n'avait pas enchaîné Maximilien dans sa niche et que le chien, éveillé, était dans l'attente de quelque chose ; ses yeux luisaient dans l'obscurité comme deux étoiles singulièrement brillantes. André le caressa au passage, et la langue de Maximilien, s'élançant comme un serpent rose, s'enroula un instant dans une caresse humide autour de son doigt. Marmelade, éveillée aussi, était dans le courtil, mais elle n'y attendait rien ; elle faisait ses fredaines, la queue frémissante et les yeux étincelants comme ceux du *faeu Bellengier* ; par moments, elle rampait sur le sol en guettant un objet invisible, puis elle sautait dessus, faisait un bond de côté, reniflait et, finalement, courait tout autour de la cour à sa poursuite. C'était ce qu'elle aimait ; un plaisir satanique éclairait ses traits, et la lueur de ses yeux verts faisait penser aux lumières maudites que les sorcières fixent au bout de leur manche à balai. André se disait que cette chasse n'était pas de mise dans son courtil, une veille de Noël, et si Maximilien n'avait pas été si absorbé par la porte de l'étable, André n'eût pas aimé à le laisser seul avec Marmelade dans de tels amusements ; mais Maximilien était si accaparé par les choses saintes qu'il semblait à l'abri des tentations... André entra dans la maison et monta retrouver Rachel.

La petite chambre que Ranulph occupait au-dessus de l'écurie avait une fenêtre d'où l'on pouvait voir à la fois la porte de l'étable et la niche de Maximilien. Ranulph, qui ne pouvait s'endormir, fumait sa pipe à la fenêtre en regardant le crépuscule. Un petit feu de varech brûlait dans l'âtre ; il n'y avait pas d'autre lumière dans la chambre ; seuls les rayons de la lune glissaient du mur au plafond

et mêlaient leur lueur argentée aux reflets d'or du varech.
C'était la première fois que Ranulph passait la veillée de
Noël dans l'Ile depuis sa jeunesse, et il aurait dû entretenir
de graves pensées. Le passé eût pu défiler tristement
devant lui, les remords et les regrets d'une vie mal
employée eussent pu lui tenir compagnie dans cette
chambre; mais, en réalité, il s'efforçait de ne penser à
rien d'autre qu'à la paix et à la chaleur de la pièce et à son
impression de bien-être. Il préférait ne pas rechercher
la cause de sa satisfaction. Il ne voulait pas s'avouer qu'il
avait enfin totalement capitulé. Durant toute sa vie, il
avait recherché l'indépendance complète comme le plus
grand des biens, et voilà que, brusquement, il avait renoncé
à sa poursuite et s'était laissé, une fois de plus, attacher
follement par les lieux et les êtres. Il ne voulait ni s'analyser ni reconnaître sa faiblesse. Il suffisait que cet état de
captivité l'eût amené dans cette chambre chaude et calme,
vers ces rêveries paisibles et — la liberté. Était-il vrai
qu'en cet instant il se sentît libre ? Cette amertume qui lui
rongeait le cœur à la pensée de son insuccès dans la
poursuite de la liberté s'était, en grande partie, évaporée;
en s'en libérant, il avait échappé aussi à son passé et à
toutes ses hontes. Est-ce que le paradoxe dont il avait
parlé à Colin se retrouvait dans sa propre vie ? En acceptant les liens, avait-il ouvert sa prison ? Ah ! cet éternel
paradoxe ! Mais il ne voulait pas réfléchir; il se détourna
brusquement de ses pensées en tisonnant le feu et en
secouant sa pipe. La méditation le rendait fort perplexe.
Il voulait seulement jouir des choses en toute simplicité
— ce qu'il n'avait jamais fait depuis son enfance. Il se prit
à songer à cette enfance et à tous les Noëls qu'il avait

passés dans la vieille maison du Paradis. Jusqu'à la mort de sa mère, il avait eu de vrais Noëls, malgré son père qui, par sa tyrannie, assombrissait même les joies des arbres étincelants et des friandises et risquait de gâter tout plaisir. Il songeait maintenant avec admiration aux luttes que sa mère avait dû soutenir et à la peine qu'elle avait dû prendre pour maintenir un peu de fantaisie dans leur vie commune. A sa mort, la fantaisie était morte avec elle. Lui et André n'avaient pas eu d'autre choix que de s'adapter à un moule de fer ou de partir à l'aventure. Le souvenir des Noëls passés lui rappela les coutumes de l'Ile que sa mère leur contait, pendant qu'ils faisaient griller des marrons dans l'âtre, la veille de Noël. Il revoyait en imagination le salon de la maison du Paradis, éclairé par les hautes flammes du feu et le reflet des étoiles sur la mer. Son père était dans la bibliothèque; ils avaient eu la témérité d'ouvrir les rideaux et la fenêtre. Sa mère, assise par terre devant le feu, une main levée pour protéger son visage de la chaleur des flammes, sa robe brune gonflée autour d'elle de telle manière qu'elle avait l'air d'une rose sombre tombée sur le tapis, leur contait des légendes, à lui et au petit André. C'était ainsi qu'il aimait à se la rappeler, car elle semblait ne redevenir elle-même qu'en l'absence de son mari; en sa présence, elle ne pouvait pas s'asseoir par terre, et elle donnait tellement l'impression d'une personne contrainte et frustrée qu'on en avait le cœur serré. En regardant les flammes bondissantes de son propre feu et les étoiles qui brillaient derrière la fenêtre, il se figurait entendre encore sa voix quand elle lui contait comment, sur le coup de minuit, dans la nuit de Noël, les animaux s'agenouillent tous par révérence

et l'eau se change en vin... Un faible son pénétra le silence
de la chambre, à peine plus distinct que le crépitement
des flammes ou le murmure de la mer. Les cloches
sonnaient. En bas, dans Saint-Pierre, le clocher de l'église
de ville et la petite tour trapue de Saint-Raphaël devaient
trembler et se balancer sous une cascade de sons; mais
ici, à Bon Repos, les carillons arrivaient si atténués qu'ils
ne semblaient pas appartenir à cette terre. Ranulph
consulta sa montre : minuit. Il regarda par la fenêtre.
On voyait une ligne de lumière sous la porte de l'étable.
Cet idiot d'André avait dû oublier sa lanterne après avoir
soigné la vache malade. Juste à cet instant, Ranulph vit
une ombre traverser vivement la cour, pousser la porte
de l'étable et disparaître. C'était Maximilien. Ranulph
se dit qu'il était de son devoir d'aller éteindre cette
lumière dans l'étable — inutile de gaspiller de l'huile.
Mais il avait à peine fait deux pas dans sa chambre qu'il
se rappela ce que sa mère lui avait dit dans son enfance :
nul être humain ne doit mettre les pieds dans une étable
à la mi-nuit de Noël; c'est l'heure des bêtes. Le pauvre
âne maltraité, roué de coups dans tous les âges, mais qui
eut pourtant l'honneur de porter un roi à Jérusalem; le
bœuf, abattu pour la nourriture de l'homme, mais qui
offrit, néanmoins, son doux fourrage pour qu'un bébé
pût s'y reposer; le cheval et le chien, si patients envers les
folies humaines, tous sont enfin à l'abri des hommes,
seuls et libres d'adorer en paix. Ranulph se décida à laisser
brûler la lumière et alla se rasseoir. Il riait et se demandait
ce qu'André penserait de lui s'il savait cela !

V

COLETTE, étant la plus jeune de la famille, fut naturellement la première à s'éveiller, le matin de Noël. Elle remonta du fond de son lit en se tortillant et sortit la tête de ses draps. Il faisait encore sombre, mais une pâle teinte grise dans l'encadrement de la fenêtre annonçait la promesse de l'aurore. L'air était si froid que Colette trouva bon d'imiter la tortue; elle rentra la tête et se recroquevilla de nouveau dans sa carapace. C'est là qu'au fond de cette chaude obscurité, elle se rappela tout à coup son bas de Noël. Maintenant que Jacqueline devenait grande, Colette et Colin, seuls, suspendaient encore leur bas au pied de leur lit, car Rachel avait décrété que ceux qui étaient d'âge à aller de bonne heure à la messe devaient laisser de côté les enfantillages comme cette histoire de bas. Le plaisir de sucer des petits cochons en sucre rose à son réveil, ce matin-là, devait, disait-elle, consoler ceux qui avaient à se tenir en repos jusqu'à ce que leurs aînés revinssent de l'église. Au souvenir de son bas Colette se glissa tout au pied de son lit, dégagea les couvertures, passa la tête au-dehors et saisit l'objet précieux; puis elle rentra de nouveau sous ses draps, en pressant sur son sein ce fardeau dur et délicieux. Elle ne voulait pas éveiller Péronelle en demandant de la lumière; aussi, après avoir constaté au toucher que le cochon en sucre, l'orange, la pomme, les bonbons et la poupée étaient bien là, elle se rendormit en serrant son bas contre elle comme une mère serrerait son bébé dans ses bras. Quand elle s'éveilla de nouveau, Péronelle était en train de la dégager de toutes les couches de draps et de couvertures sous lesquelles elle dormait.

— Joyeux Noël, ma chérie ! s'écria sa sœur. Je me demande comment vous n'êtes pas étouffée ! Et vous étiez couchée sur votre bas ! La poupée se sera écrasée sur le cochon pour sûr !

Colette s'assit sur son lit et embrassa sa sœur. On alluma les bougies, mais le jour se montrait déjà, d'un bleu pâle derrière la fenêtre, et Péronelle avait son chapeau et son manteau, prête à partir pour la messe.

Le brouhaha frénétique des embrassades de Noël commença alors. Michelle et Jacqueline, prêtes aussi à sortir, arrivèrent pour embrasser les autres et se faire embrasser ; Rachel, ayant endossé son plus beau manteau, lissé ses cheveux à la perfection et pris son livre de messe, vint toutes voiles dehors bénir la famille ; André, son gilet mis à l'envers et les cheveux ébouriffés, courait de tous les côtés à la recherche d'un bouton de col perdu ; Colin, en chemise de nuit, jouait à saute-mouton par-dessus les lits ; enfin, l'on entendit, en bas, claquer la porte d'arrière au moment où Sophie revenait d'une des premières messes pour préparer le déjeuner et surveiller les petits pendant que les autres seraient à l'église.

Le brouhaha s'apaisa ; Colin et Colette se penchèrent à la fenêtre pour voir partir le landau dans l'aurore glacée. Au-dessus de la mer, une étoile scintillait d'un faible éclat dans un ciel qui s'éclaircissait ; mais la nuit couvrait encore la terre, et le landau qui s'éloignait sous les arbres en balançant ses lanternes, disparut bientôt dans une

obscurité mystérieuse. Colin restait à la fenêtre pour voir
les lumières disparaître et écouter le bruit des roues
s'évanouir. Il se sentait saisi d'une crainte respectueuse.
L'obscurité qui avait engouffré sa famille contenait des
mystères religieux que les siens connaissaient, mais qu'il
ignorait encore. Il se figurait que des doigts se tendaient
vers lui et le touchaient dans l'obscurité, et quelque chose
en lui s'éveillait et répondait à ce contact.

Colette le ramena à la réalité en le tapant dans le dos.

— Regardez ! lui dit-elle en tendant un doigt. Est-ce
que c'est ça, *l'étoile ?*

Colin tourna les yeux vers ce qu'elle lui montrait.
L'étoile était encore là, au-dessus de la mer, bien que
le bleu foncé du ciel passât lentement au gris perle,
strié de citron clair et de lavande.

— Cela se pourrait bien, répondit-il. Mais je crois
que celle-ci n'est pas assez grosse. L'étoile des images
de Noël est toujours très grosse, et elle a des rayons.

— Peut-être qu'ils sont tombés, dit Colette. Si l'étoile
était toute neuve quand Jésus est né, elle doit être bien
usée maintenant.

— Les étoiles, ça ne s'use pas, déclara Colin. Elles
sont comme Dieu, toujours toutes neuves.

— Mon bas ! s'écria brusquement Colette, en retournant
vivement vers son lit.

Selon un usage en honneur dans la famille du Frocq,
les deux enfants s'enveloppèrent de leur couvre-pied et
allèrent s'installer dans le lit de leurs parents pour ouvrir
leur bas de Noël, en ayant soin de tirer les rideaux du
baldaquin pour former la tente d'un sultan, et de s'asseoir
pompeusement sur les oreillers en guise de trône. Les bas

contenaient tout ce qu'ils pouvaient désirer, tout l'essentiel : le cochon en sucre, l'orange, la pomme, les bonbons et mille autres belles choses, telles qu'une poupée et un minuscule fer à repasser pour Colette, un pistolet à eau et un sifflet de marin pour Colin. Ils s'amusèrent royalement. Ils commencèrent par manger tous les bonbons, sauf quelques globules poisseux mis de côté pour la famille, et les cochons en sucre tout entiers, sauf l'arrière-train gardé pour leur mère. Ainsi que Péronelle l'avait prédit, celui de Colette s'était écrasé sur la poupée; mais peu importait, en somme, car la peinture du visage de la poupée qui adhérait aux flancs du cochon avait très bon goût. Colin emplit d'eau son pistolet, visa la gravure du *Jugement dernier* et, à tous les coups, atteignit en pleine poitrine l'ange à la trompette. Chaque fois qu'il faisait mouche, Colette donnait un coup de sifflet. Au bout d'une heure, Sophie vint arrêter ces divertissements en emportant le pistolet et le sifflet; puis elle essuya l'eau sur le plancher et les aida à faire leur toilette. Elle semblait être d'humeur charmante. Elle ne les gronda pas le moins du monde, bien que l'eau qui dégouttait tout le long du *Jugement dernier* eût fait une mare sur le plancher, et elle ne les secoua pas une seule fois en leur enfilant leurs vêtements. Ses yeux brillaient, ses joues rondes étaient encore plus rouges que d'habitude, et son corset craquait et cliquetait comme un joyeux rappel de tambour. Colette, toujours prête à deviner les sentiments des autres, eut l'intuition de sa joie.

— Est-ce que vous avez eu un cochon en sucre, Sophie ? demanda-t-elle.

— Mieux que ça ! s'écria Sophie, qui brûlait de communiquer sa nouvelle, ne fût-ce qu'aux enfants. J'ai trouvé un mari, Sainte Vierge ! Et un matin de Noël, encore !

— Et c'est tout ? demanda Colin, très désappointé.

— En nous en revenant de la messe, il m'a posé la question, comme disent les Anglais, reprit Sophie. Et dire qu'hier soir j'ai regardé dans la fontaine aux fées et que j'y ai rien vu que le ciel et les étoiles ! — c'est bien pour vous dire que toutes ces histoires, c'est des menteries.

Colette, contente sans trop savoir pourquoi, entoura de ses bras la taille de Sophie, autant que cela lui était possible, et l'embrassa.

— Qui est-ce qui a posé la question ? demanda Colin.

— Jacquemin Gosselin, répliqua vivement Sophie. C'est mon tailleur bleu qui l'a décidé. Tout l'après-midi, hier, il l'a reluqué.

Colin garda un silence poli, mais il se sentait déconcerté. Comme les grands hommes s'effondrent ! Il n'aurait jamais pu croire que son ami Jacquemin Gosselin serait assez stupide pour vouloir épouser Sophie — sûrement, il n'avait jamais dû la voir avec ses bigoudis !

Mais il était impossible d'entretenir des pensées décourageantes un matin de Noël. On vit bientôt Colin poursuivre Marmelade avec son pistolet à eau pendant que Colette allait et venait de l'office à la cuisine pour aider Sophie.

Le petit déjeuner fut quelque chose de magnifique : jambon, œufs à la coque, café bouillant, confiture, petits pains croustillants et, plus merveilleux encore, la *gâche détrempée*, spécialité de l'Ile qui consistait en un pain au lait qu'on faisait toujours de bonne heure le matin de Noël, pour le servir au petit déjeuner. Colette aida

Sophie à ouvrir la porte du four pour en retirer la gâche, dont la délicieuse fraîcheur laiteuse se dorait légèrement sur le dessus, et dont la bonne odeur qui se répandait dans la cuisine accueillit les fidèles au moment où ils rentraient dans la cour, en voiture, aussi gelés qu'affamés.

Ranulph fit son entrée à l'heure du petit déjeuner et prit plus que sa part de la gâche détrempée, ce qui ne semblait pas très juste puisqu'il n'avait rien fait pour excuser un tel appétit, ni en ce qui concernait ses devoirs religieux, ni en ce qui concernait l'ouverture des bas.

A peine le repas était-il achevé que sonna l'heure de la grand-messe. André échappait, d'habitude, à une seconde messe, le jour de Noël, en faisant valoir ses travaux à la ferme; mais, ce matin-là, Ranulph, avec un clignement d'œil malicieux, assura qu'il pourrait parfaitement s'occuper de tout le travail de la ferme pour permettre à André de se donner le plaisir d'escorter sa famille. Rachel, enchantée, lui fut reconnaissante de cette proposition; mais André monta sans aucun entrain prendre son chapeau haut de forme.

Pendant que tous les du Frocq étaient à l'église et Sophie enfermée à la cuisine, aux prises avec la dinde, Ranulph employa sa matinée avec grand profit. Vif et compétent comme il l'était, il trouva moyen d'achever tout ce qu'il y avait à faire dans la ferme en moitié moins de temps qu'il n'en eût fallu à André. Puis il se rendit dans la petite pièce contiguë à l'étable, mi-bureau mi-soupente, avec l'intention d'inscrire dans le registre la quantité d'œufs qu'il avait ramassés. Il n'était venu là qu'une ou deux fois auparavant, et en compagnie d'André, si bien que la politesse lui avait interdit de se montrer trop curieux. Mais maintenant, la porte refermée sur lui, il examina tout avec intérêt. Ce petit bout de pièce, qu'on avait surnommée la *huche au grain* parce qu'on y gardait la nourriture des poules, était le sanctuaire d'André. Hors lui et les poules, personne ne s'y intéressait. D'après certains signes, Ranulph avait deviné qu'André se retirait là — comme Rachel dans sa chambre et Michelle à la Baie aux Mouettes — pour mettre son âme en paix. Debout au milieu de la pièce et les mains dans ses poches, il examinait ce qui l'entourait. Il voulait inspecter tout à fond, comme un voleur inspecte les poches d'un homme endormi, et pénétrer ainsi les coins secrets de l'âme d'André. Il n'éprouvait aucun scrupule à violer de cette façon le sanctuaire d'un autre; depuis longtemps, il regardait sa conscience comme un objet gênant qui se serait mis sans cesse en travers de ses désirs s'il le lui avait permis.

A première vue, rien dans cette pièce ne révélait quoi que ce fût sur André. D'un côté, on voyait les huches à grain, de l'autre un vieux bureau américain où André rangeait les livres de comptes de la ferme et le registre des œufs; ce bureau était surmonté d'un calendrier; face à la porte, une fenêtre avait vue sur un champ en friche et une rangée lointaine d'arbres rabougris; sur la gauche, on apercevait même un coin de mer. Sous cette fenêtre, il y avait une table et une chaise, et sous la table, des rayons de livres assez grossièrement faits et dissimulés par un rideau qui devait protéger les livres. De quels livres André pouvait-il donc avoir besoin dans la *huche au grain?* Le bureau contenait déjà un dictionnaire et une série d'ouvrages sur les engrais, l'apiculture, l'élevage,

la basse-cour, les betteraves. Qu'avait-il besoin de plus ?
Ranulph tira à lui la petite bibliothèque, souleva le rideau
et lut les titres : Platon, Shakespeare (Michelle lui avait
affirmé qu'il n'y avait, apparemment, pas le moindre
Shakespeare dans la maison), Keats, les *Essais* de Charles
Lamb, *Moby Dick*, Molière, Euripide, *Ondine*, *les Mille
et une Nuits* (André avait-il dérobé ces deux volumes-là
aux enfants ?), Dante, un *Manuel de Porcherie* (mal à l'aise,
certainement, en cette compagnie) et Gœthe. Quel assortiment ! Il n'était pas étonnant qu'André se montrât
un si piètre fermier ! Il se retirait dans ce sanctuaire,
évidemment, pour étudier l'élevage des cochons — leur
présence entre Dante et Gœthe témoignait au moins
d'une tentative — il s'y absorbait un instant, puis se
tournait vers — quoi ? Vers les splendeurs nuageuses de
Shakespeare (nuées poétiques couleur d'arc-en-ciel, se
déroulant sur les courants obscurs de l'intuition), vers le
flot calme et doux des *Essais*, ou vers les cascades étince-
lantes des comédies françaises ? Mais lisait-il, seulement ?
A quoi pouvait bien servir cette table ? Ranulph, abandonnant brusquement les livres, s'approcha du bureau
et se mit à fouiller tous les tiroirs, non pour y trouver le
registre des œufs, qu'il découvrit tout de suite et jeta
dédaigneusement de côté; les livres de compte, les vieilles
factures, les relevés de la ferme et les annonces, il jetait
tout cela loin de lui comme le vent du nord-est fait tournoyer les feuilles d'automne; le bureau était dans un tel
désordre qu'André ne s'apercevrait sûrement pas qu'on
avait dérangé quelque chose... Il trouva enfin ce qu'il
cherchait.

Il porta sur la table une pile de carnets et de cahiers

(chipés à Colin ?) remplis de la petite écriture nette d'André. Car André écrivait soigneusement, bien qu'il fût si désordonné que son passage dans une pièce avait toujours les effets d'un cyclone. Ces cahiers qui contenaient, semblait-il, des poèmes et des essais, étaient rédigés avec le soin amoureux qu'on apporte à la composition d'une gravure sur cuivre. La forme en était parfaite; mais la substance ? Ranulph approcha de la table la chaise branlante et se mit à lire. Il lut pendant toute une heure sans broncher. On n'entendait dans la petite pièce, de temps à autre, que le bruit d'une page tournée ou la fuite d'une souris trottant sur le plancher. Au-dehors, le soleil montait vers son zénith au-dessus du champ parsemé d'ajoncs, et la mer, là-bas, était comme de l'or en fusion. Enfin, Ranulph ferma les cahiers. Il glissa dans sa poche celui qu'il avait trouvé sous toute la pile et il remit respectueusement les autres dans le tiroir où il les avait pris. Après avoir effacé toute trace de son passage, il sortit de la pièce en fermant la porte avec la douceur d'un médecin quittant la chambre d'un malade; car André était certainement malade : pour écrire ainsi dans ses brefs moments de loisirs tout en s'attelant à une besogne quotidienne qu'il devait détester, il fallait que le conflit qui régnait en lui fût si violent qu'il en ruinait sa santé en écartelant son âme; son existence devait être un martyre, l'élan de l'artiste étouffé, écrasé par la force de la nécessité et du malheur.

De retour dans sa chambre, Ranulph s'assit tout songeur devant la fenêtre. Jusqu'alors, il avait toujours considéré son frère comme un faible sot. Sans doute se montrait-il faible dans les choses pratiques et pour diriger les êtres

et les choses; mais en tant qu'artiste, il était remarquable.
Il n'avait pas les dons de celui qui emmagasine les pensées
des autres dans sa mémoire et les ressert sous une nouvelle
sauce, ni l'esprit agile de celui qui saisit et note l'ironie
et le pittoresque des contrastes, mais les dons grandioses
du créateur qui confère une immortalité aux choses
éphémères. Il avait aussi la faculté d'observer avec passion,
ce qui est le signe d'un véritable amant de la beauté.
Il n'était pas une seule procession de nuages, ni une seule
chute de feuilles, ni un vol d'oiseaux qu'il n'eût remarqués,
et de ces instants fugitifs retenus par lui, il avait créé une
beauté durable. En se servant de ses propres pensées,
frappées par lui dans la langue de son choix, et d'une
simplicité parfaite, il avait fait de ces instants saisis au
vol un moment éternel consacré à la nature changeante.
Ces couchers de soleil, ces orages et ces printemps avaient
disparu, mais, dans les poèmes d'André, ils étaient devenus
immortels. Ranulph se leva pour arpenter sa chambre.
Que pouvait-on faire ? Harcelé par la vie comme il l'était,
son frère n'avait eu le temps d'écrire que cette poignée
d'essais et de poèmes, et Ranulph se rendait compte
que, si l'on ne s'en occupait pas, ils risquaient d'être jetés,
un jour, aux ordures avec les registres des œufs. Le
pauvre André était une victime de la pire des tragédies :
une vocation étouffée.

Un passage souvent cité par Péronelle, au cours de sa
crise d'adoration pour Browning, semblait résonner dans
la chambre :

" L'instinct naturel refoulé et contrarié durant toute la vie
est libéré par la mort et jaillit comme un feu ardent, comme
la flamme mince qui se déroule péniblement, irritante et

irritée, malfaisante et calomniée, à travers pierre et minerai, jusqu'à ce que la terre rejette ce corps étranger : libéré, il se répand et on l'aperçoit au sommet d'une montagne, comme né tout naturellement de cette montagne et fait pour les hauteurs et non comme un ruisseau du vallon [1] ! "

Ranulph poussa tout à coup un juron. Non ! André n'allait pas devoir attendre la mort pour manifester ses dons dans cette unique existence qu'il avait à passer sur terre. Il fallait le faire dès maintenant. Qui pouvait être sûr d'une autre vie ? Browning, avec l'optimisme facile de celui qui ne manque de rien, semblait y croire; mais Ranulph, quant à lui, pensait le contraire. Il tournait dans sa chambre comme un ours en cage. Son esprit, occupé jusqu'alors par les difficultés de Michelle, de Jacqueline et de Colin, commençait à songer à leur père. Il marmottait tout en marchant. Il fallait rendre à André sa liberté avant de mourir. Le moyen ne lui apparaissait pas encore très clairement, mais il était certain de le trouver. Lui, le raté, il empêcherait son frère de suivre le même chemin !

André, Rachel, Michelle, Péronelle, Jacqueline, Colin, Colette : une amarre de sept torons liait l'homme féru d'indépendance; mais les réflexions qu'il faisait à leur sujet l'absorbaient si bien, ce matin-là, qu'il n'avait pas le temps de remarquer de quelle façon cette amarre l'avait libéré des chaînes de ses préoccupations personnelles.

1. Robert BROWNING : *The Ring and the Book.*

VI

Avoir Grand-papa à déjeuner, le jour de Noël, était pour toute la famille une corvée insupportable; mais comme on ne pouvait vraiment pas le laisser se gorger de dinde et de plum-pouding tout seul pendant ces jours de fête, il n'y avait rien d'autre à faire que de l'amener à Bon Repos après la messe.

Ranulph, au milieu de ses méditations, entendit tout à coup le pas cadencé des trotteurs de Grand-papa se mêler au pas plus lourd de Lupin. Dix minutes plus tard, on sonnait la cloche du déjeuner. Ranulph se regarda dans le bout de miroir accroché au mur : ses cheveux étaient tout ébouriffés et son veston boutonné de travers, mais il n'y changea rien, dans l'intention d'ennuyer le vieillard. Il n'était pas en son pouvoir de se venger des coups qu'il avait reçus, autrefois, de son père; mais il pouvait l'exaspérer par de petites choses, et il n'allait pas s'en priver. Malheureusement, son allure débraillée ennuierait aussi Rachel; mais, en ce monde, on ne saurait frapper quelqu'un sans que le coup ne rebondisse sur une victime innocente.

Il entra donc ainsi, à pas lents, dans la cuisine. Cette lenteur avait, également, pour but de taquiner le docteur. Tout le monde l'attendait et Grand-papa bouillait d'impatience.

— N'avez-vous pas entendu la cloche, monsieur ? demanda-t-il.

— Certainement, monsieur, répondit Ranulph, sinon, je ne serais pas ici. Vous mangerez d'autant mieux que vous m'avez attendu.

Les joues du vieillard se gonflèrent et il marmotta quelque chose pendant que son regard et celui de Ranulph se mesuraient et restaient rivés l'un à l'autre comme l'aimant à l'acier. Pareille chose s'était déjà produite à leur première rencontre. Ranulph se demandait avec inquiétude si, par hasard, son père l'avait reconnu. Il arracha ses yeux du regard autoritaire et anxieux du vieillard et les tourna du côté de son frère. André, irrité de son impolitesse, les regardait tous deux, et il apercevait avec stupéfaction des signes d'admiration, de respect et même d'affection dans les yeux de Mabier. Une hostilité voilée avait toujours régné entre André et Ranulph, née à la fois de leur amour mutuel pour Rachel et de la jalousie d'André, mais celui-ci s'apercevait que, pour des raisons ignorées de lui, cette hostilité semblait avoir disparu. Il sentit sourdre, malgré lui, un élan d'affection prêt à répondre à la sympathie de Ranulph. Rachel, qui venait de surprendre leurs regards, bénit Noël, l'annonciateur de paix.

Le repas fut parfait, et comme Grand-papa avait pris la précaution d'apporter ses vins (puisque cet idiot d'André ne buvait pas d'alcool), il déclara qu'il n'était pas trop mécontent. La dinde, farcie d'un côté avec des herbes aromatiques et, de l'autre, avec des marrons, selon les usages de l'Ile, était dorée à point, et elle soutint vaillamment les assauts de toute la famille quand on fit passer le plat une seconde fois ; puis, lorsque Sophie, toute rouge, apporta le plum-pouding, on put distinguer, sous les flammes bleues qui le recouvraient, la belle pâte pourpre, couleur de giroflée, solidifiée par tous ses fruits... Un quart d'heure plus tard, il n'en restait plus rien.

— Vous mangez tous beaucoup trop, déclara Grand-papa, en tendant son assiette dans l'intention d'en reprendre. Hein? Hein? Vous mangez trop, comme toujours.

Il s'aperçut, à ce moment, que Colette mangeait aussi du plum-pouding; cela lui fit presque sortir les yeux de la tête.

— Donner du plum-pouding à cette petite! dit-il à Rachel. C'est comme si vous creusiez sa fosse! Et ne venez pas me dire ensuite que je ne vous ai pas prévenue!

— Elle en a gros comme un dé! répondit Rachel d'un ton suppliant.

— Je ne me souviens pas d'avoir jamais vu un plus beau temps à Noël, dit André, avec un peu d'inquiétude; car il craignait que Grand-papa ne revînt, une fois de plus, sur le sujet des enfants qu'ils avaient perdus.

— Hein? dit Grand-papa. Oui, très chaud. Ce n'est diablement pas la saison. Eh bien, comme je vous le disais, si vous gavez un enfant...

Le visage de Rachel n'annonçait rien de bon; Ranulph s'élança dans la brèche : se tournant vers Grand-papa, il se mit à lui parler comme les du Frocq ne l'avaient encore jamais entendu parler. Sa conversation était aussi brillante que les écrits d'André et elle reflétait le même don créateur. En choisissant dans sa mémoire ses souvenirs les plus pittoresques, il composait, peu à peu, pour ses auditeurs, le récit de ses voyages, dont il faisait, par le choix habile de ses mots, un ensemble de couleurs, de parfums et d'aventures qui les tenait tous suspendus à ses lèvres. André l'écoutait dans l'enchantement et les enfants se servaient de noix et d'oranges sans le quitter des yeux. Rachel, dont le regard glissait, tour à tour, avec tendresse sur chaque visage, s'intéressait peut-être plus à leur plaisir qu'au récit même, mais elle n'en donnait pas moins à Ranulph l'admiration que méritait son talent. Grand-papa semblait prendre également un curieux intérêt à ces histoires, ou plutôt au conteur plus qu'à ce qu'il racontait. Il faisait tourner son verre de vin entre ses doigts tout en lançant, de temps à autre, un brusque coup d'œil à Ranulph, examinant ses yeux, ses mains, la forme de sa tête; le reste du temps, il écoutait, la tête penchée vers la nappe. C'est ainsi qu'assis dans sa bibliothèque, il écoutait autrefois son fils Jean raconter des histoires, dans le jardin, au petit André, sans se douter que son père l'entendait. De même qu'il s'émerveillait alors des dons du petit garçon, de même il s'étonnait de retrouver ces mêmes dons chez cet étranger. Tous deux contaient de la même façon, avec la même variété d'intonation, mettant bien en relief les ombres et les lumières du récit, évoquant des tableaux dans l'esprit des auditeurs, et ayant de la même manière le don de faire revivre le passé. Une fois de plus, il leva les yeux vers le visage de Ranulph et les y tint fixés. Comme l'acier répond à l'aimant, le regard de Ranulph glissa vers celui du vieillard et s'y suspendit; pour la première fois, le récit vacilla. Singuliè- rement ému, Grand-papa se leva d'un bond en renversant sur la nappe les dernières gouttes de son vin.

— Allons-nous rester ici tout l'après-midi à nous gaver ? demanda-t-il d'un ton bourru où se manifestait un certain égarement. Est-il nécessaire, sous prétexte qu'on vit dans une ferme, de copier les façons de faire des pires animaux ? Regardez-moi ces enfants !

Son blâme tombait à faux, car si les enfants, en mangeant des noix, en avaient répandu des débris sur la table, leurs manières ne pouvaient en rien se comparer à celles des porcs; ils mangeaient sans bruit et sans se tacher.

— Passons à côté, dit Rachel avec dignité.

Elle se dirigea d'un pas souple vers le salon, suivie de Grand-papa et de son mari. A son grand soulagement, elle vit Ranulph se retirer. Chaque fois que lui et le vieillard se trouvaient ensemble, l'atmosphère devenait oppressante et orageuse. Les enfants s'éparpillèrent selon leurs diverses occupations : Michelle et Péronelle allèrent aider Sophie à faire la vaisselle, Jacqueline et Colin s'éclipsèrent vers de mystérieuses affaires privées. Colette, seule, trottina dans le sillage des grandes personnes.

Rachel poussa un soupir de satisfaction quand elle se vit assise entre les deux hommes, devant le feu, en tenant sur ses genoux Colette endormie. Dans le salon baigné de soleil, à l'écart des bruits du déjeuner et de la vaisselle, on respirait un air odorant et paisible comme à l'intérieur d'une fleur. Une partie du *tronquet* de Noël brûlait sur les chenets, et ses flammes bleues et jaunes éclairaient avec un doux crépitement les tendres giroflées et les myosotis des rideaux, les fines porcelaines élancées, les dragons chinois et la table en bois de rose. Rachel, caressant des yeux tous ses trésors, se sentait réconfortée.

André, exténué, s'endormit promptement; Colette, vaincue par les excès de joie et de nourriture, appuya sa tête sur le sein de sa mère et s'endormit aussi vite; seul, Grand-papa semblait ne pas pouvoir s'assoupir, bien qu'il eût étendu son mouchoir sur sa tête et croisé ses mains sur son ventre; il paraissait énervé, grognait, soupirait, remuait les pieds. Rachel, le menton posé sur la tête de Colette, examinait le vieillard. Il avait l'air tourmenté. Elle le plaignait. Comme il paraissait vieux, aujourd'hui, et solitaire ! Cette solitude avait beau être le résultat de ses fautes, elle n'en était pas moins lamentable. Il poussa un nouveau gémissement, renonça à sa sieste, enleva le mouchoir de son front et regarda autour de lui. Il n'eut qu'un air de dédain pour les couleurs douces de la pièce et il renifla avec un mécontentement manifeste le parfum du *pot pourri* et l'odeur des bûches.

— Il y a des courants d'air ! s'écria-t-il. Et tout, dans cette pièce, a l'air fané. C'est humide. Il est bien certain que c'est humide. Je vous ai toujours dit que cette maison était humide.

Rachel le regardait en souriant. Sa pitié, ce jour-là, était plus forte que son antipathie.

— N'aimez-vous donc pas mon salon ? demanda-t-elle.

— Tout cela, c'est des falbalas ! déclara Grand-papa. Pour vous, c'est sans doute artistique ?

— Pour moi, c'est très beau, répliqua sa belle-fille.

Le vieillard se retourna sur son siège.

— Les meubles manquent diantrement de confort, dit-il. Au diable la beauté ! J'aime le confort... Inutile de me faire " chut ! " la petite dort.

Il reprit haleine en gonflant les joues et se remit à examiner la pièce en détail. Ses yeux s'arrêtèrent sur les bandes de broderie chinoise envoyées par un marin de la famille; il les regarda longuement.

— C'est le cousin Mathieu du Frocq qui me les a

données, vous vous en souvenez ? dit Rachel, en envoyant un sourire à ses papillons bleus et à ses dragons dorés qui dansaient le long du mur.

— C'était un grand voyageur, dit Grand-papa. Une tête brûlée, lui aussi, hum ! Enfin, il est mort. Des marins et des voyageurs, il y en a eu plusieurs dans la famille. Nous avons tous une certaine inquiétude dans les veines. C'est cela même : de l'inquiétude.

Il contemplait le feu d'un air rêveur et Rachel se demandait s'il songeait à son fils Jean.

— Parlez-moi donc de ce Mabier, dit-il tout d'un coup.

Rachel lui raconta le peu qu'elle savait, sans, toutefois, trahir les confidences de Ranulph.

— Hum ! marmotta le vieillard. C'est un drôle d'individu. Inquiet, lui aussi. Un voyageur. Oui, inquiet... Il a très bien conté ses histoires; diablement bien.

— Oui, dit Rachel.

— C'est un don de savoir conter, reprit Grand-papa; mon fils Jean l'avait aussi.

C'était la première fois qu'elle l'entendait parler de son fils; cela la fit sursauter. Le récit de Ranulph avait sans doute rappelé Jean à son père. Comme elle levait les yeux vers lui, elle s'aperçut qu'il la regardait fixement d'un air désespéré. Elle lui tendit la main dans un geste de compassion; mais il n'y prit pas garde.

— Je me suis souvent demandé si ce garçon est mort ou s'il vit encore, dit-il d'un ton bougon.

— Je pense qu'il doit être mort, répondit doucement Rachel. S'il était en vie, il serait sûrement revenu ici.

— Je n'ai jamais attendu cela de lui, répliqua Grand-papa. Il me détestait. Il se figurait que j'avais tué sa mère, et toutes sortes de stupidités du même acabit. Il m'en voulait parce que j'avais refusé de le laisser entrer dans la marine. Jeune idiot ! La jeunesse ne sait pas ce qui lui est bon.

D'un geste brusque, il remit son mouchoir sur sa tête, puis se croisa les mains sur le ventre. Rachel n'osait plus rien dire. A l'exception du battement de la pendule, un silence absolu régnait dans la pièce. Grand-papa restait immobile, mais Rachel savait qu'il ne dormait pas. Il voyageait furieusement tout le long du passé, en se justifiant de tous ses actes, pour la millième fois.

Rachel voulait dormir un moment avant le thé. Il allait falloir supporter une longue soirée de fête et elle était très lasse; mais Colette pesait d'un tel poids que ses bras et son dos lui faisaient mal au point de la tenir éveillée. Elle se sentait déprimée. Pour la centième fois, elle maudissait cette *vision* qui l'avait poussée à amener Ranulph à Bon Repos. Le bonheur de Jacqueline au couvent lui était dû, certes; mais, à part cela, elle ne voyait guère quel bienfait il leur avait apporté. Ils ne se trouvaient pas en meilleure posture financière; fidèle à sa promesse de lui laisser six mois de répit, André ne prononçait même plus le mot *argent*, mais elle n'en savait pas moins que les six lettres de ce mot abominable le privaient de sommeil et le rendaient plus maigre et plus voûté que jamais. Elle le regarda, endormi sur son siège; il avait l'air de dix ans plus vieux que son âge. Pourquoi, ah ! pourquoi avait-elle ajouté à son fardeau l'irritation constante que lui causait la présence de Ranulph dans la maison ?... Elle se sentait harassée par bien des soucis

pendant qu'elle méditait ainsi, et le plus lourd de tous
était la certitude, encore confuse, que Ranulph était
amoureux d'elle... Comment tout cela finirait-il ? Leur
existence lui faisait l'effet d'une masse de cordons affreusement emmêlés qu'elle ne savait comment démêler.
Elle jeta les yeux autour d'elle pour puiser du réconfort
dans sa jolie pièce : elle regarda le tapis français dont les
roses et les bleus fanés rappelaient les teintes d'une gorge
de colombe, les miniatures sur la cheminée, le miroir
doré, le service à thé bleu, rouge et or, les chaises au
dossier droit que son grand-père avait offertes à sa grand-
mère. Tous ces objets semblaient la toucher en lui chu-
chotant : " Attendez ! " Elle se sentit réconfortée et,
malgré ses crampes, elle se mit à hocher un peu la tête.
Les papillons bleus et les dragons écarlates, les flammes
bleues et rouges du tronquet de Noël la cernèrent dans leur
ronde en l'entraînant peu à peu dans les profondeurs
paisibles qui devenaient de plus en plus fraîches et douces
jusqu'à ce qu'elle trouvât enfin un appui solide contre
lequel elle se reposa pendant que la force et la sérénité
pénétraient toutes les fibres de son être.

VII

ELLE fut éveillée par Péronelle qui, toute vibrante
d'excitation, arrivait en courant pour annoncer que le
thé était servi à la cuisine. Sophie devait passer ce bienheureux après-midi et la soirée avec Jacquemin Gosselin,
de sorte que le soin de nourrir la famille se trouvait confié

à Péronelle et à Michelle. Elles avaient préparé un thé d'une somptuosité impossible à décrire. C'était un vrai thé insulaire comme on s'en permettait aux jours de fête et qu'on servait à la fin de la journée pour tenir lieu à la fois de thé et de souper; car les plats des deux repas s'y mêlaient : il y avait du thé et du café, des œufs et du jambon, des confitures et des gelées, du pain et des gâteaux secs; et le mirobolant gâteau de Noël se dressait comme une montagne neigeuse au milieu de la table.

Le tronquet de Noël flambait presque entièrement dans l'âtre; toutes les baies du houx étincelaient et les lampes étaient allumées. Devant le dressoir, l'arbre scintillait de toutes ses bougies et de tous ses globes rouges et dorés; les présents s'entassaient à sa base. Les rideaux n'avaient pas été fermés afin qu'à la nuit on pût voir les étoiles.

Cette soirée était toujours pour les enfants le plus beau moment de la fête de Noël. Pour Grand-papa, Ranulph, Rachel et André, redevenus jeunes, ces heures s'écoulèrent dans un carillon joyeux qui étouffait les murmures de la vie dont le flot déferlait autour d'eux. Le festin, les présents, les chants et les jeux remplirent de joie la soirée. La cuisine étincelante brillait comme un ver luisant au milieu de l'obscurité du monde qui les entourait; par les fenêtres, les rires, les chants et les lumières se répandaient et empiétaient un peu, mais rien qu'un peu, sur le silence et les ténèbres.

De temps à autre, à mesure que les heures s'écoulaient, quelqu'un frappait à la porte d'entrée; André allait ouvrir et trouvait devant lui un petit groupe de paysans dont la figure paraissait toute noire contre les étoiles.

— Une aumône, monsieur, au nom de Noël !

Ils la demandaient parfois dans un mauvais anglais, parfois dans leur patois qui résonnait comme une musique dans la nuit; et André, bien qu'il n'eût que peu à donner et n'eût même pas dû le donner, ne leur refusait jamais l'aumône.

Cette quête de porte en porte était une vieille coutume très respectée, et il se sentait heureux de penser que, par cette nuit d'entre les nuits, l'hospitalité de Bon Repos pût briller si loin... Car ce serait peut-être la dernière fois !

Après avoir souhaité le bonsoir à un petit groupe, il resta un instant dehors dans l'obscurité à écouter les rires et les chants et à contempler le long rayon de lumière qui, de la fenêtre de la cuisine, caressait la cour, le jardin emprisonné par l'hiver et atteignait presque le bord de la falaise. Il avait l'air d'une chose vivante, ce rayon, comme le reflet de ce qu'avec Rachel, André avait fait naître à Bon Repos... Il tourna brusquement les talons et rentra dans la maison... La pensée qu'une telle lumière pût s'éteindre lui semblait intolérable.

VIII

GRAND-PAPA était parti. Le claquement des sabots de ses chevaux s'était évanoui dans la nuit glacée. Ranulph avait disparu, lui aussi. Les enfants dormaient. Les frêles lumières de l'arbre de Noël n'avaient pas survécu à la soirée de fête et les lampes étaient baissées. Seul, le tronquet brillait d'une chaude lueur cramoisie pendant que les braises tombaient peu à peu. Rachel et André, avant d'aller se coucher, s'efforçaient, avec une lenteur qui trahissait

leur fatigue, de remettre de l'ordre dans la salle bouleversée. Maintenant que les enfants n'étaient plus là, ils
pouvaient entendre, de nouveau, le murmure de la vie
dont le flot les entourait, et ce murmure leur semblait
menaçant. Où seraient-ils à Noël prochain ? Ni l'un ni
l'autre ne parlaient, mais cette question était présente
entre eux, dans la pièce, et pesait lourdement sur eux.
Après avoir terminé leurs rangements, ils éteignirent les
lampes et traversèrent la salle d'un pas lassé, en se tenant
par le bras. A la porte, Rachel s'arrêta. Elle apercevait,
par les fenêtres, la lumière qui brillait encore dans la
chambre de Ranulph; à cette vue, elle sentit son cœur
s'alléger sans pouvoir dire pourquoi. Elle jeta un regard
autour d'elle : les porcelaines et les bassinoires, ces
incroyables opportunistes, présentaient chacune un petit
reflet scintillant de la bûche. Ces reflets amicaux étaient,
pour le cœur allégé de Rachel, comme la promesse d'un
autre Noël, et même d'un autre Noël à Bon Repos.
Sous le gui que Ranulph avait soigneusement suspendu
au-dessus de la porte en vue de l'usage traditionnel, elle
se retourna vers André pour lui jeter les bras autour du
cou.

— Tout ira bien, mon chéri, tout ira bien, murmura-
t-elle.

André se sentit réconforté par ce qu'il appelait l'optimisme déraisonnable de sa femme. Ils montèrent la main
dans la main, se déshabillèrent à la lueur des bougies
devant la gravure du *Jugement dernier*, escaladèrent leur
grand lit à colonnes et fermèrent sur eux les rideaux
cramoisis. Au moment où ils allaient s'endormir, un
dernier son leur parvint : c'était le murmure de la mer.

CHAPITRE VII

I

UNE quinzaine de jours après Noël, Colette ne put achever son petit déjeuner. Tout le monde en fut très surpris. L'humanité pouvait changer, mais l'appétit de Colette avait toujours semblé appartenir aux vérités éternelles. Personne, d'ailleurs, ne fut plus surpris que Colette elle-même. Les yeux pleins de larmes, elle regardait son bel œuf brun, en disant : " Je ne peux pas le manger ! " du ton que prendrait un grand financier pour annoncer : " Je suis ruiné ! " Rachel la mit au lit et envoya chercher Grand-papa. En un rien de temps, on entendit ses chevaux galoper sur la route. Ils arrivèrent couverts d'écume, le cocher tout congestionné, pendant que le docteur jurait et tempêtait contre leur abominable lenteur.

— Eh bien ! Qu'y a-t-il ? demanda-t-il à Rachel, en se précipitant dans le vestibule et en lançant son chapeau et son manteau à la volée, et sa trousse sur la table. Rachel regardait cette trousse avec épouvante : c'était un grand sac noir tout gonflé qui la remplissait de terreur; il y avait sûrement là-dedans toutes sortes d'instruments pour couper Colette en petits morceaux.

— Ce n'est pas grand-chose. Un peu de fièvre et pas d'appétit, voilà tout. Elle n'a pas pu avaler son petit déjeuner, dit-elle doucement, surtout pour se réconforter elle-même.

Grand-papa fut stupéfait.

— Comment ? Colette ? Ne pas pouvoir manger son déjeuner ?

Il grimpa l'escalier à la hâte.

— Une indigestion, voilà ce que c'est, disait-il tout en montant. Quelle idée aussi de lui avoir donné du plum-pouding le jour de Noël ! C'est ridicule ! Je vous l'avais bien dit ! Il ne faut pas bourrer ainsi un estomac d'enfant. Voilà au moins cent fois que je vous le répète.

Et se retournant pour lancer un doigt menaçant vers Rachel :

— L'humidité et l'indigestion. Ce n'est rien d'autre. Je vous l'avais bien dit. Vous les tuerez tous avant de faire attention.

Il continuait à monter, suivi de Rachel qu'une terreur folle paralysait. Que de fois n'avait-elle pas monté ainsi l'escalier derrière le dos sévère du vieillard pendant la maladie des trois petits qu'elle avait perdus ! En revoyant de la même façon les larges épaules se découper sur la lumière qui venait du palier, elle chancela et dut se retenir à la rampe.

— Eh bien, mademoiselle ? fit Grand-papa, en s'intro-duisant dans la petite chambre blanchie à la chaux comme un gros bourdon dans une fleur trop petite pour lui. Qu'est-ce qui vous prend ? Une indigestion ? D'avoir trop mangé le jour de Noël, voilà ce que c'est. Montrez-moi votre langue.

Colette était étendue sous son couvre-pied bariolé et le regardait de ses grands yeux étonnés. Elle n'avait jamais passé une journée au lit, et elle n'aimait pas cela. Elle en était toute troublée. Ses joues semblaient très rouges et ses boucles blondes un peu moites. Sa tête lui paraissait énorme et la gorge lui faisait mal.

Grand-papa s'assit sur le lit, posa sa main sur le front de la petite fille.

— Montrez-moi votre langue, répéta-t-il.

Colette, rassurée par le contact de cette main, lui sourit gentiment mais en tenant sa bouche bien fermée.

— Montrez votre langue, ma chérie ! répéta Rachel.

Colette tourna vers sa mère ses yeux limpides en serrant fermement ses lèvres l'une contre l'autre. Elle n'allait pas montrer sa langue. Son amour-propre était froissé. Elle n'avait pas trop mangé le jour de Noël et elle n'allait certainement pas montrer à Grand-papa une langue chargée qui lui donnerait l'occasion de la convaincre de gourmandise. Elle n'était pas gourmande. Il se pouvait bien que sa langue fût chargée, mais cela ne venait pas d'avoir trop mangé. En tout cas, elle ne montrerait pas sa langue.

— Ouvrez la bouche ! dit Grand-papa.

La bouche de Colette esquissa le plus délicieux des sourires mais sans qu'on pût même entrevoir un coin de ses dents blanches entre ses lèvres.

— Ma chérie ! dit Rachel, d'un ton suppliant.

— Passez-moi une cuillère pour lui abaisser la langue, dit Grand-papa. Je veux examiner sa gorge. Le temps que vous reveniez et je lui aurai ouvert la bouche.

Rachel sortit de la chambre. Quand elle revint, Colette

souriait toujours aussi gentiment mais les yeux du docteur clignotaient de fureur.

— Autant essayer d'arracher une satanée patelle à son rocher ! grommela-t-il. Il faudrait au moins une pince pour y arriver !

Rachel, s'agenouillant devant le lit, tenta pendant dix minutes de faire céder l'enfant par la tendresse, la persuasion, les explications; mais ce fut en vain. Colette, les yeux fixés sur la cuillère d'argent, refusait d'ouvrir la bouche. Rachel était très intriguée. Cette petite avait toujours été si facile ! Son obstination était aussi inattendue que déconcertante. Au pied du lit, Grand-papa soufflait, les mains dans ses poches.

— Allez-vous-en ! dit-il à Rachel. Laissez-moi me débrouiller avec cette enfant. Vous ne servez à rien. Vous manquez de fermeté. Elle va ouvrir la bouche pour faire plaisir à son vieux grand-père. Ce qu'il faut, c'est de la fermeté, de la fermeté.

Rachel descendit dans le vestibule pour attendre. Un quart d'heure plus tard, Grand-papa reparut; il était très rouge et des gouttes de sueur perlaient à son front pendant qu'il descendait lourdement l'escalier. Il traversa le vestibule et s'élança vers sa voiture sans ralentir une minute sa course furieuse. Rachel dut courir après lui pour saisir au vol les conseils qu'il lui lançait tout en avançant.

— C'est un accès de fièvre. Impossible de lui faire ouvrir la bouche, mais cela doit être une indigestion. Gardez-la au calme. Je vais vous faire envoyer une potion — bien que je me demande comment vous la lui ferez avaler. Je n'ai jamais vu un entêtement aussi diabolique.

Comme il arrivait, à ce moment, devant sa voiture, son cocher l'aida à s'y hisser.

— Ce n'est rien de grave ? demanda Rachel d'un ton anxieux.

— Comment voulez-vous que je le sache ? répliqua le docteur d'un air furibond. Je ne peux pas lui faire ouvrir la bouche. Pour quelle raison vous n'arrivez pas à mater vos enfants, je me le demande ! C'est la discipline qui fait défaut. La discipline. Vous êtes trop faible.

— C'est l'obstination des du Frocq qui ressort, dit Rachel.

— Hein ? fit Grand-papa. L'obstination ? Ce n'est pas de *mon* côté qu'elle a hérité cela, permettez-moi de vous le dire, mais du vôtre. Vous êtes une femme dure et implacable, comme j'ai déjà eu l'occasion de vous le déclarer.

— Tout à l'heure, vous m'accusiez de faiblesse ! murmura Rachel.

— Comment ? grommela le vieillard, en remontant la couverture sur ses genoux. Je ne vais tout de même pas rester ici toute la matinée à discuter les traits de caractère de votre fatigante famille... En avant, Lebrun !

Le cocher fouetta les chevaux et le docteur du Frocq, tout bougonnant, s'en alla examiner des langues plus dociles. Rachel remonta près de Colette. La première chose qu'elle vit, en ouvrant la porte de la chambre, fut la langue rose de sa fille, étalée de tout son long sur son menton comme un tapis pendant à une fenêtre. Colette offrit ce spectacle à sa mère pendant une minute, puis rentra sa langue.

— Ma chérie, pourquoi donc n'avez-vous pas voulu la montrer à Grand-papa ? demanda Rachel.

— Il a dit que j'avais trop mangé le jour de Noël, répondit l'enfant. Ce n'est pas vrai... Maman, j'ai soif !

II

COLETTE fut très malade. Pendant trois semaines, Grand-papa vint la voir tous les jours et ces trois semaines le firent vieillir plus que les dix années précédentes. Rachel put mesurer la gravité de l'état de l'enfant et la profondeur de l'amour que son grand-père lui portait au changement rapide qui se faisait en lui.

Le beau temps n'avait pas duré; la pluie tombait à verse et le vent arrivait du large en rafales contre la maison et se dispersait en petits tourbillons qui hurlaient et gémissaient autour des toits et des cheminées. Dans la maison, il semblait faire toujours sombre; le poids et la tristesse de l'obscurité pesaient sur tout et l'aurore commençait et finissait sans qu'on le remarquât. Personne ne dormait, on ne mangeait guère; seuls, le vent et la pluie paraissaient doués de force et de vigueur. La vie de toute la maison s'était arrêtée et son rayonnement semblait s'éteindre peu à peu.

Rachel passait tout son temps dans la chambre de Colette. Pour le moment, son univers tournait autour de l'enfant et rien ni personne d'autre ne lui importait plus. Colin même était oublié. Désespérée, serrant les dents, elle surveillait et combattait la mort pied à pied, jour après jour, nuit après nuit. Ranulph et Péronelle, qui étaient les seuls à garder leur sang-froid, luttaient vaillamment pour maintenir un semblant d'ordre à Bon Repos; les autres oubliaient leurs tâches ou bien faisaient par erreur celle de quelqu'un d'autre. Sophie pleurait du matin au soir, Michelle, Jacqueline et Colin, quand ils n'étaient pas en larmes, se disputaient comme des sauvages; quant à André, s'exténuant à la ferme, très affaibli par le chagrin et énervé par la violence de la tempête, il donnait aux poules la pâtée des cochons et aux vaches l'avoine des chevaux. Ranulph, courant après lui sous son suroît, réparait les erreurs, payait les hommes, faisait les comptes, ramassait les œufs et, le soir venu, s'asseyait devant le feu de la cuisine pour conter des histoires aux enfants. Sans lui, Péronelle, qui avait pris sur elle la charge de la maison comme lui celle de la ferme, n'aurait jamais eu la résistance voulue; mais avec lui, elle s'attelait à Bon Repos et, s'en partageant la direction, tous deux tenaient bon. Ce fut au cours de ces semaines terribles que Ranulph, étranger jusqu'alors et vivant toujours un peu en marge de la famille, malgré l'intimité et la grande affection qu'on lui accordait, se trouva mis brusquement au centre de tous. Personne ne pouvait croire qu'on ne l'avait pas toujours connu; il semblait faire partie de la famille. Tous tournaient autour de lui comme les rayons de la roue autour du moyeu. Et puis, il était la seule personne de la maison qui parvenait à toucher Rachel. Bien qu'elle ne semblât lui prêter aucune attention, il trouvait moyen de l'entraîner à manger ou à se reposer quand il le fallait, et elle se souvint plus tard que, lorsqu'il se trouvait près d'elle, il paraissait lui insuffler des forces et du courage.

La crise de la maladie se produisit un samedi soir. Grand-papa, après avoir abandonné tous ses clients aux mains du pauvre Blenkinsop, n'avait pas bougé de Bon Repos depuis le matin. Il ne restait pas grand-chose à faire, mais il ne se résignait pas à quitter Colette une minute. Il avait le cœur fendu en voyant cette enfant, naguère si rose et si potelée, maintenant aussi maigre et aussi diaphane qu'un petit papillon blanc; mais il eût été plus triste encore de la quitter et de ne plus la voir. Il ne descendit qu'à l'heure du thé pendant que Rachel veillait la malade. Il ne tapait plus du pied, maintenant; il n'en avait plus la force; ses pas étaient ceux d'un vieillard très usé. Il s'assit lourdement en haletant un peu. Péronelle lui servit du thé pendant que Ranulph lui beurrait des tartines. Il ne restait plus rien de la tension qui avait existé entre eux, de même que la jalousie qui était née entre Ranulph et André semblait n'avoir jamais existé. Grand-papa remuait son thé; les autres retenaient leur souffle.

— Elle ne passera pas la nuit, dit-il enfin. Elle n'a plus sa tête. Nous n'arrivons plus à la tirer de sa torpeur.

Personne ne dit mot. Qu'aurait-on pu dire ? André s'appuya un instant au dossier de sa chaise, puis se pencha de nouveau en avant comme si ce mouvement lui eût fait mal. Son attitude exprimait une désolation qui rendait exactement ce qu'ils éprouvaient tous.

Ce fut à ce moment que Péronelle s'aperçut qu'on frappait avec insistance à la porte, dans le bruit du vent et de la pluie. Cela venait de la porte d'arrière. On avait envoyé Sophie près de Jacquemin Gosselin, dans l'espoir qu'il parviendrait à arrêter le flot de ses larmes et à lui redonner un peu de bon sens. Péronelle, engourdie de douleur, comprit qu'elle devait aller ouvrir. Elle se leva, avança à tâtons dans l'office éclairée d'une seule bougie et tira le verrou. Tout d'abord, comme la lumière n'éclairait que la rafale, elle ne vit que les lances argentées de la pluie striant l'obscurité bouleversée; puis elle discerna une forme ramassée contre le mur. Elle eut un mouvement de frayeur — depuis deux jours, Sophie n'avait fait que voir des démons, des sargousets et des corbeaux, annonciateurs de la mort, rôder autour de la maison — mais son bon sens vint à son secours et elle regarda plus attentivement dans l'obscurité.

— Qui est là ? demanda-t-elle.

— On dit que Sophie Lihou va se marier.

La voix qui prononçait ces mots dans la tempête était faible et tremblante. Péronelle n'y comprenait rien.

— Oui, mais que venez-vous faire ici ? Qui êtes-vous donc ?

Elle allongea le bras et attira vers elle la forme indistincte de façon à l'amener sous la lumière. Elle vit alors une fillette d'une maigreur incroyable enveloppée d'un manteau ruisselant; le visage semblait presque surnaturel dans sa pâleur hagarde, le creux des joues et le cerne des yeux faisaient de grandes plaques noires sur la peau blanche, et les yeux, également noirs, étaient sans vie et sans éclat. Péronelle eut comme un nouveau geste d'effroi. Cette pauvre créature ressemblait plus à un démon qu'à un être humain.

— On m'a renvoyée du Paradis, y a trois semaines, mamzelle, bégaya-t-elle. J'étais point assez vive dans ma besogne. Je suis quasiment morte de faim. Et puis, j'ai entendu dire que Sophie allait vous quitter pour se marier, alors je me suis dit que, peut-être bien que vous me prendriez... Je suis tout plein forte.

Elle jetait ces derniers mots, si évidemment faux, comme un défi à la nuit, et Péronelle l'écoutait, bouche bée.

— La petite mamzelle Colette a été bien bonne pour moi, continuait la voix. J'aimerais bien être près d'elle; elle dirait un mot pour moi.

Le nom de Colette envoya un frisson d'angoisse dans les veines de Péronelle, qui retrouva aussitôt son goût de l'action; saisissant, de nouveau, la fillette par la main, elle l'entraîna dans l'office. La lueur de la bougie lui révéla, alors, la créature la plus pitoyable qu'elle eût jamais vue. Le regard de Péronelle allait de la figure hagarde et des cheveux raides, retenus par trois épingles grandes comme des lardoirs, aux mains maigres, toutes couturées, qui serraient le manteau ruisselant, aux souliers éculés et aux bas trois fois trop larges qui tombaient en tire-bouchons sur les chevilles décharnées. Elle se sentait bouleversée de pitié. Avec son énergie habituelle, elle mit de côté son angoisse personnelle et se voua au problème urgent.

— Expliquez-moi cela, dit-elle. Comment connaissez-vous ma petite sœur ?

Toinette, avec hésitation, raconta la visite de Colette au Paradis et le don du collier de corail.

— Ma'me Gaboreau m'a renvoyée, mamzelle, dit-elle en terminant, alors je me suis dit que vous me prendriez peut-être bien. Je peux travailler dur quand on me bat point... Je voudrais être avec mamzelle Colette.

— Elle est en train de mourir ! s'écria Péronelle, en

lançant ces mots d'un ton farouche pendant que les lignes de sa bouche se durcissaient.

Toinette resta immobile un instant, puis fit un bond en arrière comme si elle eût reçu un coup, et un son aussi déchirant que la plainte d'un animal sortit de ses lèvres. D'un geste aveugle, elle se retourna vers la porte comme pour affronter, de nouveau, l'orage. Péronelle la saisit par le bras.

— Où allez-vous ?

Toinette, se libérant brusquement en frappant furieusement Péronelle, s'échappa à tâtons dans l'obscurité.

Poussée par une impulsion venue on ne sait d'où, Péronelle courut après elle en glissant et en trébuchant sur les pierres humides, pendant que le vent et la pluie la fouettaient au visage et lui labouraient les cheveux. Elle rattrapa Toinette à la barrière de la ferme.

— Revenez ! dit-elle en haletant.

L'émotion et la course folle à travers la cour semblaient avoir épuisé Toinette. Elle se laissa ramener docilement, sans mot dire. D'un air résolu, Péronelle referma d'un coup la porte de la laverie et arracha le manteau de Toinette de ses épaules.

— Vous allez venir voir Colette, lui dit-elle d'un ton farouche. Vous allez la faire revenir à elle. Elle revivra pour vous.

Quand on la questionna, plus tard, Péronelle ne put jamais expliquer ce qui lui avait donné à penser que Toinette pourrait sauver sa sœur. Elle disait que c'était sans doute l'analogie de leurs noms qui les avait reliées dans son esprit; ou bien elle disait avoir senti une grande force en Toinette; enfin elle avouait qu'elle ne savait pas ce qui l'avait poussée. Rachel souriait alors en assurant que ç'avait dû être une *vision*. Elle avait toujours pensé que Péronelle était douée de seconde vue, à cause des petits points noirs de ses yeux, qui en étaient le signe certain. Quoi qu'il en soit, Péronelle agit donc ainsi : prenant la main glacée de Toinette dans la sienne, elle l'entraîna hors de la laverie, par la cuisine et le vestibule, jusqu'à l'escalier par où elle la fit monter. Grand-papa, André et les autres, plongés dans leur angoisse, s'étaient à peine aperçus de son passage qu'elle avait déjà disparu. Ranulph se souleva sur son siège, mais les autres n'eurent conscience de rien.

Péronelle frappa d'un coup ferme à la porte de la chambre. Rachel vint ouvrir. Ses yeux, enfoncés dans des cernes pourpres, flamboyaient dans son visage pâli.

— Comment osez-vous venir frapper ici ? dit-elle à Péronelle.

Sa voix était dure et rauque, dénuée de toute beauté.

Péronelle ne se laissa pas déconcerter; poussant sa mère de côté et tenant toujours Toinette par la main, elle entra dans la chambre.

Colette était étendue sous son petit couvre-pied semblable à une plate-bande fleurie. Elle avait tant maigri que son corps le soulevait à peine. Sa figure était toute blanche et elle avait les yeux fermés. Elle semblait être déjà dans le coma, dont on ne se réveille qu'au-delà de la mort.

Péronelle poussa Toinette vers le lit.

— Parlez-lui ! Faites-la revenir ! lui dit-elle d'un ton autoritaire.

Dans son angoisse, elle tordait sauvagement les doigts

de la petite servante. Celle-ci, en tremblant comme une feuille, obéit.

— Colette ! murmura-t-elle d'une voix rauque en se penchant sur le lit. Mamzelle Colette !

L'attraction qu'ont deux esprits dont on pourrait penser qu'ils sont très éloignés l'un de l'autre, leur contact et le lien qui s'établit entre eux sont de ces choses qui dépassent toute compréhension, comme l'affinité de la lune et des marées ou l'accouplement des oiseaux. Par le don d'un collier de corail, Colette et Toinette se trouvaient désormais liées, et leur rencontre, comme celle de la lune et de la marée, avait donné à l'une une immense influence sur l'autre. On ne pouvait rien expliquer. C'était ainsi. Ce que toute la famille, qui adorait Colette, n'avait pu faire, Toinette l'accomplit en murmurant ces quelques mots. Lentement, avec un grand effort, la petite malade ouvrit les yeux. Elle regarda le visage étrange de Toinette, et Rachel, dans la fièvre de son angoisse, crut voir des ondes de lumière passer sur la petite figure comme si le flux de la vie remontait. Les lèvres de l'enfant s'agitèrent et elle parla enfin pour la première fois depuis longtemps.

— Il faut donner de la crème à Toinette avec sa tarte aux pommes, dit-elle.

III

Le lendemain, à la fin de la journée, le docteur du Frocq eut bien du mal à monter le perron de sa maison et à rentrer chez lui. Il se sentait extrêmement las. Il avait passé toute la nuit précédente à tenter de ranimer la lueur

de vie que Colette manifestait encore, et il n'avait pas osé
la quitter, ensuite, de toute la journée, bien que cette
lueur fût devenue flamme; et voilà qu'il s'était trouvé,
près du lit de l'enfant, face à face avec cette fille de cuisine
aux yeux de chouette qu'on venait de renvoyer de chez
lui ! Cette situation était d'une telle absurdité, que s'il
n'avait pas été si absorbé par l'état de sa petite-fille, il en
eût éprouvé un vif déplaisir. Quelle idée de planter une
répugnante petite orpheline, sortie de la rue Clubin, au
chevet du lit de Colette et de déclarer ensuite, comme
l'avait fait Rachel, que l'enfant n'avait été sauvée que par
cette fille ! C'était de la pure folie ! Que ne verrait-on
pas bientôt ! Rachel était folle. Il l'avait toujours dit.
Ridicule, cette femme ! Enfin, tant pis ! La petite se remettait, grâce à son diagnostic et à son traitement. Drôle de
petite bonne femme ! Le docteur sourit en se rappelant
l'image de Colette telle qu'il l'avait laissée, paisiblement
endormie avec un air de santé qui commençait à reparaître
sur sa figure et la pointe de sa langue rouge visible entre
ses lèvres. Cette langue ! S'il avait pu lui faire ouvrir la
bouche dès le premier jour, il eût découvert plus tôt la
cause du trouble. Petite mule ! Tout le portrait de sa
mère ! Il referma la porte avec violence et appela Barker
à grands cris :

— Mlle Colette a passé le tournant, Barker, dit-il, en
lançant son chapeau et sa canne à son admirable serviteur.
Je crois que, maintenant, cela va aller. Hum ! Oui. Cela
va aller. Vous pouvez le dire en bas.

Le visage de Barker s'éclaira.

— Dieu soit loué, Monsieur ! dit-il. Et le dîner est
servi.

Le docteur se dirigea d'un pas pesant vers la salle à manger. Barker observa alors qu'il traînait un peu les pieds. Il remarqua aussi, en servant le potage, que les yeux de son maître étaient légèrement injectés de sang.

— Je vais prendre un doigt de vin, déclara le vieillard. Qu'y a-t-il après ce potage ?

— Une sole, Monsieur; puis de la volaille, un rôti, un soufflé, des croûtes aux anchois et du dessert.

— Je prendrai tout le dîner, dit le docteur, et apportez-moi une bouteille de porto.

Il acheva son potage, puis s'appuya au dossier de son siège en soupirant. Il ne se souvenait pas d'avoir jamais éprouvé pareille fatigue. C'est qu'il n'était plus jeune. Cette maladie l'avait exténué. Quelle petite bécasse ! Il l'aimait diablement.

Quel coup pour lui si elle était morte ! Il n'y aurait pas survécu, bon sang, c'est sûr ! Enfin, il espérait que tout cela allait servir de leçon à Rachel. Une indigestion, tout venait de là.

Comme Barker entrait à ce moment en apportant le poisson, le vieillard jeta un coup d'œil autour de lui, les narines palpitant légèrement, pour s'assurer qu'on y avait bien adjoint la sauce voulue. On ne pouvait se fier à cette sotte cuisinière. Il attaqua alors la sole, qu'il trouva excellente. Pendant tout son séjour à Bon Repos, il n'avait jamais fait de vrais repas, car il eût été impossible à toute personne douée de raison de traiter de repas les choses infectes qu'on ingurgitait à Bon Repos, en fait de nourriture. Et quant aux vins, il n'avait rien pu obtenir d'autre que cette satanée eau d'orge ou cette eau de Seltz prônée par ce serin d'André.

— Donnez-moi donc un peu plus de vin, dit-il à Barker, la bouche encore pleine.

Seigneur ! qu'il se sentait donc las ! Il fallait se ravigoter. Quand il arriva au dessert, il avait déjà mangé autant que ce qui eût pu nourrir Toincette toute une semaine et bu de quoi noyer le duc de Clarence. Barker l'examinait d'un air inquiet.

Le vieillard était très rouge et sa main tremblait de manière alarmante quand il se versa du porto pour la vingtième fois. Barker quitta la salle pour se rendre près de Mme Gaboreau.

— Vous devriez aller surveiller le vieux, lui dit-il. Je ne l'ai jamais vu ingurgiter un pareil repas; et quant à la boisson, voilà je ne sais combien de fois que je descends à la cave, tant et si bien que je ne tiens plus sur mes jambes. A mon avis, le pauvre vieux est si éreinté qu'il n'a plus sa tête à lui.

Mme Gaboreau, avec l'audace que lui donnaient ses longues années de service, alla frapper à la porte de la salle à manger, puis y entra. Le docteur ne lui faisait pas peur. Elle se savait de taille à lui tenir tête en toute occasion.

— Vous avez assez bu, Monsieur, lui dit-elle, en posant une main téméraire sur le carafon.

Le vieillard, enflammé déjà par tout ce qu'il avait bu, fut pris d'une telle fureur que Mme Gaboreau en perdit d'abord son sang-froid; mais comme il lui lançait des jurons de corps de garde, cette colère en éveilla une semblable chez elle. Ils s'invectivèrent pendant un moment, puis la gouvernante, en haussant les épaules, se dirigea vers la porte.

— Vous allez vous tuer, Monsieur, lui dit-elle.

— Allez-vous-en ! lui cria le docteur.

Elle sortit de la salle.

Le vieillard s'empara du carafon de porto pour la dernière fois. Si Mme Gaboreau l'avait laissé tranquille, il n'y aurait pas touché, mais cette intervention l'avait exaspéré. N'était-il plus maître chez lui, à la fin ? Eh bien ?... Il avait du mal, cette fois-ci, à soulever le carafon — ses doigts semblaient tout engourdis. Il eut ensuite la même difficulté à lever le verre jusqu'à ses lèvres. Mais il n'allait sûrement pas se laisser battre, pas plus par sa faiblesse que par sa gouvernante. En faisant appel à toute sa volonté, il parvint à soulever le verre et à boire; puis il s'enfonça dans son fauteuil et ses pensées retournèrent vers Colette. Le petit démon ! Il l'avait quand même sauvée ! Rachel avait beau dire des sottises au sujet de cette chienne de servante, mais sans les jours et les nuits de veille qu'il avait passés près de l'enfant, une armée de filles de cuisine n'aurait pu sauver la petite. Oui, c'est lui qui l'avait tirée de là. Seigneur, qu'il se sentait fatigué ! Il fut pris d'un vertige subit et une sorte de gémissement lui échappa. Le monde entier tournait au rouge. Il ne voyait plus que du rouge, du rouge partout, un tourbillon rouge autour de lui. Il se pencha en avant et se cramponna follement à la nappe; puis il entendit un fracas de verre brisé avant de tomber par terre sur le flanc.

IV

Le lendemain, Bon Repos était plongé dans sa paix coutumière. La tempête avait disparu avec la nuit et de grands nuages gris ourlés d'argent voguaient dans un ciel d'un bleu intense et brûlant. Chargés de pluie, ils planaient si près de la terre qu'elle semblait rapprochée du ciel comme deux amis qui, après une querelle, se tendent les bras pour se réconcilier. Depuis plusieurs jours, le ciel avait, sans pitié, assailli la terre pendant que celle-ci restait morne sous ses coups, toute grise et morose dans sa beauté flétrie. Maintenant, la terre soupirant vers le ciel reflétait ses bleus et ses argents dans ses flaques pendant que les nuages descendaient vers la cime des arbres. Sur chaque brin d'herbe battue et sur chaque rameau dénudé, le ciel avait suspendu des rangs de diamants, et les alouettes, virevoltant entre ciel et terre, tissaient des chants dans l'entre-deux. On sentait dans l'air la venue du printemps, la promesse du renouveau.

A Bon Repos, la vie renaissait aussi joyeusement, et l'on recommençait à prêter attention à l'aurore et au chant des oiseaux. Les membres de la famille qui n'étaient pas occupés par Colette s'asseyaient en se souriant doucement d'un air stupide, brisés de fatigue mais profondément heureux, car l'enfant, ce matin, avait absorbé un œuf ! Un œuf brun, pondu tout exprès pour elle, avec beaucoup de façons, par une vieille poule qui, depuis des semaines, n'avait pas condescendu à en pondre un seul. Colette

avait avalé cet œuf avec plaisir et en avait même demandé
un autre !

La nouvelle que le grand-père venait d'avoir une
attaque tomba comme une bombe sur cette paix. Ce fut
pour tous un coup terrible, sauf pour Sophie qui déclara
qu'elle avait prévu cela depuis longtemps.

— Ça se passe toujours comme ça, Madame, dit-elle
à Rachel. J'ai vu ça je sais pas combien de fois. Quand
la mort rend quelqu'un, elle en prend un autre. Ah !
ce que j'ai vu ça des fois !

— Mais le docteur du Frocq n'est pas mort, dit Rachel ;
il peut se remettre.

Sophie secoua la tête.

— Entre Noël et Pâques, déclara-t-elle, y a toujours
quelqu'un de pris dans une famille. Faut nourrir la mort.

Rachel se demanda pendant un instant de quel vieux
rite païen, ayant exigé un sacrifice annuel, cette superstition
paysanne était le souvenir ; mais elle ne pouvait songer à
autre chose qu'à la joie de voir que Colette lui était rendue.
Elle ne parvenait même pas à penser beaucoup à Grand-
papa, et André se rendit sans elle près de son père.

Ranulph semblait singulièrement ému par la nouvelle
de la maladie du docteur. La famille en éprouvait quelque
surprise, car, en somme, que lui importait ! Mais, malgré
son émotion, il paraissait n'avoir aucun doute sur la
guérison de Grand-papa.

— C'est un vieux dur à cuire, dit-il, en se dirigeant
vers la ferme pour y faire le travail d'André. Rien ne
peut l'abattre. L'égoïsme fortifie ; c'est penser aux autres
qui fatigue... Il est immortel.

Pour une fois, Ranulph se trompait. La tendresse de

Grand-papa pour Colette — l'unique trait d'oubli de soi
dont il eût jamais été capable — lui avait coûté cher.
Trois jours plus tard, un message anxieux de Blenkinsop
pria M. et Mme du Frocq de venir en toute hâte. André
courut atteler Lupin pendant que Rachel montait mettre
sa capote. La convalescence de Colette était en si bonne
voie que Rachel pouvait se permettre de songer avec
tendresse au vieillard qui avait tant lutté pour sauver
l'enfant. Au moment où elle redescendait pour rejoindre
André, Ranulph, qui sortait de l'étable, s'avança vers
eux, le chapeau à la main.

— Puis-je vous accompagner ? demanda-t-il.

André et Rachel le regardèrent avec surprise.

— J'aimerais aller là-bas avec vous, reprit-il.

La prière avait l'accent d'un ordre, et ses étranges
yeux clairs, fixés sur eux, soutenaient fortement ses paroles.

— Certainement, répondit André.

Barker leur ouvrit la porte, et Mme Gaboreau s'avança
derrière lui. Tous deux présentaient l'attitude et l'expression correcte du chagrin, mais derrière ces manières
apprêtées, on sentait, néanmoins, un regret sincère. A
l'exception de Colette, ces deux êtres tenaient plus au
vieillard que toute sa propre famille.

— Blenkinsop pense qu'il passera la nuit, dit Mme Gaboreau; mais je ne le crois pas. Il mourra cette nuit, à
la marée.

Barker les emmena dans la bibliothèque, où il avait
indiqué l'état du docteur en baissant à demi les stores.
Il leur donna les journaux, puis les quitta. Ranulph,
Rachel et André ne disaient mot; André et sa femme se
torturaient de chagrin de n'en pas éprouver davantage,

et Ranulph s'étonnait de se sentir peiné. Puis Mme Gaboreau vint les retrouver.

— Le docteur veut voir seulement Mme André,
dit-elle.

Rachel fut très surprise. Le vieillard ne l'avait jamais
aimée. Pourquoi ce désir soudain de la voir ? Elle monta
derrière la gouvernante.

La chambre de Grand-papa se trouvait au-dessus de la
bibliothèque et avait vue sur la mer ; mais on n'ouvrait
jamais les fenêtres. La pièce était encombrée de lourds
et riches meubles d'acajou et de rideaux de velours rouge.
Le lit à colonnes semblait immense. En entrant dans la
chambre, Rachel songea, tout à coup, à sa belle-mère.
Quelle horreur d'avoir été obligée de coucher près de
Grand-papa dans ce grand catafalque ! Et d'être morte
dans cette chambre étouffante ! La pauvre femme !...
Puis, avec un sursaut de honte, elle se rappela brusquement qu'un autre allait mourir maintenant dans cette
même chambre.

Au fond de cet énorme lit, Grand-papa semblait presque
petit. Il avait l'air d'avoir rapetissé depuis la dernière fois
qu'elle l'avait vu. Ses yeux étaient injectés de sang, et
ses mains, posées sur la courtepointe, étaient déjà les
mains insensibles et inutiles d'un mort. Pourtant, il
n'inspirait pas la pitié. Il eût considéré ce sentiment
comme une insulte et il gardait encore assez de force
pour l'écarter. Rachel ne l'embrassa pas — elle s'en garda
bien !

— Asseyez-vous ! lui dit-il.

Sa parole, faible et empâtée, n'avait rien perdu de son
ton autoritaire. Rachel s'assit.

— Colette ? dit-il. Décrivez-moi son état.

Rachel eut un sourire. C'était donc pour cela qu'il l'avait demandée ! Non pas pour elle, mais pour avoir les dernières nouvelles de la petite ! Elle lui en fut reconnaissante et, tout en dénouant les brides de sa capote, elle s'embarqua dans un rapport détaillé de ce que Colette avait bu et mangé, de son sommeil, de ses réveils, de ses observations et de ses moindres mouvements depuis quatre jours. Grand-papa avait les yeux fermés, mais Rachel savait qu'il ne perdait pas une seule de ses paroles.

— Et ce matin, elle a ri, ajouta-t-elle, de son vrai rire habituel.

— Hum ! fit Grand-papa. Elle est tirée d'affaire. Surveillez bien sa convalescence. Ne vous montrez pas plus stupide que vous ne savez éviter de l'être. Et ne la laissez pas trop manger.

— Colette vous aime bien, répondit Rachel.

Le vieillard ouvrit un œil.

— Hum ! Cela n'aurait pas duré.

Ceci dit, il baissa la paupière. Il y eut dix minutes de silence, puis le vieillard rouvrit les yeux et regarda sa belle-fille d'un air de profonde antipathie.

— Qu'est-ce que vous attendez là ? lui dit-il. Je n'ai pas besoin de vous.

— Aimeriez-vous voir André ? demanda Rachel en se levant.

Grand-papa fit entendre un de ses grognements habituels.

— Non, dit-il. Ce garçon est idiot. Tout comme sa mère.

Après une pause, il ajouta :

— Est-ce que Mabier est ici ?

Rachel éprouva une grande surprise. Quel lien singulier y avait-il donc entre son beau-père et Ranulph ?

— Oui, dit-elle.

— Eh bien ! Envoyez-le-moi, dit le vieillard.

Et il tourna la tête en fermant les yeux pour donner congé à sa belle-fille. Rachel, pendant un instant, ne broncha pas ; elle faisait appel à son courage pour dire ce que le devoir lui ordonnait de dire.

— Père, dit-elle enfin, ne voudriez-vous pas voir un prêtre ?

La colère monta brusquement au front du vieillard et dans son indignation, il se souleva presque dans son lit.

— Non ! fit-il d'un ton hargneux. J'ai été un hypocrite toute ma vie, mais que le diable m'emporte, je ne le serai pas dans la mort ! Allez-vous-en !

Avec sa dignité incomparable Rachel quitta la chambre en refermant doucement la porte derrière elle et redescendit à la bibliothèque.

— Mon beau-père désire vous voir, dit-elle à Ranulph.

André la regarda d'un air étonné, mais Ranulph sortit sans paraître surpris le moins du monde. Dès qu'il eut quitté la pièce, Rachel se rappela qu'elle ne lui avait pas indiqué où se trouvait la chambre du docteur, et elle allait se lever de son siège quand elle entendit marcher au-dessus... Apparemment, il avait trouvé.

Ranulph, au pied du lit, regardait son père.

— Eh bien ! Jean ? dit le docteur.

Ranulph eut son sourire désagréable et se mit à tambouriner sur le lit.

— Comment m'avez-vous donc reconnu ? demanda-t-il.

— Je ne suis pas idiot, rétorqua son père d'un ton bourru. Cette histoire que vous avez racontée, le jour de Noël — elle vous a trahi — c'était tout à fait votre vieille manière de raconter des mensonges... Asseyez-vous.

Ranulph s'assit; une ancienne lueur d'affection brillait dans ses yeux jaunes. Il s'étonnait de découvrir ce sentiment sous ce qu'il croyait être de la haine envers son père... Mais quelle bravoure chez ce vieillard !

La venue de son fils semblait avoir donné au docteur une recrudescence de forces. Sa voix sonnait plus claire. Il ne paraissait plus aussi malade. Il regardait Ranulph longuement comme pour déchiffrer enfin, avant de mourir, cette énigme qu'avait été, pour lui, son fils.

— Vous en avez fait de belles ! lui dit-il. Vous vous êtes montré un joli imbécile — pire encore qu'André !

Ranulph sourit.

— Et pourtant, vous avez voulu me voir, et non André, dit-il.

— Hum ! fit le vieillard. J'ai toujours eu plus d'affection pour vous que pour votre frère.

Après un silence, il revint à la charge.

— Qu'est-ce qui vous a conduit à ces folies ?

— Pourquoi revenir maintenant sur ces choses ? demanda Ranulph.

— Allons ! répliqua le vieillard.

Ranulph se croisa les jambes.

— C'est vous qui m'y avez poussé. Vous vouliez me plier à votre volonté; mais personne ne peut vivre selon la volonté d'un autre. Je voulais me faire marin. Vous ne me l'avez pas permis. Vous m'avez enfermé comme un

animal en cage. Les animaux en cage deviennent fous,
un jour ou l'autre — ils deviennent fous ou meurent.

— Hum ! marmotta son père.

Il y eut un silence. Quand le vieillard se décida à répondre, il était visible qu'il avait suivi la pensée de son
fils.

— Votre mère est morte, dit-il.

— C'est vous qui l'avez tuée, répondit Ranulph.

— Menteur ! s'écria son père, d'un ton furieux et
comme s'il eût craché ce mot.

— Un être en cage, épuisé de battre des ailes vainement
contre les barreaux, n'a plus la force de lutter contre la
maladie, reprit Ranulph d'un ton amer, tout en ayant
affreusement honte de sa propre cruauté.

A quoi bon faire des reproches à ce mourant ? Mais
son amour pour sa mère, qui avait été le plus grand sentiment de sa vie, et la douleur que lui avait causée sa mort
étaient encore si vifs qu'il n'avait pu rester maître de lui.

— C'est après la mort de votre mère que vous avez
pris l'habitude d'aller voir cette chienne de la rue Clubin ?
reprit le docteur.

Ranulph sursauta. Il ignorait que son père fût au courant
de cette histoire.

— Oui, répondit-il.

Le vieillard retomba dans son silence.

— On ne peut pas recommencer sa vie, dit-il enfin.

— Non, répliqua Ranulph. C'est dommage !

Leurs regards se croisèrent. Du remords, une prière de
pardon échangée et mutuellement accordée, une affection
profondément enracinée surgissant après toute une vie
perdue, il y avait tout cela dans ces regards.

— Vous pouvez rester ici, dit enfin le vieillard.

— Je vais rester, oui, répondit Ranulph.

Son père s'endormit alors, et Ranulph se tint à son chevet dans une immobilité qui lui sembla durer des heures. Mme Gaboreau vint le chercher pour l'emmener se restaurer, mais il reprit vivement son poste. Le soleil, haut maintenant dans le ciel, inondait la chambre de lumière et, par les fenêtres, il voyait la mer et les navires qui passaient en rade. Pendant un instant, saisi par l'atmosphère confinée de la chambre, il dut s'assoupir un peu, car il eut l'impression que c'était sa mère qui mourait dans cet horrible lit, et il se sentit, de nouveau, envahi par la torture de l'ancienne douleur. En reprenant ses sens, il s'aperçut que la sueur ruisselait sur son visage et que le regard de son père était fixé sur lui. La parole du vieillard était redevenue faible et empâtée, mais son esprit semblait plus lucide que jamais; il pensait à ses petits-enfants.

— Péronelle fera sûrement un beau mariage, marmotta-t-il.

— Certainement, dit Ranulph. Elle a du sang de fée dans les veines. Elle fera honneur à sa famille.

— Hum! reprit son père. C'est une enfant intéressante. Colette aussi. Grosse bonne femme — fondue maintenant!

— C'est étonnant ce qu'elle a repris depuis deux jours, dit Ranulph.

Le docteur eut un sourire.

— Si Colin veut être marin, laissez-le faire, murmura-t-il.

— J'y veillerai, promit Ranulph.

Le soleil passa au zénith, puis commença à redescendre. Dans la chambre, la lumière perdait de son éclat.

— Vous verrez que j'ai laissé très peu de chose, chuchota le mourant, et que je donne tout à André... J'ai été prodigue... les courses... André est un triple sot... à deux doigts de la faillite.

Une grande angoisse résonnait dans ses paroles. La réponse de Ranulph vint d'un bond la dissiper.

— Je veillerai sur eux tous. J'ai de l'argent.

— Hein ? dit Grand-papa dans un dernier sursaut. *Vous* avez de l'argent ?

Il soulevait sa tête de l'oreiller pour mieux regarder son fils.

— Oui, je suis à mon aise. J'ai fait un bon magot aux mines d'or.

Ranulph ne pouvait s'empêcher de sourire devant la surprise et le profond respect qu'il lisait dans les yeux de son père. C'en était presque comique.

— Comment ? Comment ? Bon Dieu ! marmotta le docteur. Et dire que je vous ai traité d'idiot !... Un homme à son aise !

Un air de satisfaction éclairait son visage et n'en avait pas encore disparu un moment plus tard quand il s'assoupit. Au bout d'une demi-heure, Ranulph fut frappé par un certain changement dans l'immobilité du vieillard. Il se leva pour s'approcher de lui. L'assoupissement était devenu le coma. Ranulph descendit en courant pour aller chercher André et Rachel; puis il y eut, de nouveau, un long moment d'attente tandis que Rachel priait, à genoux près du lit, et que les deux hommes regardaient, par la fenêtre, les premières ombres du crépuscule envelopper la mer.

Grand-papa mourut à marée haute.

CHAPITRE VIII

I

Le printemps fut précoce, cette année-là, et sa venue parut à Rachel plus triomphale que jamais. Mais peut-être n'était-ce qu'une illusion parce que son cœur, bondissant de joie devant la guérison de Colette, s'accordait mieux encore que d'habitude au miracle du renouveau.

Par un beau matin, Rachel s'en fut dans la cour pour prendre le linge qui sortait de la lessive. Sophie, qui avait toujours fait ce travail, était devenue Mme Jacquemin Gosselin, et Toinette avait pris sa place; mais la pauvre fille était l'incompétence même. Rachel devait faire la moitié de la besogne, et quant à l'autre moitié, on ne pouvait dire qu'elle fût vraiment faite. Des efforts de Toinette résultait une sorte d'esquisse confuse qui indiquait ce que son travail aurait dû être plutôt que ce qu'il avait été, en réalité. Rachel ne pouvait s'empêcher de soupirer chaque fois qu'elle pensait à sa nouvelle servante. Après la maladie de Colette, elle avait, dans un élan de gratitude, embrassé la petite orpheline en l'assurant qu'elle trou-

verait pour toujours un foyer à Bon Repos. Toinette avait
répondu à cette bonté en se consacrant toute — son
corps rabougri, son esprit faible, son âme atrophiée —
au service de la famille du Frocq. On lui avait établi une
petite chambre dans un coin du grenier, et elle s'y était
installée, heureuse comme une hirondelle sous un toit.
Tout cela avait été très beau et très touchant et avait
transporté d'enthousiasme la famille entière pendant les
premières semaines, un peu difficiles, du séjour de Toinette.

Mais, maintenant, l'enthousiasme était tombé et les
déplorables méthodes employées par la pauvre fille pour
faire les lits ou la vaisselle commençaient à lasser tout le
monde, à l'exception de Colette, dont l'âme était si liée
à celle de l'orpheline que les insuccès matériels de celle-ci
comptaient pour rien. Quant à Rachel, elle avait été
jusqu'à avouer à André, dans l'intimité du grand lit à
colonnes, qu'elle n'arrivait pas à se repentir de ses mauvaises actions autant qu'elle se repentait de ses bons
mouvements — et surtout de celui qui l'avait portée à
s'attacher à Toinette.

— Il y a des moments, André, avait-elle dit, où je
souhaiterais presque de ne pas être chrétienne.

— C'est parfois bien gênant, en effet, avait reconnu
André.

— Si je n'étais qu'une païenne, je pourrais renvoyer
cette petite ! soupirait Rachel.

Mais elle convenait avec André que c'était impossible.
Il fallait accepter Toinette comme on accepterait un
pauvre chien errant, la nourrir et l'aimer sans attendre
d'elle autre chose que son attachement. De son côté, la

jeune servante, incapable de se rendre compte de son incompétence, était parfaitement heureuse. Toute la journée et toute la nuit, elle se sentait en sûreté, protégée de toute cruauté, et vivait sous le même toit que Colette en se réchauffant à son contact. Elle éprouvait aussi la joie de se sentir indispensable, car n'était-elle pas la seule domestique dont pouvait se vanter la famille ? Elle ressentait une grande fierté à voir toute la maisonnée comme une troupe de poussins sous son aile.

Ce matin-là, Rachel, voulant prendre des forces avant d'avoir affaire à sa jeune servante, se retourna pour admirer le spectacle qui s'étendait devant elle. Au-delà de la cour de ferme, elle apercevait les arbres, les champs, les collines et les vallons. C'était une de ces journées de printemps où les coloris sont d'une richesse magnifique. Dans les lointains, les arbres n'étaient pas encore verts mais brillaient sous l'éclat du soleil dans un rayonnement pourpre qui tournait à l'améthyste chaque fois que l'ombre des nuages passait sur eux. Au premier plan, les aubépines balançaient, comme un voile transparent, leurs petites feuilles d'un vert éclatant, à demi dépliées, et les primevères se hâtaient d'étoiler l'herbe encore brunie par les premières gelées. Le ciel, clair à l'horizon comme une campanule, prenait, plus près, les teintes de la jacinthe ; et derrière les arbres rouges, une langue de ciel, mince comme un ruban, était d'un si incroyable bleu foncé qu'on eût dit que des milliers de jacinthes, fleuries avant leur heure, avaient recouvert de leur flot les collines lointaines. Les oiseaux chantaient comme des fous : grives, merles, rouges-gorges, pinsons, linots, chardonnerets, roitelets au timbre perçant, tous s'égosillaient dans un tel abandon qu'il était impossible de les distinguer les uns des autres. Dans leur jubilation, ils semblaient avoir perdu toute crainte. Près de Rachel, sur la branche d'un lilas, un merle laissait tomber une cascade de notes comme si sa gorge trop pleine eût été sur le point d'éclater. Rachel, en tendant la main, eût pu le toucher, mais l'oiseau ne semblait pas se douter de sa présence : il s'abandonnait à son chant comme un saint à sa contemplation. Rachel resta un instant à regarder et à écouter, en partageant cette béatitude où elle reprenait des forces; puis, tendant le dos, elle revint vers la cuisine.

Aveuglée par la lumière du dehors, elle faillit tomber sur Toinette qui lavait à grande eau le sol de la laverie.

— Je nettoie les dalles, madame ! lui dit la petite d'un ton joyeux.

Rachel, relevant ses jupes au-dessus de l'inondation, lui répondit qu'elle s'en apercevait.

— On se croirait au bord d'une rivière en crue, ajouta-t-elle. Avez-vous vraiment besoin d'employer tant d'eau que cela, Toinette ? Savez-vous nager ?

— On ne peut pas laver sans eau, chère madame, répondit Toinette d'un ton doux empreint de patience.

Rachel eut l'impression d'un blâme. Chaque fois qu'elle se laissait aller à l'impatience ou au sarcasme envers Toinette, la douceur que lui opposait la petite lui faisait honte.

Elle transporta des pommes de terre à la cuisine — il était impossible de rester à patauger dans la laverie — et elle se mit à les peler.

— Où donc est Mlle Colette ? demanda-t-elle, au milieu du bruit de l'eau.

— Au jardin, avec ses camarades, madame, répondit Toinette.

Rachel eut un battement de cœur. Ces camarades étaient une innovation. Pendant que les autres étaient en classe et que sa mère besognait pour tenir la maison sans l'aide de Sophie, Colette s'était trouvée isolée au cours de sa convalescence et avait fait sortir de son imagination, pour s'amuser, trois camarades invisibles. Telle était, du moins, l'explication que la famille donnait de la situation; car, pour ce qui était de Colette, elle n'admettait pas que ses camarades fussent invisibles et elle restait fermement convaincue qu'ils sortaient, non de son imagination, mais de derrière les arbres, au fond du verger. C'est là qu'ils habitaient, disait-elle à sa mère, et ils accouraient à son appel. Quand on lui demandait de les décrire, elle secouait la tête avec un sourire mystérieux.

II

Ils avaient fait leur apparition dès le premier matin où Colette avait eu la permission d'aller jouer toute seule au jardin. C'était par une belle journée de février, chaude et douce, et pleine de chuchotements. Les perce-neige et les aconits jaunes, seuls, étaient en fleur, les arbres encore dénudés; mais dans la terre humide on voyait pointer partout de petites lances vertes, et les rameaux nus se gonflaient de sève.

Colette, bien couverte d'un gros imperméable et de deux jupons de flanelle sous sa robe, et coiffée d'un béret, traversa la cour au galop pour aller au jardin. Là, elle s'arrêta pour regarder autour d'elle. Il y avait des semaines qu'elle n'y était venue, et il lui semblait nécessaire de refaire connaissance avec les plantes. Elle s'avançait lentement le long de l'allée moussue où les grandes campanules fleurissaient durant l'été. Les perce-neige sortaient de partout, leurs minuscules clochettes blanches veinées de vert retombant sur leur mince tige claire qui semblait trop faible pour les soutenir. Colette se demandait si elles allaient sonner; mais elle n'entendit rien. Sans doute, les efforts qu'elles devaient fournir pour émerger de la terre noire tout humide ne leur laissaient-ils plus la force de songer à la musique. Colette eut l'impression que le jardin ne faisait guère attention à elle, tant il était occupé à renaître après la mort de l'hiver. Ce n'était pas très gentil de la part du jardin, se disait-elle, car elle aussi se reprenait à vivre, et il aurait dû éprouver de la sympathie pour elle. Elle lui tourna le dos pour courir du côté du verger. Là, dans l'herbe brune, sous les rameaux qui se gonflaient, les aconits jaunes étaient en fleur. On en voyait par centaines, éparpillés comme des pépites féeriques, leur disque d'or encadré d'une collerette verte. Sophie lui avait souvent conté de quelle façon les fées cachent leurs trésors dans les cromlechs et comment les mortels ne peuvent les découvrir, parce que, dès qu'ils pénètrent dans les cromlechs, tout se transforme en coquillages. Colette se rappelait qu'un jour, avec Péronelle, elles avaient ainsi découvert, au creux d'un cromlech, une pile de coquillages minuscules qu'elle avait ramassés, tout émue à la pensée qu'elle maniait ainsi de la monnaie de fée. Elle se demandait maintenant si les aconits ne seraient pas aussi des louis

de fée. Elles avaient certainement un air étrange. Colette
essaya de leur parler, mais sans succès. Elles n'avaient
pas la bienveillance impudente des crocus jaunes. Leur
pâleur leur donnait un air assez réservé, et leur collerette,
tel le boa d'une élégante, tenait les passants à distance.

Peut-être était-ce le manque de vigueur qui déprimait
la petite fille, ou peut-être le jardin était-il, en effet, trop
absorbé par les préparatifs de la résurrection du printemps
pour avoir une physionomie avenante, toujours est-il
qu'elle se sentit très isolée.

Elle tourna le dos au verger et se dirigea vers le rempart
couronné de chênes tortus qui le séparait de la falaise.
Ces arbres avaient toujours eu pour elle un grand attrait.
Leur tronc et leurs branches tordus de façon fantastique
par les tempêtes d'hiver leur donnaient l'aspect d'étranges
vieillards rhumatisants levant au ciel leurs bras noueux et
leurs doigts déformés. Du côté du verger, les branches
étaient noires, mais du côté de la mer un lichen gris les
recouvrait. Cela leur donnait une certaine ressemblance
avec des nègres à cheveux blancs. On sentait en eux, non
seulement la vie universelle à laquelle participaient toutes
les autres plantes, mais aussi une vie individuelle. Colette
les chérissait, et malgré leur raideur, ne se sentait nullement effrayée par eux. Elle savait qu'ils la considéraient
avec bienveillance, ainsi, d'ailleurs, que tout le petit
univers de Bon Repos, étendu à leurs pieds. Car ne le
protégeaient-ils pas ? Jour après jour, ils se tenaient là
sur le rempart, en étendant leurs bras pour abriter la maison
et le jardin des vents sauvages et cruels venus de la mer.
Toute violence des bourrasques se heurtait à eux, les
tordait et détruisait leur beauté sans pourtant parvenir

à les vaincre. Depuis des années qu'ils montaient ainsi la garde, aucun d'eux n'avait été déraciné, aucune branche brisée. Dans les ténèbres des nuits de tempête, aux rares occasions où le tumulte éveillait Colette, elle songeait à eux, debout là-bas dans l'obscurité, ployant, craquant, gémissant, rendant au vent coup sur coup de leurs bras torturés, sans jamais abandonner la lutte... Ils étaient invincibles.

Ce jour-là, il n'y avait même pas un souffle de brise et ils reposaient dans une paix bien rare. Sur le calme ciel argenté, leur silhouette ressortait d'un noir d'ébène. Leurs vieilles mains noueuses reposaient sur les épaules des voisins, et leur tête chenue branlait légèrement. On ne voyait sur leurs rameaux aucun bourgeon. Ils ne se garnissaient jamais d'un bien beau feuillage; les quelques feuilles qui parvenaient à s'ouvrir apparaissaient tard et tombaient de bonne heure, toutes noircies et mangées par le sel des vents marins.

Colette fut tout heureuse de voir qu'ils ne pensaient pas encore au printemps; peut-être lui accorderaient-ils quelque attention. Mais ils n'en avaient guère à dépenser. Ils l'accueillirent aimablement, et même, en dépit du calme plat, lui donnèrent d'amicales petites tapes sur l'épaule pendant qu'elle courait près d'eux; mais ils étaient vraiment trop exténués des rigueurs de l'hiver pour faire autre chose que de se laisser vivre. Ils savaient qu'il allait leur falloir encore supporter les rafales du printemps et ils se reposaient pour reprendre des forces. Colette les comprenait parfaitement, mais elle n'en était pas moins extrêmement ennuyée. Si personne ne voulait jouer avec elle, qu'allait-elle donc devenir ? Elle semblait avoir perdu l'habitude de s'émerveiller en toute placidité. La maladie lui avait laissé un sentiment de faiblesse inquiète. Elle éprouvait le besoin d'être divertie... C'est alors que le miracle se produisit.

Elle était en train de regarder ses amis les arbres. Derrière eux s'étendait ce beau ciel d'argent, et le murmure de la mer frémissait dans l'air. L'éclat du ciel était si aveuglant derrière les branches noires qu'elle cligna des yeux et les ferma un instant. Quand elle les rouvrit, elle aperçut trois têtes, surgies par-dessus le rempart, et trois paires d'yeux qui la regardaient entre les troncs des chênes. Elle eut d'abord de la peine à distinguer les visages, à cause de cette lumière argentée qui les entourait comme d'un nimbe; puis elle s'aperçut que c'étaient des enfants et qu'ils lui souriaient. Elle fut dans l'enchantement.

— Venez donc ! leur cria-t-elle.

Ils escaladèrent le rempart et accoururent vers elle. C'étaient des enfants charmants : deux garçons et une fille. Quand elle songea à eux, par la suite, elle s'étonna de découvrir qu'elle n'avait pas la moindre idée de leur âge. Ils n'avaient pas d'âge : c'étaient simplement des enfants, et des enfants de l'Ile, car ils en connaissaient tous les jeux et toutes les chansons. Colette passa une matinée magnifique à jouer avec eux. L'un des jeux était le *Jeu des Cailloux*, où l'on chante :

> Mon toussebelet va demandant,
> Ma fausse vieille va quérant,
> Sur lequel prends-tu, bon enfant[1] ?

1. En français dans le texte. (N.D.L.T.)

Il y avait aussi le *Jeu du Coussin*, celui-là même qui avait tant diverti Charles II quand un insulaire l'avait introduit en Angleterre; et le joli *Jeu de la Danse*, où l'on tourne en rond sur les aconits du verger, en chantant: "Saluez, Messieurs et Dames; ah! mon beau Lauri-er!" Puis, lorsque Colette fut lasse, elle s'assit au pied des chênes et les enfants lui chantèrent de vieilles chansons de nourrice, toutes celles qu'elle préférait: la chanson du maréchal-ferrant, *Ferre, ferre la pouliche*, et l'*Alouette, l'alouette, qui vole si haut*, et la berceuse, *Dindon, Bolilin, quatre éfants dans l'bain de Madame*. Leurs voix douces et claires flottaient par-dessus le verger et le jardin; mais, chose étrange, Colette découvrit plus tard que personne, dans la maison, ne les avait entendues.

Quand la cloche du dîner se fit entendre, les trois enfants sautèrent sur le rempart et disparurent. Avant de partir, l'un des garçons dit à Colette quelque chose qui l'intrigua: "Vous avez bien failli venir avec nous; ce que ç'aurait été amusant si vous étiez venue!" Mais avant qu'elle pût lui demander ce qu'il voulait dire, il avait disparu.

— Revenez demain! leur cria-t-elle, par-dessus le talus vide.

— Oui, on reviendra demain!

Ces mots, lancés par les trois petites voix, résonnèrent comme des clochettes d'argent lointaines.

III

— Depuis combien de temps Mlle Colette est-elle au jardin ? demanda Rachel à Toinette.

— Dix minutes, dit Toinette. Elle a pris ses caout-choucs en disant qu'elle était pressée, que les enfants l'attendaient.

— Les — les — ses camarades imaginaires ? balbutia Rachel.

L'idée des camarades de Colette avait le pouvoir de lui donner des battements de cœur.

— Ce que cette petite sait inventer, tout de même ! dit Toinette en riant avec tendresse. Aujourd'hui, elle m'a même dit leur nom.

— Comment s'appellent-ils ? demanda Rachel, qui pouvait à peine parler.

— Martin, Mathieu et Renouvette, dit la jeune ser-vante.

La cuisine parut tourner soudain autour de Rachel. Elle laissa tomber la pomme de terre qu'elle était en train de peler et s'avança en chancelant vers la porte, tandis que Toinette la regardait d'un air stupéfait. Cram-ponnée au linteau, elle tenta de voir par-delà la cour jusque dans le jardin, mais une buée l'aveuglait... Martin, Mathieu et Renouvette... les trois petits qu'elle avait perdus ! Colette avait-elle appris leur nom et les avait-elle donnés à ses trois camarades imaginaires ?... Ou bien était-ce... Les pensées de Rachel tourbillonnaient dans son esprit. Elle traversa la cour, les mains en avant, comme pour se diriger dans l'obscurité, et elle entra dans le jardin. Devant elle s'étendait l'allée moussue, bordée maintenant de crocus jaunes éclatants, et Colette, le dos tourné à sa mère, y courait en riant de temps à autre par-dessus son épaule comme si elle se fût retournée vers des compagnons. Rachel resta là jusqu'à ce que la petite fille eût disparu derrière les arbres du verger; elle essayait encore de découvrir quelque chose, mais sans parvenir à voir ce que voyait Colette. Elle resta immobile un long moment, en haletant, tandis qu'une grande joie l'envahissait; puis elle se retourna et revint d'un pas léger vers la cuisine et ses pommes de terre. Ses yeux n'avaient rien vu — les morts sont les morts et les vivants sont les vivants, et seul un enfant peut passer d'un monde dans un autre — mais elle était convaincue; elle se sentait inondée de bonheur; aussi heureuse que le merle qui avait chanté sur la branche du lilas. Martin, Mathieu et Renouvette étaient là-bas, dans le jardin, et dansaient entre les crocus et les pommiers... Martin, Mathieu et Renouvette... Ils étaient encore à Bon Repos. Le rayonnement de leur vie faisait toujours partie de l'atmosphère de la maison. Rien n'éteindrait jamais cette lumière, elle le savait maintenant, et rien, rien au monde, elle en faisait le serment, ne la déciderait jamais à quitter la demeure où brillait cette clarté.

IV

COMME c'était une journée de demi-congé, tous les enfants proposèrent leur aide, après le souper, pour laver la vaisselle. L'heureux temps était loin où Rachel pouvait se retirer dans sa chambre en abandonnant cette besogne à Sophie. Tout ce qu'on laissait faire à Toinette n'était jamais fini avant minuit. Le rôle des aides étant généralement de compliquer les choses, Rachel poussa un soupir ; mais elle les entraîna, néanmoins, vers la laverie et leur distribua des torchons. C'eût été leur faire moralement du mal que de refroidir leurs impulsions généreuses. Toinette se mit à glousser de joie : rien ne la comblait de bonheur comme d'avoir toute sa chère famille autour d'elle dans la laverie, où elle pouvait contempler chaque figure à son aise et ne plus rien faire du tout. Michelle et Péronelle se mirent au travail devant deux bassines d'eau bouillante et les autres, rangés en demi-cercle autour d'elles, essuyaient ce qu'elles venaient de laver. Tous parlaient à la fois ; Colette, qui aurait dû être couchée, était perchée sur la lessiveuse et riait de tout son cœur.

Tout à coup, ils se mirent à annoncer des nouvelles mirobolantes, comme le font volontiers les enfants. C'est Colette qui commença. Elle s'arrêta de rire et déclara, à propos de bottes :

— Je me marierai et j'aurai dix enfants.

Tous éclatèrent de rire, à l'exception de Rachel qui, dans son silence, éprouvait un grand soulagement. Ses craintes de voir Colette entrer au couvent s'étaient accrues pendant les incidents de la matinée... Cette petite semblait tellement douée pour la vie surnaturelle !... Mais si, à six ans, elle songeait déjà à fonder une famille, sa mère se disait qu'elle pouvait être rassurée.

— Moi, je me marierai, dit Péronelle, en lançant son torchon comme un lasso autour du cou de Colin, si je trouve un homme sans barbe et qui n'ait jamais de rhume de cerveau. Mais je n'aurai pas dix enfants. Cinq, cela suffit. Ne trouvez-vous pas que cinq, c'est bien assez, maman ?

— Je ne pourrais me passer d'un seul d'entre vous, dit Rachel, mais, assurément, cinq c'est assez.

— Moi, je serai professeur, déclara Michelle, d'un air affecté.

— Que pourriez-vous faire d'autre, avec une figure comme la vôtre ? s'écria brutalement son frère. Vous êtes une poseuse. Les hommes n'épousent pas des poseuses.

Il détestait laver la vaisselle et il était furieux de sentir le torchon mouillé de Péronelle s'entortiller autour de son cou; aussi avait-il l'impression, ce qui lui arrivait souvent, qu'il y avait trop de femmes par le monde.

— Colin ! brute que vous êtes ! s'écria Péronelle avec indignation.

Et elle lâcha une assiette.

— Si cela l'amuse de faire des observations vulgaires, il n'y a qu'à le laisser faire, repartit Michelle, d'un ton encore plus affecté. Cela ne fait de mal qu'à lui.

L'atmosphère devenait un peu tendue.

— Et vous, Colin, dit Rachel, pour créer une diversion, que deviendrez-vous ?

Colin ne répondit pas, mais le regard brûlant de colère qu'il lui lança avait la couleur de la mer — comme son avenir sans doute... Rachel, soudain anxieuse, eut un battement de cœur.

— Ne pouvez-vous pas répondre quand maman vous parle ? lui dit Péronelle, en fureur. Vous n'êtes qu'un sale petit crapaud, grossier et vulgaire, et c'est de votre faute si je viens de casser cette assiette ! ! !

Colin, baissant soudain la tête, se précipita vers sa sœur; mais Péronelle l'attrapa adroitement par la jambe et le retint. Rachel les poussa dehors, férocement entrelacés, jusque dans la cour, et referma la porte sur eux. Puis elle soupira. C'était vraiment bien fatigant d'être aidée par les enfants !

— J'ai fait tout cela, dit Michelle, je pense que je puis aller maintenant lire Platon. Appelez-moi si vous avez encore besoin de moi, maman.

— Certainement, mon enfant, répondit Rachel avec douceur.

Michelle sortit de la laverie avec un air de dignité glaciale.

La paix régnait enfin. Toinette, devant une bassine, éclaboussait tout autour d'elle; Rachel et Jacqueline travaillaient devant l'autre. Colette fredonnait du haut de la lessiveuse et paraissait avoir oublié tout le monde.

— Maman, dit Jacqueline, je prendrai le voile comme sainte Thérèse.

Sa mère laissa échapper le couvercle d'un plat. Toinette eut un cri de joie, puis se mit vivement les poings dans la bouche. Voir Madame casser quelque chose alors que, tous les jours, elle grondait Toinette au sujet de ce qu'elle brisait, c'était par trop magnifique ! Comme Jacqueline se baissait pour ramasser les morceaux du couvercle, sa mère contempla avec stupéfaction cette jeune tête à ses pieds ; elle avait craint de voir les désirs de Colette prendre cette direction, mais non ceux de Jacqueline ; elle avait toujours regardé Jacqueline comme une petite créature frivole, une tête vide. Vraiment, on ne pouvait rien prévoir !

Lorsque Jacqueline se releva avec les morceaux du couvercle brisé dans les mains, son regard ressemblait à celui qu'avait eu Colin en annonçant qu'il voulait être marin... Cette petite savait ce qu'elle voulait.

— Vous comprenez, maman, dit Jacqueline d'un ton grave, je ne suis pas adroite avec les gens comme Péronelle. Je ne sais pas les faire rire ni les amener à me raconter des choses, et je ne suis pas assez intelligente pour les instruire comme Michelle veut le faire. Mais Sœur Monique affirme que, même si on est bête comme une oie, on peut prier pour les autres. C'est ce que je ferai. Je prierai comme les carmélites de Sainte-Thérèse, et j'aurai une influence immense.

Elle termina ce petit discours sur un ton dont la solennité, empruntée à Sœur Monique, était accablante. Toinette, bouleversée, laissa choir le beurrier. Quant à Rachel, elle éprouvait à la fois de la stupéfaction et de l'horreur. Stupéfaite de voir Jacqueline reconnaître ses propres défauts — elle qui, naguère, ne voulait jamais admettre qu'elle en eût — elle était scandalisée de l'orgueil que révélaient les paroles de sa fille. C'était déjà suffisant d'avoir à endurer les airs prétentieux de Michelle ; si Jacqueline s'y mettait aussi, les choses allaient devenir

intolérables. Puis, se rappelant tout à coup que la pré-
tention est une étape inévitable dans le développement
spirituel, elle eut honte de ses pensées. Néanmoins, elle
vacillait sur ses jambes. Dès que la vaisselle fut terminée,
elle se dirigea d'un pas chancelant vers la huche au grain
pour y retrouver André. Elle savait qu'il était là, occupé
à faire les comptes.

En entrant, elle vit qu'il écrivait près de la fenêtre et
qu'il glissait vivement un buvard sur ses feuilles étalées
comme pour les dissimuler. Elle s'assit sur un sac de
farine et se mit en devoir de lui décrire l'avenir de ses
enfants.

— Je ne peux pas laisser Colin entrer dans la marine;
c'est une vie trop dangereuse; et je ne peux pas non plus
permettre à Jacqueline de prendre le voile — elle a de si
beaux cheveux ! — gémissait-elle.

— Laissez-les donc faire ce qu'ils veulent, dit André,
qui resta, ensuite, un moment, silencieux à dessiner des
arabesques sur son buvard. Il me semble souvent, reprit-il
d'un air sombre, que chercher le bonheur dans son travail,
c'est comme creuser une galerie dans la roche dure, à la
recherche de l'or. On a besoin de toute son énergie, de
toute la force et de l'ardeur de sa nature pour y parvenir.
Comment bander cette énergie si l'on n'aime pas son
travail ? Laissez-les donc faire ce qu'ils veulent.

Il se retourna pour repousser sous le buvard quelques
pages qui émergeaient encore de cet abri; et Rachel se
demandait pourquoi il tenait tant à lui cacher les comptes
de la ferme, et pour quelles raisons il les relevait sur
des feuilles volantes, et non dans le registre habituel.

— Laissez donc les enfants choisir eux-mêmes leur

carrière, reprit André. Je veux qu'ils aiment leur travail.
Ils devront bûcher dur — et d'ici peu de temps.

— D'ici peu de temps ? répéta Rachel, effrayée d'une
certaine dureté dans la voix de son mari.

Il se retourna pour la regarder.

— Les six mois sont plus qu'écoulés, dit-il. Nous avions
convenu, si vous vous en souvenez, de rester six mois
de plus à Bon Repos, puis de voir, alors, où nous en
serions.

Il avait une expression angoissée comme un animal pris
au piège, et selon son habitude lorsqu'il se sentait très ému,
il parlait d'un ton morne.

— Oh ! c'est bien simple, ajouta-t-il. Notre argent
— *votre* argent — est épuisé. Nous avions espéré que
mon père laisserait quelque chose; et il n'a rien laissé,
que des dettes, comme vous le savez... à cause de ces
diables de chevaux.

— Il a laissé tout de même quelque chose, murmura
Rachel.

— Juste assez pour nous aider à déménager et à nous
installer dans une petite maison pendant que je chercherai
une place d'employé de bureau.

— Vous — mon mari — employé de bureau ! s'écria
Rachel, que l'indignation étouffait.

— J'ai une très belle écriture, répliqua André d'un
ton cynique.

Rachel se leva et secoua la poussière de sa jupe noire.
Le lavage de la vaisselle l'avait fatiguée, de sorte que
son énergie et son esprit de décision habituels venaient de
lui faire défaut; mais ils lui revenaient maintenant et,
debout devant son mari, elle le dominait. La porte s'étant

ouverte, elle apercevait derrière elle le bel univers qu'était Bon Repos — la cour pavée où les colombes se pavanaient au soleil, le portail couronné de son antique et énorme linteau, la porte de la maison avec son inscription française et ses fuchsias, les petites fenêtres aux carreaux en losange et la passiflore qui les encadrait. Devant tout cela, Rachel se dressait comme une tigresse qui défend ses petits.

— L'argent que père nous a laissé peut nous faire vivre encore quatre mois ici, dit-elle à André.

— Et il ne nous en restera rien pour nous aider à recommencer une nouvelle vie.

L'obstination donnait un son dur à la voix d'André. Rachel comprit qu'elle allait avoir avec lui une lutte plus rude encore que celles du passé; mais, devant l'obstination de ce faible, elle fit appel à sa véritable force, sûre de pouvoir le vaincre.

— Nous resterons ici jusqu'au dernier moment, déclara-t-elle.

— Vous avez l'esprit clair, d'habitude; pourquoi donc êtes-vous, sur ce sujet, dépourvue de raison à un point aussi extraordinaire ? Vous savez bien que je n'arrive pas à faire prospérer cette ferme.

— Depuis que Ranulph Mabier est ici et qu'il vous aide, les choses ont été beaucoup mieux.

André fit une grimace et une rougeur lui monta au front. La pointe de Rachel était cruelle mais juste. Avec son esprit net et son sens pratique, Ranulph avait, de mille façons et en silence, amélioré par sa compétence la situation de la ferme.

— Mabier fait un meilleur fermier que moi, dit-il;

mais même avec son aide, cette ferme ne donne encore
aucun profit — et je n'aime pas avoir à accepter son
aide.

— Néanmoins, nous ne partirons pas d'ici avant d'en
être arrachés.

Derrière elle, Rachel entendait le roucoulement des
colombes et le frémissement de la brise dans les fuchsias
qui bourgeonnaient. Elle voyait aussi en imagination les
flammes jaunes du feu de bois qui, dans le salon, éclairaient les dragons chinois et les giroflées, les papillons
et les myosotis. Elle pourrait transporter ses trésors dans
une autre maison — dans la hideuse maisonnette moderne
d'un employé — mais il leur manquerait l'atmosphère de
Bon Repos qui leur donnait de la vie; il n'y aurait plus
autour d'eux que l'odeur horrible de la corruption. Et les
enfants — ses enfants vivants — ici, ils étaient forts et
beaux comme des poissons dans l'eau, mais que devien-
draient-ils, une fois sortis de leur demeure ? Ils suffoque-
raient, étouffés. Et ses enfants morts ? Nul pouvoir au
monde ne l'arracherait de ce jardin où ils jouaient. Elle
leva les bras pendant un instant comme pour protéger,
derrière elle, tout ce petit univers.

— Encore une fois, Rachel, dit André d'une voix
rauque, qu'est-ce qui vous rend si follement déraisonnable ?

— Vous rappelez-vous ce que je vous ai dit ? répondit
Rachel. On n'a pas le droit de créer quelque chose, puis
de le détruire. C'est un meurtre. Vous et moi avons créé
quelque chose ici. Nous avons fait naître la vie à Bon
Repos. C'est une réalité qui emplit toute la maison et
vivifie tout. C'est comme une lumière qui brille. On ne
peut pas, on ne doit pas l'éteindre.

Elle éprouvait ce qu'il avait éprouvé, le soir de Noël, en contemplant le long rayon lumineux qui, venu de la cuisine, passait sur toute la cour et s'étendait jusqu'au jardin et à la falaise. André sursauta et sentit mollir sa résistance.

— Ne comprenez-vous pas que plus nous repousserons la catastrophe et plus elle sera terrible, le jour où elle se produira ? reprit-il d'un ton moins ferme.

— Elle ne se produira pas. Quelque chose l'arrêtera à temps.

— Vous m'avez déjà dit cela ! s'écria-t-il avec impatience.

— Et je le répète ! C'est vrai ! Je sais que c'est vrai !

La foi qu'avait Rachel en ses visions chancelait souvent, mais elle s'affermissait devant l'opposition de son mari, et à mesure qu'elle flambait de nouveau, sa volonté se faisait de plus en plus forte pour lui tenir tête. Il n'y avait plus aucune douceur en elle, ni même l'ombre d'un consentement. Elle ne le gagnait pas par des larmes, comme elle l'avait fait naguère. Elle se sentait trop désespérée pour pleurer. Elle l'usait simplement en lui présentant son opposition comme un roc.

Ils continuèrent à discuter pendant un moment, puis l'entretien se termina brusquement, comme toujours, par la défaite complète d'André; mais cette fin ne fut pas heureuse; pour la première fois peut-être de sa vie conjugale, Rachel avait perdu, dans l'ardeur de sa force, ses dons de persuasion et de finesse tendre; elle ne donna pas à son mari le sentiment que la décision venait de lui; elle le laissa battu et humilié. La discussion finie, il se retourna sur son siège et se pencha sur ses papiers. Avant de s'en aller, elle le regarda, le cœur fendu par son attitude.

— André, lui dit-elle, laissez-moi vous aider à finir ces misérables comptes !

— Ce ne sont pas des comptes, répondit-il.

— Mais que faites-vous donc, alors ?

— J'écris. J'essaie de garder ma raison en exerçant mon art, répondit-il; et il lui tourna le dos de nouveau.

Rachel eut l'impression d'avoir reçu un coup entre les deux yeux. Ainsi il écrivait — et il ne le lui avait jamais dit ! Il menait une vie secrète, où il ne l'avait jamais laissée pénétrer ! Elle croyait avoir toute sa confiance, et c'était une illusion ! Au cours de ces longues années où il aurait dû mettre toute son énergie dans la ferme, qui était leur seul espoir, il avait gaspillé ses forces à écrire, sans doute, des fariboles. Elle lui avait consacré toute sa vie, en lui donnant tout ce qu'elle possédait, et de quelle façon l'en avait-il remerciée ? Il avait perdu tout son argent et les acculait, elle et ses enfants, à la ruine. Elle traversa la cour, le vestibule, et monta à sa chambre. Elle se sentait le cœur plein de dureté envers lui. Elle se jeta sur son lit, le visage dans l'oreiller.

V

Les épreuves de cette journée n'étaient pas finies; une plus dure encore se préparait. Les enfants étaient allés faire un pique-nique sur la plage, et Rachel, André et Ranulph avaient pris leur thé de bonne heure et dans un

grand silence; André, dans son anxiété, était de fort
mauvaise humeur; c'était chez lui une attitude très rare;
mais Rachel l'avait humilié et il lui en voulait. Cette humeur
augmentait l'amertume de Rachel. Ranulph, d'un air
ironique, les examinait l'un après l'autre, et cette ironie
qui semblait enfoncer un coin entre Rachel et André
portait à son comble l'exaspération de ce dernier, si bien
qu'il se leva brusquement avant même d'achever son thé.

— Je descends à Saint-Pierre pour des affaires, dit-il
d'un ton sec en regardant Rachel.

Son regard était comme de l'acier. Elle se demanda s'il
allait se renseigner secrètement au sujet de cet emploi de
bureau et de cette affreuse villa.

— Bon, répondit-elle froidement.

Il partit, la laissant en compagnie de Ranulph.

Elle s'adossa à son siège en soupirant. Après la scène
qu'elle venait d'avoir avec son mari, elle se sentait
épuisée de fatigue. Une fois de plus, elle avait lutté contre
lui et lui avait enlevé les rênes du gouvernement; mais,
cette fois-ci, elle était si lasse qu'elle se demandait si elle
serait capable de porter cette charge. Elle regrettait
presque de l'avoir assumée; d'autant plus que, par maladresse, elle venait de mettre André contre elle. A quoi
bon rester à Bon Repos en chancelant sous un fardeau
trop lourd pour elle et en perdant l'amour de son mari ?
Elle fut saisie d'un frisson de terreur. Si leur amour ne
résistait pas, l'esprit de Bon Repos en mourrait et les
trois enfants du jardin disparaîtraient. Une querelle avec
André était si rare qu'il lui semblait voir venir la fin du
monde, et qu'après toute l'énergie qu'elle venait de
dépenser, cela la plongeait dans un état de faiblesse

extrême... Si seulement André avait été un homme fort !...
Si seulement elle avait quelqu'un de vigoureux sur qui
s'appuyer, quel paradis ce serait !

— Venez donc au jardin, dit tout à coup Ranulph.

— Je n'ai pas le temps, dit-elle.

Un recul instinctif lui fit prononcer ces mots presque
à son insu.

— Vous avez tout le temps que vous voulez, dit
Ranulph. Je sais que Péronelle a fait le repassage à votre
place, et quant au souper, il est froid et rangé dans le
garde-manger. Je l'ai vu. Allons, venez ! Vous avez
besoin d'air.

Il la dominait. Dans son état de faiblesse, elle trouvait
presque agréable d'être dominée. Ils traversèrent la cour
ensemble et se dirigèrent vers le jardin. La journée était
magnifique et il semblait à Rachel que l'éclat en était
particulièrement concentré sur les crocus. Elle se rappelait
le matin où elle avait vu Colette, les bras étendus, courir
le long de l'allée bordée d'or. " Et ses rues étaient pavées
d'or. " Ces mots, s'élevant dans sa mémoire, lui donnèrent
une palpitation d'angoisse. Le royaume céleste était tout
proche, dans son âme et alentour; néanmoins, malgré sa
faiblesse actuelle, elle n'y pouvait pénétrer !

Ranulph, conscient de cette lassitude et de cet amollis-
sement, jugea que le moment était venu d'ouvrir une
campagne qu'il méditait depuis longtemps.

— Quels petits sacripants que ces crocus ! dit-il, ils me
rappellent Colin.

— Vous avez un faible pour Colin.

— Il y a de l'étoffe chez ce garçon, reprit Ranulph.
Je voudrais le voir devenir marin.

— Pourquoi ? demanda-t-elle vivement.

— Parce que c'est ce qu'il veut être.

— Est-ce là une raison suffisante ? répliqua Rachel d'un ton plus las qu'hostile.

L'amour de la lutte l'avait totalement désertée.

— Écoutez, dit Ranulph, le bonheur est caché dans la vie comme l'or dans la mine, et on peut y parvenir de toutes sortes de façons. L'instinct d'un enfant lui indique la meilleure voie à suivre pour y réussir. Si vous le forcez à creuser la mine d'une autre manière, il deviendra enragé — il y mettra une cartouche et fera tout sauter, lui, l'or et le reste.

— Est-ce André qui vous a prié de me dire cela ? demanda Rachel.

— Non. Pourquoi ?

— Parce qu'il me disait à peu près la même chose, cet après-midi, en employant la même métaphore... Je trouve les métaphores si fatigantes !

— Fatigantes, oui, mais utiles, dit son compagnon. N'êtes-vous pas d'avis qu'on saisit mieux une vérité sous la forme d'une image ? On ne peut même pas distinguer la présence d'une âme si elle n'est pas incarnée... Cela prouve qu'André et moi avons vu le petit de la même façon.

Rachel demeura silencieuse.

— Il est difficile de dire qui est le plus néfaste, murmura Ranulph, d'un père autoritaire dénué de tendresse ou d'une mère autocrate et tendre. J'ai souffert du premier au point que j'ai tout fait sauter, moi-même en même temps que l'or. Colin souffre du second cas et il pourrait bien faire la même chose un de ces jours.

— Je me demande pourquoi je vous laisse dire tout cela, dit Rachel. Personne d'autre n'oserait intervenir entre moi et mon fils.

— Vous me laissez dire parce que je suis un pauvre diable bardé de bonnes intentions.

Ils traversèrent le jardin en silence. Ranulph sentait une certaine docilité chez Rachel et il se considérait victorieux.

Ils entrèrent dans le verger. Les feuilles pointues des pommiers, vert jade et toutes ridées, étaient juste en train de se déplier et les primevères pointaient dans l'herbe. Les vieux arbres chenus de Colette, encore dénudés, traçaient des arabesques noires sur le ciel. De grands nuages gris, ourlés d'argent, voguaient vers la mer; et maintenant que les ombres s'allongeaient, les oiseaux chantaient avec moins d'ardeur mais avec une douceur émouvante.

— Quelle beauté ! s'écria Rachel. Magnifique et ironique. La nature peut être, parfois, très dure. Quand vous êtes heureux, elle rit avec vous; mais, quand vous souffrez, elle se moque de vous.

— Dites-moi pourquoi elle se moque de vous en ce moment ? demanda Ranulph.

Il la dominait de nouveau, et, sans le vouloir, elle lui raconta tout.

— Vous avez raison, lui dit-il ensuite. Il faut rester ici, vous y cramponner.

— Mais je n'ai aucune raison d'être si sûre que tout s'arrangera, murmura-t-elle tristement. Ce n'est qu'une intuition. A bien regarder, c'est André qui a raison et moi qui ai tort — follement tort.

— C'est vous qui avez raison. L'espèce de certitude que vous avez, et qui ne repose sur aucune évidence, est la seule certitude certaine, comme dirait un Irlandais.

— Mais pourquoi ?

— Les raisons évidentes sont aussi fragiles que les faits matériels qui leur servent de fondement, tandis que l'intuition vient de la pression que vous impose le destin — l'avenir qui doit vous guider.

— Qui devrait me guider ! répéta Rachel.

— Qui vous guidera, dit-il.

Il y avait une telle force dans ses paroles qu'elle tourna les yeux vers lui. Les siens, avec leur éclat bizarre, semblaient voir jusqu'au fond d'elle-même. Elle eut l'impression, comme le soir de son arrivée, qu'il venait de pénétrer au plus secret de son âme, que la trace de ses pas en avait souillé la blancheur et que sa voix rauque en avait troublé l'harmonie. Comme ce soir-là, elle eut peur et se retourna vivement vers la petite barrière qui s'ouvrait sur la falaise. Il la suivit. De l'autre côté, l'un des vieux arbres — était-ce avec intention ? — projetait une de ses racines. Rachel s'y prit le pied et poussa un léger cri en se sentant tomber. Ranulph la rattrapa, la souleva par-dessus les racines et la porta sur l'herbe rude. Ils se trouvaient pris entre la frise des vieux arbres fantastiques et l'étendue bleue de la mer. Les arbres leur cachaient le monde de Bon Repos et, à l'horizon, la mer se perdait dans une fine buée. Comme jadis, le ciel mêlait les couleurs de la terre, de la mer, et du ciel et les murailles du monde se contractaient. Ils en étaient exclus ensemble.

Les bras de Ranulph qui s'étaient ouverts se serrèrent tout à coup autour de Rachel. Enflammé par la passion, il mit ses lèvres sur ce cou penché et ces volutes de cheveux noirs; et comme, les yeux fermés, elle levait son visage vers lui, il baisa ses lèvres. Elle se sentait emprisonnée dans des bras de fer qui semblaient la soulever au-dessus des flots de soucis qui l'avaient submergée; elle était comme le nageur exténué qui se sent sauvé par la bouée de sauvetage qu'on vient de lui lancer. La puissance de cet homme lui redonnait force et courage. Elle s'appuyait à lui, en extase, et le temps passait. Puis elle releva de nouveau la tête, les yeux grands ouverts, et le regarda. La passion flambait sur ce visage et le transformait, mais la transformation était affreuse... Et c'était cet homme-là qu'elle avait laissé pénétrer dans son âme et la souiller !... Elle lutta tout à coup farouchement pour se libérer.

— Laissez-moi ! dit-elle.

Il la retint plus violemment encore pendant un instant et, dans sa terreur, elle voyait, à l'expression de son visage, qu'une lutte terrible avait lieu en lui. Soudain, comme un corps épuisé qui passe de la vie à la mort, il laissa retomber ses bras. Elle se retourna et s'enfuit.

VI

UNE fois seul, Ranulph se mit à arpenter, avec la fureur d'un léopard en cage, l'étroit passage herbeux qui séparait les chênes de la falaise. Tous les démons qu'il avait enfermés en lui si longtemps s'étaient échappés et l'accompagnaient en ricanant. Il luttait contre eux, dans sa marche obstinée.

La douce lumière eut le temps de faire place au coucher de soleil avant qu'il eût réussi à remettre ses démons en cage. Il s'assit alors sous les arbres. Du faîte de leur grand âge, et tout désir mort en eux, ils le regardaient avec pitié. La chaude journée se terminait sur une menace de tonnerre; le coucher de soleil était nuancé de jaune, les nuages gris ourlés d'argent avaient pris une teinte fauve ponctuée d'or et la mer devenait couleur de boue.

" Sulfureuse ", dit Ranulph, pendant qu'une ironie amère déformait ses traits.

Que diable lui était-il donc arrivé ? Depuis son entrée à Bon Repos, l'amour qu'il éprouvait pour Rachel n'avait fait que grandir; mais sachant fermement se maîtriser, il s'était cru en sûreté; jamais il n'avait pensé ni désiré que ce sentiment pût échapper à sa volonté. Son horreur naturelle pour tous les liens aurait dû l'empêcher de se trahir ainsi. Qu'est-ce donc qui l'avait dérouté de cette façon ? Sans doute, la docilité inattendue, l'espèce de faiblesse qu'il avait sentie en elle, dans l'après-midi. En sa compagnie, il s'était habitué à faire face à une force égale à la sienne, comme un homme qui s'appuie contre un grand vent. Cette résistance avait brusquement disparu, et il était tombé. Mais ne serait-ce pas plutôt qu'en acceptant des liens, après les avoir repoussés si longtemps, il était redevenu sujet à la faiblesse humaine ? Il avait, de nouveau, accepté les douceurs de l'intimité, et la façon qu'il avait jadis, d'abuser de toute intimité s'était, soudain, ranimée. Son passé, auquel il croyait avoir tourné le dos, l'avait retrouvé et vaincu. Enfin, quelle qu'en fût la raison, sa folie momentanée venait de le mettre dans un joli pétrin ! Comment allait-il, maintenant, réaliser les

projets qu'il avait formés pour Bon Repos ? Il s'était vu,
grâce à sa fortune, prendre en main la direction de la ferme
et libérer André, donner à Rachel l'aisance et le confort,
et aider les enfants dans leur carrière. Il avait prévu pour
eux tous une existence vécue ensemble dans le bonheur.
Mais tout cela exigeait sa présence à Bon Repos et,
maintenant, les choses allaient être bien difficiles ! Comment expliquer sa conduite à Rachel sans lui avouer qu'il
l'aimait, et comment, avec cet aveu entre eux, allaient-ils
pouvoir continuer à vivre côte à côte ? D'autant plus
que cet incident lui avait révélé le fond de son cœur.
Il aimait cette femme encore plus qu'il ne le pensait.
Le fardeau allait être particulièrement difficile à porter.
Que faire ? Rien d'autre, sans doute, que de poursuivre
ce qu'il avait entrepris, en espérant que tout s'arrangerait.
Il se releva lourdement. Le soir était venu et il se sentait
gelé et engourdi, et, de plus, en proie aux rhumatismes.
Tout en se frottant les genoux, il leva la tête vers les vieux
chênes tortus. Ils avaient l'air rhumatisants, eux aussi, et
très moqueurs. Ils semblaient lui dire qu'à son âge, il
aurait dû avoir assez de bon sens pour ne pas se rendre
aussi ridicule. Pendant qu'il traversait, de nouveau, le
verger, il maudissait la folie qui l'avait fait revenir vers
cette petite Ile, où ses sentiments s'étaient toujours trouvés
ravagés. Son amour pour sa mère, son chagrin à sa mort
— sa passion pour Blanche Tangrouille — sa lutte contre
son père — sa jeunesse folle, résultat de tout cela — et
maintenant cet amour pour la femme de son frère — l'Ile
avait tout vu, elle avait été la cause de tout, il en était
sûr. Il y avait quelque chose dans cette Ile, dans sa beauté,
dans son charme, qui faisait qu'on ne pouvait s'y laisser

vivre comme un ruminant; on était forcé de penser et
de sentir... Quel dommage !... Combien il regrettait
d'avoir accosté, de nouveau, dans ce maudit lieu !

Il parcourait maintenant l'allée bordée de crocus.

Par l'ouverture qui donnait accès à la cour, il apercevait
la porte d'entrée de la maison, grande ouverte. Toutes
les lampes étaient déjà allumées, et un long doigt orangé
s'étendait du seuil jusqu'à ses pieds. On eût dit une créature vivante, l'esprit de la maison devenu visible et qui
l'atteignait, le touchait, le réclamait. Il lui appartenait.
Plus moyen de s'échapper. Il était des leurs. Cela le fit
brusquement changer d'idée et, malgré les difficultés et
les souffrances en perspective, il se sentit heureux d'être
revenu dans cette misérable petite Ile.

Arrêté au milieu de l'allée, retenu, eût-on dit, par ce
long doigt lumineux, il se prit à songer à Rachel. Elle lui
avait cédé. Elle s'était suspendue à lui. Ce n'avait été
qu'après la révélation de leur passion mutuelle que la peur
l'avait saisie... Pourquoi donc ?... Son amour pour André
était pourtant, il le sentait, d'une qualité inaltérable...
Alors, pourquoi ?... Certes il existait diverses espèces
d'amour... Entraîné par ce doigt de lumière, il reprit sa
marche lente vers la maison.

VII

Après avoir quitté Ranulph, Rachel avait été se réfugier
dans sa chambre, pour la seconde fois de la journée. Mais,
cette fois-ci, elle ne se jeta pas sur son lit. Elle arpenta la
pièce pour lutter contre cette passion qui venait, subite-

ment, de flamber en elle. Ce ne fut qu'au crépuscule, alors
que les nuages ourlés d'argent se doraient, qu'elle retrouva
un certain calme. Que lui était-il donc arrivé ? Comment
avait-elle pu, elle qui, depuis seize ans, se consacrait corps
et âme à son mari, comment avait-elle pu se conduire de
si épouvantable façon ? Ce qui, pour une autre, n'eût été
qu'un interlude plaisant dans une vie morne, était pour
Rachel la plus noire des trahisons. Le souvenir de son
abandon, de ce baiser volontairement et passionnément
donné, l'emplissait de dégoût envers elle-même. Elle
faisait des efforts désespérés pour comprendre ce qui s'était
passé en elle et regarder les choses en face. Tout d'abord,
il y avait eu sa propre faiblesse. Les incidents de la
journée, et surtout la discussion avec André l'avaient
exténuée. Il y avait eu, ensuite, ce sentiment d'irritation
envers son mari. C'était venu, elle le savait, de la certitude
de son insuccès. Elle avait agi maladroitement à son
égard, et elle avait préféré, très humainement, s'irriter
contre lui plutôt que contre elle-même. Toute irritation
entre elle et André était si rare que les effets en étaient
ceux d'un tremblement de terre : cela ébranlait tout.
S'étant sentie faible et désemparée, elle avait souhaité
trouver un appui et l'avait découvert en Ranulph. C'était
bien cela. Elle avait toujours senti une grande force chez
cet homme, un grand pouvoir pour rassembler et organiser
ce qui était brisé ou chaotique. Mais il n'y avait pas que
cela. Elle n'avait pas été uniquement la femme faible qui
cède à la force. Elle avait donné d'elle-même tout en
cédant. Alors ? L'aimait-elle donc ? Cette question la
fit s'arrêter devant la fenêtre. Elle se tint là, immobile,
un long moment, puis elle se retourna en soupirant et

en cherchant une chaise à tâtons. Elle se laissa tomber.
Oui, elle l'aimait. L'amour qu'elle portait à André était
un sentiment qu'un long usage et qu'une longue crois-
sance avaient rendu inaltérable; tandis que cet autre
sentiment était d'une espèce toute différente; il contenait
plus de passion que d'amour réel. Elle se sentait tellement
exténuée après toutes ces années de luttes et de dures
besognes que la force de cet homme l'avait touchée.
Elle éprouvait pour lui ce qu'éprouve un enfant quand
des bras le soulèvent et le portent pendant un orage.
Et puis, Ranulph était pittoresque à sa manière, un peu
romantique. Il apportait un goût d'aventure et l'excitation
du monde extérieur. Elle était belle, et depuis des années,
personne n'avait rendu hommage à sa beauté. Jadis, il lui
avait fallu combattre durement ses envies de plaisirs et
son besoin d'être admirée. Sa vanité emprisonnée se
vengeait sans doute maintenant; elle s'était échappée de
sa cage et réclamait des aliments. Oui, c'était bien cela.
Cet amour qui était né entre elle et Ranulph venait de sa
faiblesse et des clameurs d'instincts comprimés — c'était
un sentiment méprisable et qu'il fallait traiter comme tel...
Un obstacle de plus à surmonter !... La cloche du souper
retentit... Elle se leva, alla se laver lentement les mains
et se préparer... Un obstacle de plus à surmonter...
Elle savait que pareille aventure était arrivée à d'autres,
mais jamais elle n'avait pensé que cela pût lui arriver
aussi à elle... Eh bien ! voilà... On ne pouvait rien prévoir...
Elle enleva quelques primevères du vase posé sur sa
coiffeuse et les fixa à sa ceinture, mit un sourire à ses
lèvres, se redressa et descendit avec dignité vers la salle
à manger.

Tout le monde était là, à l'attendre; André, Ranulph et les enfants.

— Suis-je en retard ? Oh ! pardon !

Son regard glissa sur chacun d'eux, s'arrêta avec une lueur caressante sur chaque enfant à tour de rôle, rencontra sans trembler les yeux de Ranulph et observa longuement André, qui lui répondit par un sourire. Le nuage qui les avait troublés s'était dissipé et leurs relations reprenaient leur cours habituel. Rachel eut un soupir de soulagement. Si tout redevenait normal entre elle et André, elle se sentait assez sûre d'elle-même pour diriger convenablement ces relations nouvelles, et si déconcertantes, avec Ranulph.

Le souper se passa comme à l'ordinaire; les enfants allèrent se coucher; André sortit pour accomplir quelque besogne à la ferme; Toinette débarrassa la table, et Rachel resta seule avec Ranulph. Toute autre femme de cette époque, se disait-il, eût pris grand soin de ne plus rester seule avec lui; mais Rachel était d'une autre espèce. Elle alla s'asseoir sur la jonquière et, les yeux fixés sur lui, joignit les mains sur ses genoux. Ranulph, les bras croisés, se tenait debout devant le feu et la regardait. Il eut un rire bref.

— Eh bien ? dit-il.

Rachel sourit légèrement. C'était bien de lui, se disait-elle, de ne pas prononcer la moindre parole d'excuse !

— Je suis très embarrassée, lui dit-elle. Je voudrais vous prier de quitter Bon Repos, et je sens que votre présence y est nécessaire.

Il leva les yeux et eut un geste à la française, comme il en avait de temps à autre.

— Elle l'est, en effet, dit-il, et je n'ai aucune intention de partir d'ici.

— Comment se fait-il que nous ayons ce sentiment de votre utilité ? demanda Rachel, un peu sèchement. Vous n'avez rien fait, il me semble, qui justifie cette impression.

— Attendez ! s'écria Ranulph. La destinée, en tissant le dessin de Bon Repos, y a introduit une nouvelle teinte quand elle m'a jeté ici. Lorsqu'elle aura fini de l'utiliser, nous verrons quelle place elle occupe dans le dessin. Ayons confiance dans votre intuition — la pression du destin sur nous.

— Je voudrais bien que vous ne parliez pas toujours par métaphore ! s'écria Rachel avec impatience.

— Cela m'amuse ! dit Ranulph.

Rachel eut un mouvement de colère qui la fit rougir.

— Votre conduite de tantôt vous amusait aussi, sans doute ?

— Non, répliqua Ranulph. Je ne peux pas dire que cela m'ait amusé. Mon petit accès de passion était réel... Et le vôtre aussi, ajouta-t-il d'un air moqueur.

Sous cette pointe, la rougeur de Rachel fit place à une pâleur soudaine.

— Je vous aime, reprit Ranulph, mais je n'avais jamais eu l'intention de donner tant d'évidence à mes sentiments... J'ai été vraiment très brutal... Un de mes démons s'est échappé.

— Comme l'a fait ma vanité, dit Rachel.

— Ah ? C'était donc de la vanité emprisonnée ? demanda Ranulph. Je suis sûr que cela vous a fait du bien de la laisser s'échapper un instant. Je suis content d'avoir rendu hommage à votre beauté.

— Eh bien ! ne recommencez pas ! dit-elle en se levant et en s'approchant de lui. Je pense que ce que vous venez de dire n'était qu'un appât à cette vanité ?

— Que je vous aime ? dit Ranulph en souriant. Non, c'est la vérité. Il y a cet amour entre nous, et de votre côté aussi bien que du mien.

— Comment osez-vous !... s'écria Rachel en rougissant de nouveau.

— Oh ! ce n'est qu'une taupinière auprès de ma montagne, et qui peut se trouver écrasée par les circonstances. Nous n'y ferons pas attention. En général, les choses meurent d'elles-mêmes si on les ignore. Qu'est-ce donc que Benvolio disait à Roméo ? " Amoureux, hors de l'amour. " Le passage de l'un à l'autre état peut se faire, avec un peu de bonne volonté.

En disant ces mots, il eut un sourire amer qui la toucha.

— Je suis si désolée ! s'écria-t-elle. Est-ce que ce sera très dur pour vous ?

Son ton s'était adouci, ainsi que toute son attitude.

— Avec votre sympathie, oui, dit Ranulph, dont les traits se durcissaient; mais sans elle, peut-être que non !

— En ce cas, vous ne l'aurez pas ! répliqua-t-elle en se redressant. Bonne nuit !

— Bonne nuit !

Comme elle se dirigeait vers la porte, il lui cria d'un ton pressant :

— Rachel !

Elle s'arrêta.

— Eh bien ?

— Les relations humaines sont singulières. Aucune ne ressemble à une autre. Je crois que celles qui existent entre vous et moi sont uniques, et ne méritent pas le mépris !

Elle se retourna tout à fait pour le regarder. A sa grande détresse, elle vit qu'il tremblait comme dans un accès de fièvre et que, dans ses yeux, brillait un sentiment beaucoup plus profond que ne pouvaient le faire supposer les mots qu'il venait de dire. Elle ne s'était pas rendu compte que ce sentiment pût être si fort !... En une minute, l'éclat s'était éteint.

— Allons ! C'en est fait ! dit-il d'un ton léger. Et n'allez rien vous reprocher, surtout ! Il n'y a là rien de méprisable.

— Non, répondit-elle, en souriant doucement.

Puis elle sortit en fermant la porte derrière elle et le laissa seul.

CHAPITRE IX

I

Tout le monde se souvint longtemps dans l'Ile du vendredi et du samedi saints de cette année-là; le vendredi, à cause de sa beauté, et le samedi, à cause de la tempête et du naufrage qui s'ensuivit. Pour les du Frocq, ces deux journées marquèrent la fin et le début d'une époque; mais à tous, elles rappelèrent avec une force tragique les réalités jumelles de la vie et de la mort.

A l'approche de Pâques, Toinette fut prise de ce que les insulaires appellent des *avertissements* [1] — pressentiments de malheurs en perspective. Elle entendait des bruits étranges dans la maison, des coups qui retentissaient à l'improviste, des pas dans l'escalier alors que toute la famille était couchée, le chant du coq à des heures indues, le hurlement des chiens et le ululement des hiboux. Tous les matins, elle descendait, les yeux agrandis par l'effroi, et racontait tout ce qu'elle avait entendu. Rachel avait le plus grand mal à lui faire garder pour elle ces avertissements.

1. En français dans le texte. (N.D.L.T.)

— Vous verrez, Madame, vous verrez, il arrivera
choses terribles ! répétait-elle.

— Taisez-vous donc, Toinette ! disait Rachel.

Mais c'était en vain; et si sceptiques que fussen
du Frocq, les pressentiments de Toinette les metta
tous mal à l'aise.

Ranulph, lui-même, le matin de ce vendredi sa
se sentit brusquement assez troublé. Debout devan
fenêtre, il regardait la cour de la ferme et, au-delà,
prairie. Les cardamines étaient en fleur, maintenant da
l'herbe et, au pied de la haie, on apercevait une longu
rangée de jacinthes prêtes à s'ouvrir. Comme il parcoura
d'un œil rêveur et satisfait ces étendues de bleu et d'arger
que le vent faisait onduler, il remarqua tout à coup u
personnage barbu qui traversait le pré et dont la silhouet
lui était familière. L'homme tourna son visage vers lu
montrant d'étranges yeux bruns et une joue balafrée.
Il connaissait cet individu. Intrigué, il se demandait qui
cela pouvait être quand, brusquement, il se rendit compte
que c'était lui. Il eut un mouvement de recul; puis, dans
un éclair, il se rappela cette superstition paysanne qui
prétend que les mourants voient parfois leur propre
fantôme avant de mourir; mais, reprenant ses sens,
il regarda de nouveau par la fenêtre... On ne voyait plus
personne... En riant de sa sottise, il se retourna pour
traverser sa chambre et prendre sa casquette... Il allait
emmener les enfants à la grève de l'Autel pour y rôtir
des bernicles, selon l'antique coutume des insulaires,
le vendredi saint.

II

ELLE garda de cette journée un souvenir plus vif
que, peut-être, que les autres. Elle commença par
faire, selon son habitude, une série de réflexions belles
et lucides, suivies d'un de ces accès de violence qui la
faisaient brusquement choir de son élévation. Après quoi,
avec l'aide de Ranulph, elle atteignit un équilibre qu'elle
n'avait encore jamais connu.

Elle s'était éveillée à l'aurore. Dans ses rêves, elle avait
eu des ailes qui ne cessaient de battre et de frémir autour
d'elle. Elle avait reconnu surtout les ailes qui lui étaient
familières : le battement placide et lent des mouettes,
le doux murmure des tourterelles de sa mère, le bruissement léger des rouges-gorges et des roitelets; mais, de
temps à autre, un battement plus violent se faisait entendre,
un son effrayant qui balayait comme un grand vent les
autres sons plus doux. Elle s'éveillait alors dans un accès
de terreur, s'apercevait que ce n'était qu'un rêve et se
rendormait.

Quand elle s'éveilla tout à fait, elle entendit le vent
souffler : non pas une bourrasque, mais ce vent du sud-
ouest assez fort qui précède parfois la tempête. Elle se dit
que ce bruit, en pénétrant son sommeil, l'avait fait rêver
de ces battements d'ailes; mais ce vent était alerte et
joyeux; il n'avait aucun rapport avec ce battement terrible
qu'elle avait entendu... En songeant aux avertissements
de Toinette, elle frissonna.

Puis elle bondit hors de son lit, courut à la fenêtre et ouvrit les rideaux. Ce qu'elle vit la plongea dans la stupéfaction. Il avait plu durant la nuit, mais l'aurore brillait maintenant d'une beauté qui dépassait tout ce qu'elle avait jamais vu. Le ciel, balayé par le vent et d'une étonnante clarté, avait pris une magnifique teinte turquoise d'un éclat froid et d'une austère simplicité, où jouaient de petits flocons de nuages couleur d'or en fusion, dont le reflet colorait de grands nuages plus calmes et plus pâles, presque invisibles, que le soleil n'avait pas encore touchés. A l'horizon, au-dessus de la mer, s'étendaient de longues stries d'un rouge éclatant. Par-dessus le mur de la cour, Michelle apercevait le jardin et le verger, puis les chênes tortus. Pâques étant tardif cette année-là, les pommiers étaient déjà fleuris, à la merci du vent. Chaque coup de suroît faisait voler des pétales blancs comme de l'écume, si bien que, terrifiés, les gros boutons couleur de corail s'accrochaient aux rameaux bruns avec la fermeté des bernicles sur une roche. Sous les pommiers, les jacinthes sauvages et les cardamines dansaient et se mêlaient pendant que, de chaque côté de l'allée du jardin, les placides clochettes des jacinthes doubles et les boutons des giroflées, tout noirs de couleur contenue, se balançaient en se saluant. L'atmosphère était si limpide que Michelle avait l'impression de pouvoir distinguer presque chaque pétale et chaque feuille gaufrée. Une telle clarté et un ciel aussi coloré étaient de mauvais augure. Elle regarda du côté des vieux chênes. Oui, ils agitaient déjà leurs bras noirs d'inquiétante façon devant les longues stries rouges.

Michelle n'avait pourtant pas peur des tempêtes ; aussi

ces inquiétudes firent-elles vivement place à l'émerveillement devant la beauté de cette matinée. Ces petits plumets de nuages rouventés lui rappelaient les plumes que la brise ébouriffe à la gorge d'une tourterelle; l'esprit plein d'images d'oiseaux, elle regardait les nuages plus éloignés, qui voguaient plus fermement sous le vent, et leur découvrait une ressemblance avec des ailes étendues, agitées d'un long battement. Bien des années plus tard, un poète [1], assistant à un lever de soleil analogue, devait s'écrier :

" ...Comme si les dernières lueurs disparues au sombre
[occident,
O matin, surgissaient aux brunes rives de l'orient,
Parce que l'Esprit saint, sur le monde penché,
Le couve de sa poitrine chaude et de ses ailes brillantes. "

Si Michelle avait pu lire ces vers, elle s'en serait emparée joyeusement en y trouvant exprimé dans la perfection son sentiment confus; mais elle ne pouvait alors que chercher en tâtonnant les mots qu'elle désirait, qu'il lui fallait; elle venait de s'unir au lever de soleil, et toute union provoque une naissance.

Elle se rappela ses réflexions de l'été précédent, lorsque à la Baie aux Mouettes, la beauté lui apparaissait sous forme d'oiseau et que les moindres bribes de beauté lui faisaient l'effet de composer cet ensemble étincelant comme les plumes forment des ailes. Puis il lui avait semblé que l'amour, la vérité et la beauté étaient une seule et même chose, les facettes d'un même prisme. Elle avait

1. Gérard Hopkins.

compris l'unité de la vie. Le prisme lumineux, la beauté
ailée sont là, mais comment se fondre dans leur rayonnement et faire partie de cette communion ?

Elle n'avait pas poursuivi sa méditation, que Péronelle
et Jacqueline étaient venues interrompre, ce qui l'avait
entraînée à se conduire d'une façon abominable. Mais,
maintenant, au petit jour, personne n'étant là pour la
déranger, elle avait quelque chance de pouvoir aller plus
loin. La réalité, elle le savait, est du domaine de l'incon-
naissable et ne peut se concevoir que sous forme d'images.
Celle de la tourterelle lui venait maintenant à l'esprit;
elle fixa ses pensées sur elle : la chaude poitrine dorée et
les ailes étendues au-delà de son horizon, presque invisibles, la poitrine tournée vers la terre, les ailes frémissant
dans le ciel; la terre et le ciel unis par cet esprit étincelant;
car, en vérité, un oiseau est aussi bien le symbole de
l'esprit que celui de la beauté, de sorte que l'amour, la
vérité et la beauté sont les facettes de ce prisme lumineux
qui surpasse tout et qui doit être — l'esprit. Mais si
l'esprit est l'ensemble étincelant de la beauté, toute parcelle
de beauté doit appartenir au monde spirituel. L'esprit
doit être, non seulement une grande tourterelle couvant
le monde, mais aussi cette chose mystérieuse qui palpite
dans toute la création, comme la bougie qui, dans une
lanterne de couleur, prête une beauté surnaturelle à ce
qui, sans elle, ne serait qu'un terne assemblage de verre
et de peinture.

Michelle poursuivait sa méditation. Cet esprit vivait-il
aussi en elle ? Elle se savait capable d'aimer, et également,
à certaines heures, de penser clairement et de dire de jolies
choses. C'était là la révélation de l'esprit. Ce même esprit

qui fait d'une jacinthe une fleur exquise et met de la magie
dans le chant du merle, ce même esprit qui étend ses ailes
sur le monde. Ce qu'il fallait apprendre, c'était à relier cet
esprit à toutes ses autres manifestations. Mais comment,
comment y parvenir ? Y en a-t-il qui découvrent ce
secret ? Les religieuses, dans leur couvent, le connaissent-
elles, et ces ermites qui ont été vivre dans des grottes,
seuls avec le jour, la nuit et le silence ? Elle se disait qu'en
contemplant un peu plus longuement cette grande tourterelle planant au ciel, elle finirait par le savoir. Le menton
dans les mains, les coudes appuyés au rebord de la fenêtre,
elle fouillait du regard l'immensité. Comme Jacqueline,
dans le jardin alpestre du couvent, elle sentait en elle
quelque chose qui tentait de s'unir à la beauté environ-
nante; mais ce n'était qu'une vague sensation, et cela ne
pouvait la satisfaire autant que sa sœur. Sentir ne lui
suffisait pas; elle se rendait compte que les sensations sont
fugaces et qu'on ne peut s'y fier absolument; elle voulait
être; elle voulait atteindre à un état permanent, à une union
durable. Peut-être qu'un jour, à force de patience —
peut-être...

Ce fut à ce moment que Colette, pleine des meilleures
intentions, aperçut sa sœur en s'éveillant et, traversant
la chambre en courant, vint la frapper dans le dos. Un
pauvre vagabond affamé qui vient de marcher pendant
des lieues sous un vent glacial pour gravir une colline
où il puisse trouver un bon feu et le repas attendu, et qui
voit la porte de la chaumière lui claquer au nez, ne pourrait
pas être plus exaspéré, désespéré, furieux que ne le fut
Michelle en cet instant. Elle sursauta dans un accès de
fureur et envoya une gifle à Colette. Or Colette n'avait

jamais reçu pareil outrage des mains de personne, sauf
de Mme Gaboreau; être traitée ainsi par un des siens
était vraiment impossible à supporter. Elle se montrait
toujours placide et douce, mais ce coup, en lui rappelant
le souvenir de la journée de terreur passée chez Grand-papa
et en récompensant de si cruelle manière ses excellentes
intentions, la bouleversa. Elle se mit à hurler, à rugir,
à glapir, à trépigner, à ruer. Ce vacarme attira Péronelle
qui accourut pieds nus, sa chemise de nuit volant au
vent.

— Qu'est-ce que vous pouvez bien faire à Colette?
demanda-t-elle à Michelle d'un air furibond.

— Elle est venue me taper dans le dos — cette petite
peste — je lui ai lancé une gifle!

Michelle qui était très violente ne pouvait, pour le
moment, se contenir. Elle avait les joues en feu et sentait
son cœur s'endurcir.

— Vous — vous avez giflé Colette? *Colette?* Cette
enfant qui vient d'être malade!

Péronelle lançait sa tête en arrière et chaque boucle
de sa chevelure se dressait et tremblait d'indignation.

— Elle va très bien maintenant, répondit Michelle
d'un air boudeur, assez bien pour recevoir une gifle.
On l'a gâtée, voilà la vérité. Elle s'imagine qu'elle peut
faire tout ce qu'elle veut — sale petite bête!

Le drapeau rouge des batailles flottait aussi, maintenant,
aux joues de Péronelle. D'un revers de son long bras
mince, elle allongea à Michelle une gifle qui contenait
toute la vigueur d'une cause juste. Michelle se mit à
hurler. Colin accourut au pas de charge, en chemise, et
ne sachant à quel camp s'allier, se mit à frapper à tour

de bras d'un côté et de l'autre pour être sûr de ne pas se
tromper. Jacqueline, terrifiée, se cramponnait à la poignée
de la porte en sanglotant. Colette rugissait. Le vacarme
amena André et Rachel, en chemise de nuit. Il fallut
vingt minutes de lutte et une fessée à Colin pour rétablir
un semblant d'ordre, et encore entendit-on l'écho des
sanglots dans la maison jusqu'à l'heure du petit déjeuner.

Le repas fut silencieux. Rachel regardait tous les
membres de sa famille d'un air désespéré. D'où tenaient-
ils ce caractère violent ? Avant la fin de l'émeute Colin et
Jacqueline s'étaient aussi querellés et leur mère sentait
que l'orage n'était pas encore fini. Péronelle et Colin,
dont les accès de colère appartenaient à l'espèce des feux
d'artifice, avaient retrouvé leur équilibre et mangeaient
de bon appétit; mais Michelle restait morne, boudeuse
et revêche, sans manger. Elle était bien capable, se disait
Rachel, de ranimer la bataille avant la fin de la journée.
Michelle était vraiment très difficile; sans aucun doute,
la plus difficile de ses enfants. On ne voyait aucune raison
à ses crises épouvantables. Elle semblait y tomber comme
on tombe dans un précipice... De quelle hauteur tombait-
elle donc ?... Et une fois tombée, elle ne se remettait pas
vite sur pied; elle restait comme assommée pendant des
heures, stupide et maussade, bref insupportable.

— André, dit tout à coup Rachel, c'est aujourd'hui
le vendredi saint, je vais emmener les enfants à l'église,
ce matin.

Ainsi, se disait-elle, ils se tiendraient tranquilles sans
faire de sottises.

— Impossible, ma petite, dit doucement André. Lupin
s'est blessé et j'ai besoin de Germain à la ferme.

Rachel eut un geste d'impatience... Cet André, toujours prêt à mettre des bâtons dans les roues !... Aller et revenir à pied serait une trop longue trotte pour les enfants... Ses yeux étincelaient et Ranulph, qui la regardait, se disait qu'il n'était pas difficile de savoir de qui les enfants tenaient la violence de leur nature. Il avait surveillé la scène avec son habituelle expression ironique, si irritante, et il se mit enfin à sourire sans contrainte. Rachel, qui devinait la cause de son ironie, lui lançait des regards fulgurants... Il n'en souriait que davantage.

— Puisque c'est le vendredi saint, dit-il enfin, et que, par suite des malchances de notre écurie, nous ne pouvons pas faire notre devoir de chrétiens, nous ferons donc les païens. Je vais emmener les enfants faire griller des bernicles sur la grève. C'est une vieille coutume païenne de cette île, n'est-ce pas ?

— C'est bien gentil de votre part, Mabier, dit André d'un ton reconnaissant. Ce sera un soulagement pour nous, ajouta-t-il d'un air sombre, de ne plus avoir les enfants dans nos jambes.

Il n'avait pas l'habitude de s'exprimer ainsi, mais la matinée avait été fatigante, et fouetter Colin avant un repas le mettait toujours à l'envers. Michelle, piquée au vif par ce ton, s'enfonça plus encore dans la boue qui la submergeait.

— Entendu, alors ! s'écria Ranulph avec une irritante gaieté. Nous irons à la grève de l'Autel. Nous partirons dans une heure avec notre déjeuner.

— Sans Colette, dit Rachel. Ce serait trop loin pour elle.

Colette, restaurée, eut un large sourire. Cela lui était

bien égal; elle jouerait au jardin avec ses petits compagnons, qui, jamais, jamais, ne lui donnaient de gifle.

— Nous n'avons sûrement pas besoin d'elle, répondit Michelle d'un ton acerbe.

Péronelle se leva d'un bond, le drapeau rouge, de nouveau, en vue.

— Taisez-vous ! cria-t-elle à sa sœur. Vous n'êtes qu'une vipère répugnante, qu'une...

— Si j'entends un mot de plus entre vous, s'écria Rachel d'une voix tonnante, en se levant d'un air majestueux, je vous enferme dans l'étable pour toute la journée.

— Je pense que nous nous rendrons à la grève de l'Autel, dès que le pique-nique sera préparé, dit Ranulph.

III

Ils partirent. Comme la course était longue, l'exercice et le grand air détendaient les humeurs, apaisaient le feu des colères et faisaient du bien à tous. Avant même d'avoir parcouru un kilomètre, les enfants avaient recouvré leur gaieté, sauf Michelle, la réprouvée, qui marchait derrière la bande, le cœur brûlant. L'affection que lui portait Ranulph lui faisait sentir qu'il y avait là un nœud à dénouer et les doigts lui démangeaient de s'y mettre.

La grève de l'Autel se trouvait sur la côte plate de l'Ile; ils y descendirent par des sentiers en tire-bouchon. Nulle part au monde, on ne verrait pareils sentiers, se disait Ranulph. Ils étaient bordés de talus que couronnaient des haies bien fournies de chèvrefeuille, de véro-

niques, de fuchsias et d'escallonias; des chênes rabougris,
plantés en arrière, arrondissaient leur ramure comme une
voûte au-dessus du chemin. Si la plupart de ces sentiers
n'étaient pas, à proprement parler, des sentes d'eau, un
ruisseau n'en courait pas moins sur un des côtés, bordé
de magnifiques fougères d'un vert vif. En été, les parfums
mêlés du chèvrefeuille et de l'escallonia avaient un
charme ensorcelant; mais quand, dans ses randonnées
africaines, Ranulph s'était trouvé aux prises avec les
rafales de sable, c'est au parfum âcre du printemps dans
ces sentiers qu'il songeait : la terre humide, les fougères
et la mousse, les primevères et les jacinthes mêlées au
vent marin chargé de sel.

Ce matin-là, les sentiers semblaient particulièrement
colorés. La clarté survenue entre la pluie passée et la
tempête prochaine donnait à chaque pétale de primevère
et de bouton d'or, comme au moindre pan de ciel bleu
entrevu parmi les feuillages luisants, le dur éclat d'une
mosaïque. Il n'y avait pas de lointains. Les feuilles et les
fleurs, au fond des sentes, paraissaient se grouper sur votre
passage pour vous accueillir et tisser un motif brillant
devant vos yeux, un motif qui reculait devant vous et
semblait vous attirer jusqu'au cœur même de la beauté.

— Où allons-nous ? demanda Ranulph.

— A la grève de l'Autel, dit Péronelle, surprise.

— Vraiment ? Les couleurs nous entourent de telle
façon qu'il me semble que nous allons ressortir de l'autre
côté.

— A quoi ressemble l'autre côté ? demanda poliment
Péronelle.

— Il est blanc, dit Ranulph.

— Nom d'un chien ! s'écria Colin. Quelqu'un a-t-il des allumettes ? Il faut un feu pour faire griller les bernicles !

Après avoir retourné toutes ses poches, Ranulph trouva enfin des allumettes, et cet incident détourna l'attention de l'étrange réflexion qu'il venait de faire. Tout en suivant les autres d'un pas traînant, Michelle se demandait ce qu'il voulait dire en prétendant que le blanc se trouvait de l'autre côté des couleurs.

Au sortir du dernier sentier, ils débouchèrent sur une route plate et blanche qui serpentait à travers une lande, avec la mer devant eux. De ce côté, l'Ile présentait un aspect si différent de celui qu'elle avait du côté de Bon Repos qu'on se serait cru dans un autre pays. Ici, on ne voyait plus de falaises : les étendues de sable et d'herbe, de panicaut maritime et de fenouil, fin comme des plumes, étaient au niveau de la mer. Des maisonnettes blanches bordaient la route, derrière des jardins fleuris de véroniques et de tamaris, et des roches de granit rose s'avançaient dans une eau bleu foncé. Nulle part dans l'Ile, on ne pouvait voir la mer aussi bleue qu'à la grève de l'Autel.

Ranulph s'arrêta, bouche bée, pour contempler ce spectacle. Il avait été trop indolent, jusqu'alors, pour venir dans ces parages, bien qu'il n'eût pas oublié le charme de cet endroit. Il ne se souvenait pas que la mer pût être d'un tel bleu. Il se rappelait maintenant que cette grève de l'Autel, sans avoir la beauté grandiose de la côte rocheuse où se trouvait Bon Repos, avec ses ravins, ses gouffres et ses grottes, possédait une séduction qui tenait du rêve et qu'on craignait sans cesse de voir brusquement se dissiper. Auprès de cette mer étincelante, le coloris de

cette baie avait la délicatesse d'un arc-en-ciel et semblait
en avoir aussi la fragilité. La tendre teinte vert jaune des
tamaris, le vert bleu des panicauts, la blancheur nacrée
des maisons, le mauve des véroniques, le rose pâle des
hougues — auquel s'accordait, en été, le rose diaphane
des fleurs de tamaris — formaient un ensemble enchanteur.
Seule, cette brillante ceinture bleue, qui les encerclait,
paraissait empêcher ces couleurs fines de s'évanouir tout
à fait.

— Je vais vous dire quelque chose ! s'écria Ranulph.
Si la mer n'était pas là pour garder l'Autel dans la courbe
d'un arc-en-ciel, avec ses couleurs visibles, elles se dis-
soudraient dans l'air et nous laisseraient passer de l'autre
côté. C'est la tranquillité, voilà ; la tranquillité et l'acceptation.

Michelle, seule, entendit ses paroles. Les autres étaient
partis au galop vers la grève. Michelle était de trop
mauvaise humeur pour y faire attention sur le moment ;
mais elle retint cette réflexion pour y songer plus tard.

Ils se mirent à ramasser des bernicles, à l'exception de
Péronelle, qui ne pouvait se décider à suivre cette coutume.
Malgré tout ce qu'on lui disait, elle avait toujours peur que
ce rôtissage ne fût pas du goût des bernicles.

— Pauvre idiote, ça ne sent rien, ces bêtes-là ! lui
affirmait Colin. N'est-ce pas, oncle Ranulph ?

— Une bernicle n'est pas autre chose qu'une gelée
d'obstination, déclara l'oncle qui luttait contre l'une
d'elles.

— Bon, en tout cas, je vais ramasser de quoi faire le
feu, dit Péronelle, en s'éloignant.

Ils placèrent toutes les bernicles, coquilles en dessus,

sur une roche plate et les recouvrirent de bois mort et d'ajoncs, auxquels ils mirent le feu; et bientôt un magnifique rideau de flammes couvrit la roche et mit une note sauvage dans les verts pâles et les roses de l'Autel. Michelle tourna le dos à ce spectacle, mais les autres dansèrent autour du feu et Colin, de temps à autre, bondissait même par-dessus. Ils avaient vu les paysans sauter ainsi autour des feux de joie qu'on allume le premier dimanche du Carême, *le dimanche des Brandons*. Ces danses du feu, Ranulph le savait, provenaient d'un rite païen enfoui depuis des siècles. Comme il voyait les enfants de plus en plus enivrés par des mouvements qui devenaient presque somnambuliques, il se leva brusquement et les arrêta... Ils ne savaient pas ce qu'ils faisaient... Il lui semblait que cette danse évoquait une puissance maléfique au cœur de l'Autel, une puissance qu'il valait mieux ne pas troubler.

Quand, après avoir rôti les bernicles, il ne resta plus qu'une cendre chaude, Péronelle sortit des paniers les tartines, les œufs durs et le lait, et ils s'installèrent pour faire un repas copieux. En voyant les bernicles disparaître dans la gorge de Michelle, de Jacqueline et de Colin — Péronelle n'avait pu se résoudre à en manger — Ranulph s'émerveillait de tout ce que les enfants peuvent digérer. Si seulement cet organisme de fer pouvait durer toute la vie, il y aurait bien moins de crimes dans le monde ! se disait-il.

Quand les provisions furent épuisées, Colin emmena Péronelle et Jacqueline pour jouer à un jeu intitulé *crime et assassinat* ; jeu très bruyant qui nécessitait des cris et des courses sur les rochers.

— Venez donc aussi, Chelle ! cria Péronelle à sa sœur.

Mais Michelle ne bougea pas; elle était très pâle et restait assise près de Ranulph à contempler la mer. Le vent qui s'élevait fortement soulevait des moutons qui venaient déferler à leurs pieds.

— Demain, à cette heure-ci, dit Ranulph, il y aura un vent de tonnerre.

— Hum ! dit Michelle, je crois bien que je vais avoir mal au cœur.

— Eh bien, répondit son compagnon, d'un ton affable, revenez en tout cas près de moi lorsque ce sera passé.

Quand elle reparut, glacée et malheureuse, et de plus méchante humeur que jamais, elle vit qu'il avait placé sur les braises une tasse d'étain où il faisait chauffer du lait. Il lui donna à boire, lui mit son pardessus sur les épaules et l'emmena s'asseoir dans un creux abrité entre les roches. Là, au soleil, bien emmitouflée, et protégée du vent par un solide mur de granit rose, Michelle commença à se réchauffer et à se sentir plus à l'aise.

— Je vous prie de m'excuser, dit-elle.

— N'en parlons pas, répondit poliment Ranulph, en allumant sa pipe; c'était inévitable. L'exaltation suivie de mauvaise humeur, puis des bernicles, ne pouvait manquer de se terminer par quelque malaise. J'espère que cet accident stomacal a calmé votre tourment spirituel, ajouta-t-il en clignant de l'œil.

Michelle eut un sourire. Sa mauvaise humeur commençait à fondre. Elle se sentait faible et lasse et très pacifique.

— Si vous voulez dire que je suis moins maussade,

dit-elle, ma foi ! c'est vrai ! Chose bizarre, je me sens maintenant parfaitement angélique.

— Faites attention ! reprit Ranulph. C'est un signe de grande fatigue, généralement suivi, à mesure que la fatigue disparaît, par un état d'irritation extrême aussi insupportable pour la victime que pour son entourage.

— Pourquoi cela ? demanda Michelle.

— Je l'ignore. J'ai fait autrefois quelques expériences de médecine, mais aucune de psychologie — bien que ce sujet m'ait toujours vivement intéressé.

— Qu'est-ce donc, exactement ?

Ranulph sentit que cette curiosité était un bon signe de guérison mentale et il lui sourit d'un air encourageant.

— La psychologie, c'est l'étude de l'esprit. Pour parler plus simplement, on peut dire qu'un psychologue s'occupe de découvrir en quoi les gens sont sots, et pour quelle raison.

— Est-ce que cela vous intéresse de découvrir en quoi les gens sont sots, oncle Ranulph ?

— Énormément, répondit-il. J'aime mettre les êtres humains sous le microscope. J'aime l'impression de détachement olympien que cela me donne, et c'est une joie de voir que, si stupide que je puisse être, les autres le sont souvent encore plus que moi.

Michelle, très intéressée, se redressa et appuya son menton sur ses mains.

Ses yeux, qui avaient été mornes toute la matinée, reprenaient leur éclat.

— Sommes-nous donc tous stupides ? demanda-t-elle.

— Nous sommes tous décidément fous, dit Ranulph, avec gravité. Quelques-uns le sont davantage ; d'autres, moins; on enferme les premiers, mais pas les autres, malheureusement ! Ce n'est qu'une question de degré.

— C'est dommage, n'est-ce pas ? dit Michelle.

— Comment éviter cela ? Chez la plupart des gens, l'âme et le corps sont perpétuellement en guerre l'un avec l'autre, et l'esprit qui les juge se fausse au cours de cette lutte. Faut-il s'étonner que le pauvre s'en trouve mutilé pour toujours ?

Michelle poussa un grand soupir, et Ranulph, qui la regardait, comprit qu'il avait mis le doigt sur la plaie.

— On vit dans deux mondes, dit-elle lentement et avec hésitation.

— Exactement, dit Ranulph, pour l'encourager.

— Et quand le — le — le monde quotidien vient envahir l'autre, on se met en rage — du moins c'est ce que je fais.

— C'est très gênant pour tout le monde, murmura Ranulph.

— Oui, mais que faire ?

— Pourquoi me demandez-vous cela ?

— Parce que vous comprenez ces choses... Comment avez-vous su que j'étais — ce que vous appelez exaltée, ce matin ?

— La violence extrême de votre réaction m'a donné à penser qu'il s'était passé quelque chose pour déterminer cette réaction.

— Que faut-il faire ? demanda-t-elle d'un ton pathétique. Je ne peux pas continuer à vivre en me mettant en colère et en rendant les autres malheureux; mais je ne peux pas, je ne peux absolument pas abandonner cet autre monde — le monde de la petite ville blanche !

— Quelle petite ville blanche ?

— Elle est bâtie de marbre blanc, au bord de la mer. " Et, petite ville, tes rues seront à jamais silencieuses... " Ranulph sourit.

— Oh ! celle-là ? Oui, ce serait dommage de l'abandonner.

Il tira une bouffée de sa pipe, d'un air songeur; puis il regarda Michelle en souriant. Avec quelle gravité elle considérait cette vieille question, si vieille qu'elle en était presque rance !

— C'est une question d'unité, dit-il. Il faut unir les deux mondes, et vous (votre esprit) devez vous unir à ce qui est derrière tout cela — à la blancheur qui se trouve derrière les couleurs, ajouta-t-il en indiquant avec sa pipe le cercle que formaient la mer, les roches et les tamaris.

— Oui, je sais, répondit-elle avec impatience; mais comment faire ? Comment faire ? C'est très joli à dire, mais cela n'avance à rien !

— La plupart n'avancent pas, mais un sur mille y arrive.

— C'est vrai ?

Elle était presque haletante d'excitation, et il la regarda de nouveau d'un air amusé.

— J'ai rencontré, un jour, un homme qui prétendait y avoir réussi. C'était un Allemand — ils sont souvent mystiques à cause de leurs saucisses et de leur choucroute.

— Je ne veux pas savoir ce qu'il mangeait, mais ce qu'il disait ! s'écria Michelle.

— Ah ! ne vous fâchez pas ! Les deux choses ont du rapport. Ce qu'on mange a une très grande influence sur

les sentiments, de même que ceux-ci peuvent souvent
affecter ce qu'on mange — ou ce qu'on a mangé — comme
vous venez d'en faire l'expérience.

Des larmes de dépit montèrent aux yeux de Michelle.
Ranulph, regrettant son impair, se fit un visage sérieux,
secoua sa pipe et reprit son récit.

— Il disait, cet Allemand — et il n'avait rien mangé
depuis des heures, que des dattes, car nous étions ensemble
dans le désert — que pour parvenir à l'unité, il y a trois
stages : d'abord, vous avez votre propre vision de la
réalité, de l'esprit (donnez-lui le nom qu'il vous plaira),
nous l'appellerons votre petite ville blanche, ce à quoi
vous désirez être liée, ce qui vient à vous par l'intermédiaire de vos sensations (encore que bien peu s'en doutent)
et du malheureux monde quotidien, si méprisé.

— Oh ! s'écria Michelle en sursautant, mais ils ont
toujours l'air de lutter l'un contre l'autre !

— C'est simplement parce que nous les forçons à
cette lutte. Notre intelligence, ce pauvre arbitre exténué,
est généralement si stupide qu'elle les dresse l'un contre
l'autre au lieu de les réconcilier... Permettez donc au
pauvre monde matériel de jouer son rôle... Auriez-vous
jamais vu votre petite ville blanche si cet homme appelé
Keats n'avait pas écrit un poème à ce sujet avec une
plume usée sans doute, au dos d'une facture non payée,
et si un pauvre éditeur n'avait pas réuni ses œuvres en
volume, et si ce volume n'était pas venu d'Angleterre
dans cette île grâce à un vapeur malpropre pour que vos
yeux en puissent parcourir les pages imprimées et offrir
une vision à votre esprit ?

— Ah ! — oui — dit Michelle.

— Vous avez été bien sotte, n'est-ce pas ? Bon, maintenant que nous avons vu comment un monde est nécessaire à l'autre et que nous les avons liés l'un à l'autre avec une certaine sympathie, avançons vers la seconde étape de mon Allemand, vers l'Unité — l'étape où vous tombez dans le fossé.

— Bon, allez !

Ranulph commençait à en avoir assez de sa dissertation et Michelle devait l'éperonner.

— Mon Allemand disait que c'est une étape de calme et d'acceptation. Dès que vous avez compris la nécessité de la vie quotidienne pour faire naître vos visions, vous ne vous irritez plus contre elle, vous l'acceptez tranquillement en lui permettant de surmonter en vous les obstacles — ces obstacles qui séparent votre esprit de celui de l'univers et de toutes les choses créées, cet Esprit auquel vous voulez être unie.

— Le globe de lumière de Keats, dit Michelle. Mais comment faire pour que la vie quotidienne surmonte les obstacles ?

Malgré le désir qu'avait Ranulph de lui venir en aide, il se sentait à bout de patience, car les moralités l'ennuyaient toujours. Il avait si mal réussi dans ce domaine ! Or tout insuccès personnel est extrêmement ennuyeux, se disait-il. Néanmoins, il fumait patiemment, en rejetant la fumée par le nez. Il reprit enfin :

— Mon Allemand disait qu'il n'y a qu'à considérer chaque événement comme un sujet de discipline, une occasion d'exercer son courage, sa pureté, ou toute vertu qui vous paraît, à ce moment, la plus désagréable ou la plus ridicule. Ainsi, disait-il, vous vous débarrassez de tous les péchés qui vous encombrent comme un tas de graisse. Ainsi le moindre incident agit comme le coup de marteau et le ciseau dans la sculpture d'une statue — cela enlève tout le superflu et libère la forme, l'esprit. Dès que votre esprit est libre, il peut s'unir à l'esprit immanent et transcendant.

— Alors, si l'on est vertueux, on se libère l'esprit, déclara Michelle d'un ton affecté.

Elle imitait si bien le ton de Mlle Billing que Ranulph faillit pousser un cri de rage.

— Ne parlez donc pas de cette façon ! s'écria-t-il. C'est écœurant ! Cela sent à plein nez l'hypocrisie victorienne, les chapeaux hauts de forme, les jupons de flanelle...

Il s'arrêta, tout tremblant de colère.

— Que faut-il dire, alors ? répliqua Michelle, d'un air boudeur.

Ce n'est pas ainsi que Mlle Billing accueillait ses pieuses observations.

— Il n'y a pas de mots pour le dire. Comment y en aurait-il, à une époque où la vertu est à la mode et où de malheureux vers de terre veulent se faire passer pour des aigles en se servant de grands mots qu'ils s'appliquent à eux-mêmes et traînent dans la boue ? D'ailleurs, par quels mots pourrait-on décrire un esprit humain ciselé, libéré ? C'est aussi impossible à décrire que le fameux vainqueur de la course de chars.

— A quoi ressemble-t-il ? demanda Michelle.

— A quoi ? dit Ranulph en maugréant et en secouant sa pipe. C'est une statue ! Vous la verrez un jour. C'est le vainqueur d'un rude combat... qui est fini... Il est

là, tout simplement, très droit, très calme, et dans cette attitude aisée qui est le contraire de l'indolence. La dignité de cette aisance est extraordinaire... Il a passé par une épreuve qui l'a dépouillé de tout superficiel... Et il attend la couronne de laurier.

Il y eut un silence.

— Vous n'avez pas parlé de la troisième étape, dit enfin Michelle.

Ranulph paraissait adouci par la pensée de son héros, et elle sentait qu'elle pouvait, de nouveau, le questionner.

— La couronne de laurier... l'achèvement de l'unité... le blanc derrière les couleurs... Comment voulez-vous que je vous parle de ces choses alors que j'en ignore le premier mot ? Mon Allemand lui-même, qui s'y connaissait, ne pouvait rien expliquer... C'est impossible. On peut décrire les symboles ou les visions sous lesquels le pur Esprit vous apparaît dans la première étape; mais dès qu'on en arrive à l'union avec l'Esprit même, on devient muet — comme le disait mon Allemand. Vous ferez mieux d'aller voir le vainqueur de Delphes, il vous en dira plus long — sans paroles.

Ranulph se leva brusquement. Il avait repris son air farouche et irrité, et Michelle en éprouvait un certain effroi. Qu'avait-elle donc fait ?

— Vous n'êtes pas fâché de m'avoir dit tout cela ? demanda-t-elle timidement.

— Fâché ? répliqua Ranulph d'un ton maussade. Bien sûr que si ! Croyez-vous que ce soit agréable de décrire un pays délicieux d'après quelqu'un d'autre ?

Il se mit à marcher d'un pas furieux le long de la grève, pendant que Michelle, courant à ses trousses, s'efforçait d'attraper au vol les paroles entrecoupées qu'il laissait tomber derrière lui.

— Pourquoi naissons-nous aussi aveugles que des chatons et aussi sourds que des vipères ?... Idiots !... N'avoir qu'une vie et la passer à courir dans la mauvaise voie, en aveugles et en sourds... Et la vérité est écrite dans le monde visible, elle résonne dans les sons invisibles... Idiots !... Et cette torture du diable qu'on découvre enfin clairement derrière les barrières !

Michelle, effrayée, n'arrivait pas à comprendre un traître mot de tout ce qu'il marmottait; mais elle se rendait compte qu'elle l'avait profondément troublé. Elle en était navrée mais n'en frémissait pas moins de ce qu'il lui avait dit... et qui la faisait palpiter d'excitation. Dès qu'elle allait pouvoir classer tout cela dans sa tête, elle était sûre d'arriver enfin à y voir clair.

Ranulph s'arrêta à l'endroit où le sentier du petit village de l'Autel s'écartait de la grève à travers l'herbe et les panicauts.

— Il fait froid, bougonna-t-il. Il est temps de rentrer.

Il poussa un braiement d'âne pour appeler les autres qui jouaient toujours aux assassins dans les hougues. Michelle, tout essoufflée, le rattrapa, et ils restèrent un instant à regarder l'Autel, dont les roses et les verts pâles, ainsi que les blancs laiteux, étaient secoués par le vent qui s'élevait.

— Maintenant, je sais à quoi vous pensiez pendant que nous descendions ici, dit Michelle d'un air triomphant. Vous pensiez à votre Allemand.

Ranulph avait encore envie de maugréer, mais il sourit légèrement et se remit à lancer des phrases sans suite.

— Première étape, les sentiers; les teintes vives, la beauté irrésistible qui vous leurre... Deuxième étape, l'Autel; les pâles couleurs de l'arc-en-ciel; le calme et la résignation nés de la tempête... Troisième étape, l'unité; les couleurs fondues; la blancheur de la lumière... Bonne chance pour votre poursuite, Michelle.

IV

Nos destinées sont mêlées de si singulière façon qu'un être, en servant simplement de lien entre une âme et une autre, peut altérer tout le cours d'une existence. Cet Allemand inconnu qui avait, autrefois, déversé sa philosophie dans les oreilles d'un Ranulph exténué, au cours d'une marche épuisante au désert, et qui atteignait maintenant Michelle par l'entremise de son oncle, donna à la jeune fille une impulsion qui l'entraîna fort loin. Il lui arriva souvent, plus tard, de se demander où elle en serait sans ce beau vendredi saint rouventé. Les jours glissent, les uns après les autres, comme des perles, mais parfois, il en est un, borné comme les autres par l'aube et le crépuscule, et tout étincelant, néanmoins, comme une lampe placée à un carrefour. C'est ainsi que ce vendredi saint demeura un jour de clarté, non seulement pour Michelle mais aussi pour André, car un certain Charles Blenkinsop, vieil éditeur anglais asthmatique, transforma, ce jour-là, grâce à Ranulph, l'existence d'André.

Cette journée qui s'était ouverte avec un vol de colombes se refermait sur la clameur d'un vol d'aigle.

Le vent avait atteint la violence d'une bourrasque, et des nuages sauvagement déchiquetés flottaient dans le ciel comme des plumes arrachées; ils étaient gris, avec, par endroits, une furieuse traînée rouge sang. Un grondement vibrait dans l'air, présage de bataille et de tumulte. Ranulph, qui parcourait toute la ferme à la recherche d'André avec une lettre à la main, se sentait las et oppressé, comme si, lui aussi, fût en train de lutter... Lutter pour quoi?... Pour sa vie?... Il n'en savait rien. Il désirait seulement voir cette tempête se calmer. Les bourrasques de printemps sont souvent terribles. Il souhaitait voir celle-ci se terminer.

Il finit par découvrir André dans la porcherie.

— J'ai quelque chose à vous dire! lui cria-t-il dans le vent. Dès que vous aurez bordé et embrassé vos animaux, venez me retrouver dans ma chambre!

Il repartit brusquement et disparut. Il détestait les porcs. La monotonie de leur conversation et leurs bêtes de pattes le révoltaient.

André, d'un air farouche, le regardait s'éloigner, frêle dans le vent, et portant cette lettre qui faisait une tache blanche dans sa main. L'amitié qu'ils avaient eue l'un pour l'autre pendant la maladie de Colette s'était totalement évanouie... André détestait vraiment cet individu... Et c'était la faute de Rachel.

Par un excès de scrupules et une sottise extraordinaire chez une femme aussi sensée, Rachel avait raconté à son mari ce qui s'était passé entre elle et Ranulph. Quand elle s'était retrouvée seule avec André entre les rideaux de leur lit à colonnes, dans ce petit univers d'intimité qui était leur unique richesse, il lui avait semblé que sa conduite

incroyable élevait une barrière entre elle et son mari...
Et cela lui avait paru intolérable... Pendant seize ans, elle
ne lui avait rien caché, sauf les méthodes qu'elle employait
pour le diriger... Elle lui raconta, alors, brusquement,
toute la scène... Dès que son récit fut achevé, elle en
éprouva un grand soulagement, mais cela eut sur André
un effet désastreux.

Il embrassa et consola Rachel, en lui expliquant que son
espèce d'abandon était venu du magnétisme de cet
homme, un magnétisme morbide, ajouta-t-il, aussi bizarre
que puissant; il en avait lui-même éprouvé la force;
Grand-papa également. C'était fantastique, cette influence
que Mabier avait sur le vieillard ! Et les enfants ! Ils
couraient sur ses talons comme les rats à la suite du
Joueur de flûte de Hamelin. Cet individu avait quelque
chose de singulier.

— Un ange déchu, marmotta Rachel dans son oreiller.

— Comment ? dit André.

— C'est pourquoi il a un tel pouvoir, continua Rachel.
Les géants gardent leur stature, même quand ils tombent
du ciel.

— Quelle histoire !

— Même lorsqu'ils tournent mal, ils dépassent encore
les pygmées. Et ils voient aussi plus loin. Ils peuvent
s'interdire l'entrée du paradis, mais ils sont capables
d'apercevoir quels sentiers y conduisent et les jets d'eau
qui chantent dans l'air; et ils souffrent en proportion de
leur vision.

— Mais que racontez-vous là ? s'écria encore André.

— Bonne nuit, mon chéri, dit Rachel.

Et, délivrée de son fardeau, elle s'endormit.

Mais il n'en fut pas de même pour André. Au fur et
à mesure que les jours passaient, ses sentiments à l'égard
de Ranulph se cristallisaient en une sorte de haine. Cet
homme était venu se mettre entre lui et son père à son lit
de mort; entre lui et ses enfants, dont il avait gagné la
confiance; et maintenant, qui pis est, il menaçait de se
mettre entre lui et sa femme... Quelle sorte d'homme
était-ce donc ?

Pendant qu'il effaçait sur lui toute trace de sa besogne
à la porcherie, André avait bien envie de ne pas obéir aux
injonctions de Ranulph. Pourquoi s'y rendrait-il, après
tout ? Puis il se rappela cette lettre dont la blancheur
était si éclatante. Cela le décida. Il remit son paletot,
ressortit dans le crépuscule et le vent, monta l'escalier de
pierre, bâti à la mode française le long du mur de l'écurie,
et frappa à la porte de Ranulph. Elle s'ouvrit aussitôt et
il entra. Il n'était pas venu dans cette chambre depuis
que son pensionnaire l'occupait, aussi l'examina-t-il
avec curiosité. Comme elle était tournée vers les terres,
à l'abri de la tempête, tout y semblait calme et paisible.
Un feu de varech brûlait dans l'âtre et, par la fenêtre,
André pouvait tout juste distinguer, au-delà de la cour,
la blancheur des cardamines dans le pré et la douceur
vaporeuse des jacinthes. La chambre était très nue.
Ranulph n'avait ajouté à son simple mobilier qu'une
table à écrire et des rayons de livres; néanmoins, cette
pièce semblait pleine de vie. Le varech avait des flammes
plus intenses, et les ombres étaient plus noires et plus
mobiles qu'ailleurs, se disait André. Une grande coupe
pleine de primevères ornait la table placée devant la
fenêtre — André se demanda, dans un accès de jalousie

inquiète, si c'était Rachel qui les lui avait données — et le parfum de ces fleurs, mêlé à l'odeur du tabac et à celle du varech, devait, dans l'avenir, rappeler pour toujours à André le souvenir de cet instant.

— Asseyez-vous, lui dit Ranulph d'un ton bref.

— Merci, répondit André, en restant debout.

— J'ai reçu une lettre d'un de mes amis, un homme que j'ai connu autrefois en Égypte, Charles Blenkinsop, l'éditeur. Je voudrais vous la faire lire.

— Blenkinsop, de la librairie Blenkinsop et Garland ? demanda André.

Il prononçait ces noms de grands éditeurs anglais avec la respectueuse timidité que les écrivains qui n'ont encore rien publié éprouvent envers les dieux de l'Olympe. Sans raison, sa main tremblait un peu en prenant la lettre, qu'il alla lire près de la fenêtre.

Ranulph, debout devant le feu, les mains dans ses poches, l'observait. Malgré l'obscurité croissante, il voyait le visage d'André pâlir et ses mains trembler. Il lui tourna le dos pour aller allumer les bougies sur la cheminée. Quand il revint sur ses pas, il vit qu'André le regardait avec des yeux fulminants de colère. Ce mélange d'émotions sur son visage — cette fureur et cette stupéfaction derrière lesquelles luttait la joie — avait quelque chose de si comique que Ranulph éclata de rire. Ce rire porta la rage d'André à son comble.

— Vous avez osé — prendre mes papiers dans mon bureau pour les lire ? balbutia-t-il.

Ranulph eut un nouvel éclat de rire.

— Allons, allons, mon vieux ! Il ne fallait pas tant de courage ! Vous n'êtes pas si formidable que cela !

André, sentant le mépris sous ces paroles, devint tout rouge.

— C'est impardonnable ! s'écria-t-il.

— Oh ! vous avez raison, dit Ranulph d'un ton sec. La plupart de mes actes sont impardonnables. Mais cela, c'était votre faute. Vous m'avez laissé en liberté dans la ferme, le matin de Noël; naturellement, j'ai fouillé partout dans la pièce. Qu'attendiez-vous d'autre de moi ?

André s'étrangla de fureur et Ranulph reprit d'un air joyeux :

— Ayant déniché ce que je considère comme des œuvres remarquables, j'en ai naturellement envoyé la copie à un expert pour avoir son opinion. Je me fie toujours aux experts. On s'épargne ainsi mille ennuis. J'ai été très flatté de voir que son jugement confirme le mien.

Il donna une chiquenaude à la lettre que tenait André et celui-ci, en la relisant, revit les phrases qui lui semblaient entrer toutes brûlantes dans son esprit... " miracles de grâce; les poèmes et les essais ont une beauté lumineuse réellement attachante... Pouvoir allier la profondeur de la pensée à la beauté et à la simplicité d'expression est bien rare... Il est difficile de lancer un poète inconnu; néanmoins, je courrai le risque de lancer celui-ci... J'espère que vous pourrez m'envoyer le reste de ses œuvres pour que je puisse les lire... Je me féliciterai d'avoir l'occasion... Je serai très heureux de rencontrer... "

La voix de Ranulph vint interrompre la douceur de ces phrases.

— Voilà encore la preuve de la supériorité de mon

jugement sur celui des autres — sur le vôtre, par exemple.
Je présume que vous n'aviez pas très bonne opinion de
votre œuvre, puisque vous n'en avez, apparemment,
rien fait !

André humecta de sa langue ses lèvres desséchées.
Une joie immense montait lentement en lui en palpitant
et elle étouffait sa colère.

— Je l'avais envoyée à un ou deux éditeurs, qui n'y
ont rien compris, dit-il d'une voix rauque.

— Et vous vous êtes contenté de leur opinion ? Vous
les avez aidés en mettant votre lumière sous le boisseau ?
Ah ! je vous reconnais bien là ! C'est bien là votre servile
humilité !

Un certain mépris, qui se faisait de nouveau sentir dans
ces paroles, ranima la colère d'André.

— Vous m'avez rendu, il me semble, un service consi-
dérable... mais, pourtant, vous n'aviez pas le droit...

— Aucun droit, dit Ranulph d'un ton léger. Ma
conduite dénote un manque absolu de principes; mais
vous savez que je n'ai pas de principes, heureusement
pour vous... Je me demande parfois, mon cher, quel
succès obtiendraient les *enfants de lumière* s'ils n'avaient
pas ceux de cette terre pour les faire mousser.

Il se mit à sourire en bourrant sa pipe.

— Oui, c'est la vérité, reprit-il. Chaque enfant de
lumière a autour de lui un petit groupe d'enfants de la
terre qui enlève le boisseau de sur la flamme, s'émerveille
à haute voix de son éclat, parle avec exagération de sa
chaleur, éteint si possible les flammes rivales, débat les
affaires, et fait, en général, de la réclame pour le ciel selon
les méthodes de l'enfer.

Il se mit à rire pendant qu'André, tout frémissant, s'avançait en titubant près d'un siège placé devant le feu.

— Oui, André, on peut faire de l'argent avec vous, et Blenkinsop en fera, grâce à moi. Fiez-vous à lui ! Ce sont des sornettes tout ce qu'il dit des difficultés qu'il y a à lancer un poète inconnu. Il ne se flatterait pas de l'argent qu'il va dépenser pour publier vos œuvres s'il n'était pas certain de retrouver un millier de fois cette dépense. Oui, André, vous êtes un homme précieux. Ne le saviez-vous pas ?

Il prononça ces derniers mots d'un ton très doux, en approchant un siège et en s'asseyant en face d'André sans cesser de le regarder.

— Non, dit André qui, en relevant la tête, aperçut les étranges yeux bruns qui le fixaient d'un air ardent.

Leur ardeur et leur couleur lui rappelèrent d'une façon frappante les yeux de Péronelle ; mais il se sentait trop bouleversé pour réfléchir à cette ressemblance singulière. Ranulph, enfoncé dans son fauteuil, parlait tranquillement et avec beaucoup de compréhension des œuvres d'André. Il semblait n'avoir pas oublié un seul mot des poèmes et des essais qu'il avait lus. Il en citait des passages et il paraissait avoir fait siennes les idées qu'ils exprimaient. A mesure qu'il parlait, André sentait fondre sa colère et se recroquevillait dans sa timide sensibilité… Il s'était révélé dans ces poèmes, et voilà que cet homme, cet étranger qu'il détestait, l'avait percé à jour en lisant ses écrits !

Ranulph continuait à parler et la susceptibilité d'André se calmait. La compréhension de cet homme était si grande qu'il éprouvait le soulagement du pécheur qui vient de partager son fardeau avec son confesseur, et il commençait à éprouver un sentiment presque affectueux pour celui qui connaissait ses secrets. Puis un flot de joie vint recouvrir tout autre sentiment, une joie qu'il ne pouvait pas encore tout à fait analyser. Il se sentait libéré. Il voyait, par anticipation, sa destinée accomplie. Il se sentait vivre et s'épanouir. Ranulph passait, maintenant, habilement des œuvres d'André à sa personne même. Il parlait de son travail avec admiration et de son sacrifice avec sympathie. Il mettait tous ses dons de conteur à évoquer en un tableau séduisant l'avenir d'André en tant qu'écrivain. Emporté par son sujet, il se pencha tout à coup, en avant, en brandissant sa pipe et en gesticulant... André se rappela brusquement, à ce moment, un frère aîné qui lui racontait des histoires dans le jardin du Paradis... Et il se mit à sourire de la véhémence de son compagnon.

— Et que deviendra la ferme ? demanda-t-il.

— Il faut trouver un bon métayer. Vous n'avez plus de temps à perdre avec cette ferme. C'était une honte, un crime impardonnable de laisser gâcher votre talent... Il n'y a rien de pire au monde, rien de plus tragique que de voir un homme ne pas pouvoir suivre sa vocation... Restez à Bon Repos en tout cas ; c'est votre demeure, et c'est vous et Rachel qui lui avez donné son atmosphère ; mais ne perdez plus votre temps à nettoyer les cochons. Prenez un bon métayer.

— Et comment le paierai-je ? demanda André. Si, comme vous le pensez, j'ai devant moi une carrière d'écrivain, il faudra encore quelque temps avant que mes bénéfices puissent payer des métayers.

— Prenez-en un qui ait de l'argent à mettre dans la ferme et qui vous le laissera à sa mort, dit Ranulph.

André éclata de rire.

— Nous ne sommes pas à la nuit de la Saint-Jean, dit-il. Je ne vais pas trouver cet oiseau rare à minuit sous un buisson de roses.

— C'est vendredi saint, et vous le découvrirez de l'autre côté de l'âtre, répondit Ranulph.

— Vous ? s'écria André, d'un air stupéfait.

Le rire s'éteignait sur son visage.

— Oui, moi, dit Ranulph. J'ai été toute ma vie un vagabond et j'aimerais maintenant jeter l'ancre à Bon Repos. J'aime cette demeure jusque dans ses moindres poutres et ses moindres pierres. Je ne demande qu'à rester ici. Je suis un bon fermier — vous en avez eu la preuve — et j'ai de l'argent — beaucoup d'argent. Je le placerai dans la ferme. Si je meurs le premier, tout ce que j'ai sera pour vous.

André ne répondait rien et Ranulph voyait toute la joie, la gaieté, la gratitude, l'affection déserter sa figure qui prenait la rigidité de la pierre. Il comprenait avec amertume que, sous ses émotions superficielles, André éprouvait pour lui une profonde antipathie... Il ne désirait pas le voir rester à Bon Repos.

— Je ne vous laisserais pas faire pareille chose, dit enfin André d'un ton rude.

— Pourquoi pas ?

— C'est une idée abracadabrante et je ne voudrais pas abandonner la direction de ma propre ferme.

— Vous n'auriez pas besoin de l'abandonner, ni même de délaisser tous les travaux. Un peu de travail manuel est nécessaire à la pensée, je le sais — le rythme du travail. Nous travaillerions ensemble; mais vous seriez libéré de toute angoisse, libre d'aller et venir à votre aise.

— Il me serait impossible d'accepter cela d'un étranger. C'est bizarre que vous me fassiez cette proposition, d'ailleurs... Qu'est-ce qui vous y pousse ?

— L'amour de Bon Repos.

— Vous parlez comme un idéaliste un peu toqué et non comme l'homme d'affaires que vous êtes. Vous savez aussi bien que moi que ces arrangements entre étrangers se terminent mal.

— Je ne suis pas un étranger.

Il parlait d'un ton si grave qu'André eut peur de l'avoir blessé.

— Non, lui répondit-il généreusement. Vous vous êtes montré un ami étonnant. Je ne puis assez vous en remercier. Mais il n'y a pas de lien du sang entre nous...

— Si !

Ce mot éclata dans le calme de la chambre comme le bruit d'un rideau qu'on aurait déchiré de haut en bas. André sursauta et rencontra les yeux de son compagnon qui le fixaient d'un regard perçant. Il eut, comme Rachel, l'impression que Ranulph pénétrait en lui, prenait possession de lui, et il en éprouva une sorte d'effroi, tandis que, subitement, il entendait le gémissement du vent qui, comme un voyageur venu de loin, faisait retentir Bon Repos de ses clameurs avant de se précipiter, de nouveau, dans l'invisible. André sentit que l'homme qui le confrontait était d'une nature analogue à la tempête, une de ces natures inquiètes et mystérieuses, farouches et bruyantes, telle qu'il en avait souvent rencontré chez les marins

et chez les insulaires — qui ont dans le sang la force des
flots et la houle des marées. Penché en avant, il regardait
Ranulph avec une certaine crainte, tout en se sentant
attiré vers lui de manière irrésistible.

Ranulph souriait.

— André, quand je pense que vous avez écrit ces
poèmes extraordinaires et que vous les avez si peu
appréciés que vous vous êtes laissé décourager par
l'opinion de deux misérables éditeurs ! Et que vous les
avez même cachés à Rachel ! C'est bien encore un exemple
de votre terrible sentiment d'infériorité ! Vous étiez déjà
ainsi tout bébé — à cause de la brutalité de notre père.
C'est elle qui nous a menés tous deux vers la solitude.
Je me suis révolté, et j'ai fui; vous, vous êtes caché...
Enfin, nous voici réunis de nouveau.

André voyait toute la pièce tourbillonner autour de lui.
Le bruit du vent lui emplissait les oreilles comme un
grand rugissement et les flammes du varech étaient des
rideaux de feu devant ses yeux.

Dans ce bouleversement, il se rendait compte qu'il
avait couru vers Ranulph et lui avait saisi les mains; il
entendait des sons bizarres qui semblaient venir des
efforts qu'il faisait pour parler, et la voix de Ranulph
lui parvenait comme une voix très lointaine, où il
distinguait ces mots : " Buvons quelque chose; nous
en avons besoin. " Le cliquetis des verres lui faisait
l'effet d'être plus éloigné encore. Une grande émotion
passa sur eux, où Ranulph lui-même fut submergé.

Quand ils revinrent à eux et furent de nouveau installés
à causer, ils eurent l'impression que des jours entiers
venaient de s'écouler.

— Pourquoi ne m'avez-vous jamais rien dit ? Pourquoi ? répétait André comme un perroquet.

— Par indépendance. Je ne voulais pas reconnaître les obligations familiales. Je me figurais que cela m'assommerait. Puis les enfants ont fait mon siège et tous mes moyens de défense se sont écroulés peu à peu... grâce à eux !

— Et à Rachel !

Ranulph crut sentir une certaine aspérité dans le ton de son frère. Il le regarda droit dans les yeux, d'un air provocant.

— Oui, grâce aussi à Rachel, et à la découverte que vos poèmes m'ont fait faire de votre nature... et à la mort de notre père... C'est tout cela qui m'a vaincu.

— Notre père vous avait reconnu ? C'est pour cela qu'il a voulu vous voir avant de mourir ?

— Oui. Je n'ai rien eu à lui dire... Mais pourquoi donc pensiez-vous qu'il me demandait ?

— Il avait des caprices pour certaines personnes. Il eût bien été capable de vouloir un étranger au lieu de son fils à son lit de mort. Nous n'avions rien trouvé de surprenant à cela, Rachel et moi; d'autant plus que vous êtes un conquérant. Rachel vous regarde comme un géant, un ange déchu.

— Je crois bien que c'est moi qui lui ai mis cette idée dans la tête, murmura Ranulph en se levant. Je lui ai dit, un jour, que Belzébuth, de l'autre côté de la grille, pouvait diriger convenablement quelqu'un dans la voie du paradis... Si nous allions la retrouver et lui dire notre secret ? J'aimerais qu'elle le connaisse dès ce soir.

La nuit était venue et l'obscurité avait tout envahi

quand ils redescendirent l'escalier. Le vent soufflait plus
que jamais et les attaquait par-dessus le mur du jardin.
Il sautait sur eux, les assaillait, tentait de les séparer.
André, sans savoir pourquoi, saisit tout à coup son frère
par le bras comme pour le garder à Bon Repos. Il devait
se souvenir, plus tard, de ce geste.

V

LE samedi après-midi, comme Ranulph l'avait prévu,
la rafale fut à son comble. Le vent n'avait fait que croître
toute la nuit et, dans la matinée, la pluie faisait rage et le
suroît menaçait d'emporter le toit de la maison. Les
garçons de ferme, en luttant pour pénétrer dans la cour
au retour des champs, déclarèrent qu'ils n'avaient jamais
vu une bourrasque de printemps aussi soudaine. " Ça va
être mauvais en mer, cette nuit ! " se disaient-ils entre eux
d'un air inquiet; et ils travaillaient en silence. D'ailleurs,
tout le monde était silencieux. Bien qu'habitués aux
tempêtes, tous trouvaient que celle-ci était singulièrement
angoissante. Ce rugissement et ce déluge, tombant brutalement au milieu d'une très belle saison, semblaient
particulièrement dévastateurs, comme si les dieux, qu'on
avait omis de se rendre favorables, eussent juré d'abréger
le plaisir dont les hommes jouissaient dans la paix et le
soleil.

L'après-midi, quand la pluie fut un peu calmée,
Ranulph s'en alla, en luttant, sur la falaise, au-dessus de la
Baie aux Mouettes. C'était assez fou d'agir ainsi, car le

vent avait là une force effrayante et Ranulph pouvait à
peine lui résister; mais rester à la maison, ce jour-là, lui
semblait intolérable. La stupéfaction et la joie un peu
forcée de la famille à laquelle il s'était révélé comme un
frère et un oncle l'oppressaient, et chaque fois qu'il allait
se réfugier dans sa chambre, il était en proie à des craintes
et à des pressentiments. Dehors seulement, où toutes ses
pensées et toute son énergie devaient se concentrer pour
lutter contre la bourrasque, il pouvait trouver un vrai
soulagement.

En se cramponnant à une roche qui surplombait la
Baie, il contempla, à travers les embruns, le spectacle
qu'il avait à ses pieds. L'eau était agitée comme dans un
grand chaudron posé sur les braises de l'enfer, et les
mouettes, ballottées par la rafale, poussaient des cris
lugubres. Au-delà de la Baie, de grandes vagues accouraient avec l'impétuosité d'une charge de cavalerie,
s'arrondissaient à hauteur d'homme, puis se brisaient
avec un bruit sinistre sur les roches déchiquetées dont
les pointes détruisaient leur immense volute en produisant
une écume bouillonnante qu'elles relançaient avec fracas
sur les galets. Les récifs voisins de la Baie aux Mouettes,
qu'on appelait les Barbées, étaient presque invisibles
au travers des tours et des flèches de cette écume
sifflante.

Ranulph resta là un long moment, sous la rafale qui
l'assaillait en grondant comme une troupe de loups,
et sous la pluie et les embruns qui frappaient son suroît
et ruisselaient sur lui. Il se sentait plus heureux qu'il
ne l'avait été de toute la journée. Dans la maison, le bruit
de la tempête, en l'énervant, avait rendu tout le reste plus

pesant encore; tandis que là, en pleine bourrasque, tout prenait une telle grandeur que sa conscience en était totalement occupée.

Il resta ainsi, cramponné à la roche jusqu'à la tombée de la nuit, et ses mains étaient si engourdies qu'elles ne sentaient plus rien; enfin, il se décida à revenir, contre le vent, vers Bon Repos.

On avait déjà allumé les lampes dans la cuisine, où toute la famille prenait le thé; il distinguait la tête des enfants derrière la fenêtre. Il resta un instant dans la cour à les contempler, puis il revint sur ses pas. Il ne lui plaisait pas d'aller près d'eux. Il avait prévenu qu'il dînerait dans sa chambre. Arrivé au pied de l'escalier de pierre, il se retourna pour regarder encore une fois vers la maison. Il ne pouvait plus apercevoir les enfants, mais il voyait la lumière de la fenêtre. Elle n'allait pas loin, ce soir-là; brisée par la pluie, elle ne formait que de petits miroirs sur les pavés de la cour; mais dans son imagination, il en fit une grande lumière éclairant tout le domaine de Bon Repos : la vieille maison ornée de sa passiflore et de ses fuchsias, la cour avec ses colombes roucoulantes, le jardin plein de jacinthes et de giroflées, le verger et les chênes tortus, la ferme et ses étables, et le pré où fleurissaient les cardamines et les jacinthes sauvages. Dans sa pensée, il voyait tout cela; puis, il monta à sa chambre et referma la porte sur lui.

Il alluma sa lampe, tisonna les braises, ferma les rideaux, mit des vêtements secs, bourra sa pipe et s'assit devant le feu; puis, avec son courage habituel, il regarda les choses en face : un homme mort était revenu à la vie et, comme d'habitude, on ne pouvait pas dire que cette résurrection

fût une grande réussite. Il repassa dans sa mémoire les
événements de la veille et de la matinée. La veille au soir,
il s'était rendu avec André auprès de Rachel et lui avait
révélé son secret, ou plutôt, c'était André que le lui avait
dit, et Ranulph l'avait observée pendant que la surprise,
l'incrédulité, la stupéfaction, la consternation, et finalement
une joie simulée à merveille, se succédaient sur son visage.
Puis André lui avait révélé les projets de Ranulph pour
collaborer désormais à la ferme — il n'avait rien dit de
l'histoire de ses poèmes ni de ses espérances à leur sujet;
c'était quelque chose de trop précieux, réservé pour le
grand lit à colonnes — et la joie de Rachel avait semblé
si parfaitement naturelle que, seul, le regard aigu de
Ranulph en avait surpris la simulation. Leur entretien
s'était poursuivi tard dans la nuit, tendre, joyeux, animé,
mais avec, au fond, une certaine tension qui faisait penser
à la menace lointaine du tonnerre dans un soir d'été.
L'horloge venait de sonner minuit d'une façon plutôt
sinistre quand Rachel commença à raconter sa *vision* à
Ranulph.

— J'avais raison, vous voyez, ajouta-t-elle. Vous avez
sauvé Bon Repos.

Et, se tournant vers André pour lui sourire, elle lui dit :
— J'avais raison, vous voyez. Vous pouvez avoir
confiance en moi. Et je ne dis pas : " Je vous l'avais bien
dit ! "

Ils restèrent encore un moment à rire et à causer;
mais la tension continuait à se faire sentir sous leurs
paroles, et les deux hommes furent secrètement contents
lorsque Rachel les embrassa pour aller se coucher. Ils
restèrent à fumer devant le feu jusqu'à une heure du

matin; mais ils se sentaient las et n'échangeaient plus une
parole. Dans ce silence, ils entendaient le vent qui heurtait
à la fenêtre et dont le bruit, ils ne savaient pourquoi, les
déprimait. Finalement, André se leva en secouant sa pipe.

— Je vais monter, dit-il. Je veux lui dire la nouvelle
au sujet des poèmes.

Son ton, qui avait paru las pendant qu'ils discutaient
des affaires de la ferme, vibrait maintenant de joie. Ranulph
se leva à son tour en souriant. Dans cette libération
d'André, il y avait, en tout cas, une source de bonheur
certain. Les deux hommes se serrèrent la main.

— Les poèmes, reprit André d'une voix haletante,
c'est à peine si je puis encore y croire, et plus j'y pense
et moins je trouve de mots pour vous remercier — je
reste muet comme un idiot et vous ne pouvez pas comprendre ce que vous avez fait pour moi.

Ranulph se disait qu'il le comprenait fort bien. André,
oubliant tout le reste, semblait devenu un autre homme.
Les portes de sa prison venaient de s'ouvrir, et l'air pur
des hauteurs qu'il se préparait à gravir semblait déjà
souffler sur lui. Il avait l'air plus grand, plus jeune, plus
fort. Là, du moins, se disait Ranulph, le succès était
évident. En pressant à son tour la main de son frère, il se
sentait plus près de lui qu'il ne l'avait jamais été, si près,
en vérité, que leur intimité en devenait épuisante. Les mots
leur paraissaient dénués de sens. Ils se souriaient en silence.
Finalement, André monta se coucher.

Ranulph se laissa retomber sur son siège; ce moment
passé avec son frère l'avait rompu; il se rendait compte
que le bonheur domestique allait lui paraître très fatigant.
Son esprit accoutumé à la solitude n'allait pas s'habituer

aisément à cette intimité. Il venait d'atteindre avec André
à cette unité dont il avait parlé à Michelle, et de façon si
ennuyeuse; il se sentait tout déprimé... La solitude était
chose facile; n'importe quel sot pouvait tirer la langue à
son prochain et lui tourner le dos, tandis qu'une intimité
véritable exigeait un dur travail, il le voyait bien... Il poussa
un soupir... Au-dessus de sa tête, il entendait un murmure
de voix... Il imaginait sans peine ce qui allait se passer
dans le grand lit à colonnes. Rachel, en découvrant tout ce
qu'André et Ranulph lui avaient caché, allait prendre feu
et son indignation serait un bon stimulant — Ranulph
regrettait de ne pouvoir jouir de ce spectacle — puis,
peu à peu, son amour pour André éteindrait sa colère, et
sa joie et sa fierté seraient si grandes que ni l'un ni l'autre
ne pourraient probablement dormir de la nuit... Ranulph
se prit à sourire, en s'enfonçant dans son fauteuil...
Comme il les aimait tous les deux, maintenant !... Mais,
étant donné son peu d'expérience de la vie familiale,
saurait-il vivre en bons termes avec eux jusqu'à la fin de
ses jours ? Et saurait-il aussi maintenir son amour pour
Rachel dans des bornes raisonnables ? Pourquoi la résurrection de Jean du Frocq n'avait-elle donc pas été, en
somme, très réussie ?... Il se pencha sur le feu en regardant
les braises d'un air sombre et continua à se torturer avec
ces questions jusqu'à ce qu'il ne restât que des cendres
grises dans l'âtre et qu'il frissonnât de froid. Il se leva
alors et se dirigea vers sa chambre; mais les mêmes
questions le poursuivirent dans son lit au point de devenir
un cauchemar. Le peu de sommeil qu'il réussit à trouver
enfin acheva de l'exténuer. En se levant le lendemain
matin, il se sentait si las qu'il se demandait comment

il allait pouvoir se préparer à devenir l'oncle de cinq mioches.

Quant aux enfants, à qui Rachel avait annoncé dès le réveil que l'oncle Ranulph était, en réalité, l'oncle Jean, ils se conduisirent d'une manière bizarre. Ils furent d'abord dans un état d'excitation indescriptible, criant, glapissant, sautant, bondissant, à tel point que Ranulph, qui avait déjà la migraine, eut l'impression que sa tête allait éclater; mais chacun d'eux paraissait désirer de ne pas rester seul en sa compagnie. Sous leur agitation, on les devinait intimidés, ce qu'ils n'avaient jamais été avec lui. Il se dit qu'en devenant un oncle véritable, il avait perdu quelques-unes de ses qualités féeriques; il n'était plus cet étranger, ce naufragé romanesque; il était un individu banal, un oncle ! En devenant un membre de leur famille, il cessait d'être un rebelle sympathique, comme eux-mêmes, pour s'allier à l'armée de la loi et de l'ordre. Était-ce là la raison de leur gêne ? Il se le demandait ! Il sentait que quelque chose allait mal, ce matin, dans cette résurrection d'un oncle, comme, la veille au soir, dans celle d'un frère.

Et maintenant, assis devant son feu, durant cette soirée rouventée du samedi saint, il tentait de tirer des conclusions de ses hypothèses et de ses impressions confuses. Il essayait de déterminer exactement pourquoi il se sentait ainsi oppressé par ce sentiment d'insuccès. Il avait toute la soirée devant lui puisqu'il les avait prévenus qu'il ne souperait pas avec eux. Cela même était bien significatif ! Pourquoi avait-il le sentiment que Jean du Frocq, qui venait de ressusciter, devait s'éloigner pour quelque temps de sa famille ? Sa famille ! C'est là que gisait la difficulté, il s'en apercevait brusquement. Ils étaient de sa

famille sans en être. Il avait volontairement coupé tous les
liens pendant sa jeunesse; il était mort, et les rangs s'étaient
resserrés derrière lui; comment pouvait-il se figurer qu'ils
allaient maintenant se desserrer d'eux-mêmes pour le
laisser rentrer ?... Les morts ne reviennent pas, il le savait
bien... Certes, pendant la maladie de Colette, on l'avait
admis au centre de la vie familiale; mais c'était sous
l'empire d'une grande angoisse; ils en auraient fait autant
envers un docteur ou une infirmière dévouée qui les eût
aidés à ce moment-là. Cette situation ne pouvait durer.
Et puis, la famille, c'est le père, la mère et les enfants,
une trinité; admettre un quatrième dans cette trinité, c'est
désastreux neuf fois sur dix, il le savait bien... Non !...
Tant qu'il était Ranulph Mabier, pensionnaire temporaire,
tout allait bien, encore qu'André le trouvât extrêmement
encombrant; mais maintenant qu'il était Jean du Frocq,
membre assez peu honorable de la famille prêt à s'imposer
à eux, il sentait que tout irait mal... Et puis, il y avait
André. Est-ce que, même libéré et plongé dans son propre
travail, il serait satisfait de voir Ranulph réussir dans la
ferme où il avait échoué ? Ne serait-il pas plus heureux
avec un vrai métayer ?... Et Rachel ?... Il l'aimait... Il lui
avait dit que son amour s'éteindrait s'il le négligeait;
mais c'était faux. Ce moment passé avec elle sur la falaise
avait fait flamber un feu qu'il ne pouvait plus éteindre...
Et les enfants ?... Il les aimait comme s'ils eussent été les
siens; mais ce n'était pas les siens. Il voulait cette femme
et ces enfants pour lui, et il sentait qu'André le devinait.
Ce serait toujours un obstacle entre eux.

Il se leva et se mit à arpenter sa chambre. Il maudissait
cette flambée de passion qu'il avait eue sous les chênes;

sans cela, Rachel ne se fût, sans doute, jamais rendu
compte des sentiments qu'elle éprouvait pour lui, et le
sentiment qu'il avait pour elle ne fût pas devenu cette
torture affolante qui menaçait d'échapper à son contrôle.
Il s'aperçut brusquement que, dans sa vie, il n'avait
jamais aimé que deux femmes de cette façon : Blanche
Tangrouille et Rachel du Frocq. Il eut un sourire amer.
Quel contraste ! Mais toutes deux étaient des insulaires.
Toujours cette Ile !... Il sentait, comme autrefois, que cette
Ile possédait un charme qui s'imposait à lui. Nulle part
au monde, il n'avait aimé et souffert autant qu'ici, durant
son enfance et, maintenant, dans son âge mûr. En songeant
à sa vie passée, il s'apercevait que ces deux époques étaient
l'essence de sa vie; tout le reste, malgré le travail, l'argent,
le péché, l'horreur ou l'ennui, lui paraissait dénué d'intérêt.
L'Ile seule importait. Le détachement, l'égoïsme, la sécheresse du cœur avaient pu se donner libre cours dans
d'autres parties du monde, mais non ici. L'Ile, dans l'éclat
de sa beauté, et la sauvagerie de ses tempêtes lui avait
imposé, de nouveau, la joie et la douleur; elle avait
ramené à la vie le disparu... Ramené à la vie le disparu...
Oui, le mort était revenu; il avait ressuscité et, en revivant,
avait sauvé Bon Repos. Mais, maintenant, il souhaitait
de disparaître une seconde fois. Pourtant, s'il repartait
pour l'Orient, sa richesse le suivrait et les voyages sont
coûteux; or Bon Repos avait besoin de sa fortune.

Il ouvrit la fenêtre devant laquelle il se tenait et tenta
de percer les ténèbres. Le vent était encore très fort,
quoiqu'il s'apaisât, et le ciel très couvert. Il ne pouvait
rien distinguer dans cette obscurité grondante et bouleversée, mais il savait que, devant lui, s'étendait le pré

fleuri de cardamines et de jacinthes où il avait vu son image. Il se rejeta en arrière, referma brusquement la fenêtre et tira les rideaux... *l'avertissement!*... Il y avait diverses façons de disparaître, et la mort de son corps résoudrait toutes les difficultés... Finalement, il abandonna ses réflexions. Il attendrait pour voir ce que le lendemain lui apporterait. D'ici là, délivré de ses soucis, il allait passer une soirée agréable.

Il fit un excellent souper avec le pain, le jambon et le café qu'il avait dans son placard; puis il alluma sa pipe, s'assit devant le feu et se plongea dans la lecture d'*Ondine*, qu'il avait enlevée de la bibliothèque d'André dans la huche au grain. Cette lecture l'enchantait : Ondine, la fée des eaux, lui rappelait les sentes de l'Ile et leurs sargousets; son Ile chérie semblait prendre corps et envahir la chambre. Il alla jusqu'à la fin du beau conte tragique, puis resta à rêver en fumant... Ainsi, elle s'était replongée dans les eaux... Elle avait tenté de vivre au milieu d'une famille humaine, mais la solitaire venue d'un autre monde n'était pas faite pour les relations humaines. Elle pouvait apporter des dons et des richesses dans ce monde des humains pour en faire jouir ses bien-aimés, mais sa personne même ne pouvait que causer jalousie ou peine... Alors, elle était retournée au fond des eaux.

Ranulph se leva et secoua sa pipe. Il trouverait bien un moyen pour que les richesses qu'il avait apportées à Bon Repos pussent y rester, tandis que la jalousie et la peine tomberaient à l'eau.

Il alla se coucher et dormit d'un profond sommeil.

VI

Juste avant de s'éveiller, il rêvait d'ailes. Des centaines
de jeunes oiseaux voletaient et gazouillaient autour de
lui, tandis qu'au loin il distinguait des battements d'ailes
plus grandes et plus puissantes, comme d'un aigle ou d'un
cygne. Cela se rapprochait, en fendant l'air d'un élan
impétueux qui devenait une sorte de rugissement, à tel
point que Ranulph, dans son rêve, se recroquevillait de
terreur. Il se rendit compte enfin que ce n'était pas le
vol d'un cygne mais d'une terrible créature des ténèbres,
quelque démon de la mort voué à sa destruction. Paralysé
par le cauchemar, il ne pouvait faire un mouvement,
tandis que le bruit enflait comme celui d'une vague qui va
déferler et que le vent projeté par ces battements d'aile
frappait déjà son visage. Puis le monstre s'écrasa soudain
sur lui et il s'éveilla en poussant un cri.

Tout tremblant, avec une sueur d'angoisse, il resta
immobile un instant, encore paralysé comme dans son
rêve; puis il se rendit compte qu'il était éveillé et que les
premières lueurs de l'aurore éclairaient la fenêtre. Il s'assit
sur son lit. Le vent était tombé durant la nuit, et la brise
pénétrait maintenant dans la chambre sans faire plus de
bruit qu'un vol de passereaux. Mais le tumulte régnait
encore en mer; les vagues se précipitaient avec le grondement et le bruissement des ailes de son cauchemar.
La chambre était emplie par le son de ce flot et de son
ressac.

Ranulph tendait l'oreille. Quel était ce craquement qui l'avait éveillé ? Le fracas d'une autre vague envahit la pièce, puis, juste au moment où le rugissement atteignait à son paroxysme, un nouveau craquement se fit entendre — un coup de canon tiré à moins d'un mille de la côte... Deux coups à trois minutes d'intervalle... Un naufrage !... D'un bond, Ranulph sauta de son lit et saisit ses vêtements.

Au-delà de la Baie aux Mouettes étaient cachés une anse sablonneuse, la Baie Bretonne, et un village de pêcheurs dont les chaumières se nichaient dans la valleuse qui coupait la falaise en deux. C'est là que Sophie habitait avec son Jacquemin, ainsi qu'Hélier Falliot et Guilbert Hérode avec leurs femmes. Au pied de la falaise, dans cette anse, les barques reposaient à sec sur la grève lorsque le temps était mauvais, mais, par les beaux jours, on les laissait flotter sur l'eau dormante de la Baie. Les accidents étaient fréquents à la Baie Bretonne, car le terrible récif des Barbées en était tout proche et formait de violents courants aux alentours. Les baigneurs se trouvaient sans cesse en difficultés, et ces triples fous, les touristes anglais, bien que prévenus du danger qu'ils couraient s'ils s'aventuraient à la voile autour des Barbées, n'en faisaient qu'à leur tête et se trouvaient pris. On avait placé un canon sur la falaise, au-dessus de la baie, et deux coups tirés par ce canon indiquaient qu'il fallait se porter au secours de quelques idiots en détresse.

Tout en s'habillant promptement, Ranulph se demandait ce qui avait pu se passer. Il ne pouvait s'agir d'un bateau à voiles se trouvant seulement en difficultés. A l'aurore, et après cette nuit d'ouragan, cela ne pouvait être qu'un naufrage. Il enfila ses bottes, courut à la porte et l'ouvrit,

puis s'arrêta, frappé par une pensée soudaine, et il revint
vers sa table dont il bouleversa le tiroir pour en sortir
une longue enveloppe qu'il posa en évidence sur la table.
C'était son testament, par lequel il laissait un petit legs
à Blanche Tangrouille et tout le reste de ses biens à son
frère André. Puis il sortit, referma doucement la porte
derrière lui, descendit l'escalier et traversa la cour et la
maison au galop.

Comme il s'y attendait, tout Bon Repos était en émoi.
Au moment où il ouvrait la porte du vestibule, André
descendait de sa chambre en toute hâte en se battant avec
son paletot que, dans sa précipitation, il avait enfilé à
l'envers. Il avait mis à son pied droit une de ses chaussures
de travail et à son pied gauche un de ses souliers du
dimanche. Au premier étage, les fillettes, en chemise de
nuit, couraient en poussant des cris, pendant que leur
mère, toujours digne et calme, tisonnait le feu de la
cuisine et préparait les bouilloires. Quoi qu'il arrivât,
que ce fût une naissance, une mort ou un naufrage, Rachel
mettait les bouilloires sur le feu. Il lui arrivait de dire,
d'un air funèbre, que laver un mort ou faire du thé pour
les vivants était le plus pressé en cas de détresse. Ranulph
avait à peine eu le temps de remarquer avec amour sa
compétence paisible que l'incompétent André le rejoignait.
Rachel, dans la cuisine, se retourna et regarda son mari
d'un air terrifié.

— Pour l'amour du Ciel, soyez prudent ! balbutia-t-elle
d'une voix rauque. Ne risquez pas inutilement votre vie !

Son regard semblait le transpercer comme pour
imprimer en elle tous les détails de sa personne. Elle n'eut
ni un regard ni une pensée pour Ranulph, qui se tenait

sur le seuil de la porte. C'était comme s'il n'eût pas été là...
Il en éprouva un coup terrible... Mais André le saisit par
le bras et ils s'éloignèrent à toute vitesse dans la cour,
puis dans le sentier et le long de la falaise vers la Baie
Bretonne.

VII

Un petit personnage, vêtu d'un jersey bleu et d'une
culotte enfilée n'importe comment sur sa chemise de nuit,
si bien que son arrière était gonflé comme un ballon,
s'était glissé le long de l'escalier à la suite d'André et
avait traversé le vestibule comme un fantôme dans l'ombre
de son père. Si Rachel ne s'était pas retournée au même
moment, il aurait réussi à sortir; mais elle bondit sur lui
comme une tigresse.

— Colin! s'écria-t-elle en l'attrapant par son jersey
au moment où il allait franchir le seuil en coup de vent.

Colin se débattait; mais, pour une fois, sa mère semblait
douée d'une vigueur masculine. D'une main elle le fit
reculer, de l'autre, elle fit claquer la porte d'entrée.

— *Pas encore*, Colin! lui dit-elle d'un ton furieux.
Pas encore!

Là-dessus, pour la première et la dernière fois de sa vie,
Colin lança une ruade à sa mère. Rachel poussa un cri
en chancelant; mais elle eut la présence d'esprit de reculer
entre Colin et la porte. Le petit garçon s'enfuit par
l'escalier et alla se réfugier dans sa chambre, en faisant,
lui aussi, claquer la porte, et on l'entendit rugir comme
un troupeau de taureaux.

Rachel retourna en boitant à la cuisine vers ses bouilloires.

Michelle, Péronelle et Jacqueline, habillées et calmées, vinrent bientôt à son aide. Elles racontèrent qu'en entendant le canon, Colette s'était levée pour dire sa prière, mais qu'elle était maintenant dans son lit, à chanter une horrible chanson comique.

— Affreuse et vulgaire, ajouta Péronelle. On se demande où elle a bien pu pêcher cela; mais elle fait rire Toinette qui pleurait.

Après les bouilloires, Rachel et ses filles préparèrent le petit déjeuner, puis s'assirent pour attendre. Les petites se levaient de temps à autre pour aller jeter un coup d'œil inquiet dans la cour; mais leur mère restait absolument immobile sur la jonquière.

— Ne pourrions-nous pas aller sur la falaise pour *faire* quelque chose ? demanda tout à coup Péronelle avec impatience.

Rachel secoua la tête.

— Les femmes ne font qu'encombrer, dit-elle d'une voix rauque.

Péronelle, en s'asseyant près de sa mère, sentait qu'elle souffrait, et elle aurait voulu l'entourer de ses bras; mais elle n'osait pas, tant Rachel avait un air distant et sévère. Péronelle se disait que les gens qui souffrent ne devraient pas ainsi s'entourer de murailles pour empêcher ceux du dehors de pénétrer jusqu'à eux... C'était si pénible pour ceux du dehors !... Et quelle horreur d'attendre ainsi ! Quelle abomination ! Elle espérait que rien n'arriverait à son père ! Chaque fois qu'il pouvait tomber d'un canot à la renverse, il n'y manquait pas... C'était vraiment terrible d'aimer quelqu'un autant que maman aimait papa ! Terrible !... Elle se mit à prier pour son père, puis elle songea tout à coup qu'elle avait totalement oublié l'oncle Ranulph.

— Maman ! s'écria-t-elle, est-ce que quelqu'un a dit adieu à oncle Ranulph — oncle Jean, je veux dire ?

— Ranulph ? Jean ? murmura Rachel. Non ! ajouta-t-elle, en regardant sa fille d'un air consterné.

A force de penser à André, elle avait tout à fait oublié son frère. Elle ne lui avait même pas accordé un regard au moment où il s'en allait vers le danger, vers la mort peut-être, sur cette horrible mer. Ranulph — non, Jean — qui avait sauvé Bon Repos pour elle ! Et dire qu'elle avait cru être un peu amoureuse de lui, il n'y avait pas si longtemps. Eh bien ! c'était une preuve ! Auprès de son amour pour André, le père de ses enfants, ce sentiment n'était que la lueur vacillante d'une chandelle comparée à la flamme d'un feu de joie. Et pourtant, se disait-elle, si elle avait été une de ces mondaines qui n'ont rien de mieux à faire, elle aurait peut-être brisé le foyer d'André à cause de cette flammèche ! Néanmoins, son cœur lui faisait des reproches; elle se sentait malade d'angoisse.

— Non, répéta-t-elle, personne de nous ne lui a dit un mot !

Péronelle se mit brusquement à sangloter, ce qui ne lui arrivait presque jamais.

— Pauvre oncle Ranulph — Jean, je veux dire — qu'il doit se sentir seul ! Et s'il meurt en croyant que nous ne l'aimons pas ?

A cette idée, Jacqueline éclata en sanglots à son tour,

et Michelle, comme toujours quand elle était émue, se
mit à les gronder.

— Quelle sottise ! Quelles idiotes vous faites ! Vous
parlez comme si papa et oncle Ranulph allaient se noyer,
alors qu'ils sont simplement allés voir ce qui se passait !

— C'est cela. Voir uniquement ce qui se passait, dit
Rachel d'un ton joyeux.

Mais elle ne riait pas et restait sur son siège, sans plus
bouger que si elle eût été changée en pierre.

— Maman, que vouliez-vous dire, tout à l'heure,
quand vous avez crié à Colin : " Pas encore ! " demanda
maladroitement Jacqueline au milieu de ses sanglots.
Je vous ai entendue de là-haut.

Rachel humecta ses lèvres desséchées avant de répondre.

— Colin veut se faire marin. Je voulais dire que lorsqu'il sera un homme, je serai bien forcée de laisser la mer
le prendre, mais pas encore. Il n'est encore qu'un petit
garçon.

— Mais je croyais que vous ne vouliez pas qu'il se
fasse marin ? demanda Jacqueline. Vous l'avez toujours
dit — Péronelle, qu'est-ce qui vous prend de me donner
un coup de pied ?

— Je laisserai Colin se faire marin, s'il y tient, dit
Rachel d'une voix sans timbre.

Elle se figurait dire ces mots à Ranulph... Les enten-
drait-il d'où il était ?

Le silence retomba. Les rugissements de Colin s'étaient
calmés et l'on n'entendait plus que l'écroulement des
vagues et leur ressac. Au-dehors, un matin morne et
mouillé se levait sur le jardin.

VIII

Pendant que Ranulph courait à côté d'André le long du sentier et sur la falaise, ses pensées et ses sentiments étaient dans un état de confusion extrême, mais ses sensations singulièrement aiguisées. Il pleuvait encore, et comme cette pluie le fouettait au visage et que l'herbe humide de la falaise le trempait dans sa course il lui semblait déjà être plongé dans l'eau... l'eau... l'eau... Il allait retourner dans l'eau... Il se rappela cette minute atroce où le regard de Rachel avait passé sur lui sans le voir. Il n'en ressentait plus l'amertume, mais il s'en souvenait comme on se souvient d'un poteau indicateur qui vous montre la route à suivre. Étant donné ses sentiments, il ne pouvait pas rester à Bon Repos... Un vol d'aigle les entourait tous... La Baie aux Mouettes... Il revit Péronelle couchée dans l'herbe et lisant Browning, et sa pensée s'élança confusément vers elle, vers les autres enfants et vers leur mère... Il avait, du moins, sauvé leur foyer.

— Nous approchons, dit André, tout essoufflé.

Ranulph se tourna vers lui, et son frère, en rencontrant son regard, lui sourit. Ils se trouvaient, une fois de plus, dans un moment d'intimité soudaine et intense... L'ancien prisonnier et celui qui l'avait libéré... Quel plus grand lien pouvait-il y avoir entre deux hommes ? se disait Ranulph... Puis, l'instant d'émotion passé, il ne sentit plus que la pluie, l'herbe trempée et sa propre respiration haletante.

Le sentier qu'ils suivaient s'éloignait de la mer pour descendre dans la valleuse en suivant la courbe de la Baie Bretonne. Des prunelliers et de hauts buissons de mûres formaient une haie qui leur cachait l'anse; mais ils entendaient le bruit qui venait de la grève. Ils descendirent en se frayant un passage parmi les buissons et les herbes, en glissant et en trébuchant sur le rebord humide des roches qui affleuraient au sol. Le sentier se terminait brusquement au niveau de la baie, dans un amas de roches plates couvertes de varech. Un terrien serait tombé en se cassant une jambe, sans doute, s'il avait entrepris de passer sur ces hougues dangereuses; mais André et Ranulph, insulaires tous deux, bondissaient et gardaient leur équilibre comme des chats. Ils eurent vite fait d'atteindre le sable ferme de la baie.

Quelques pêcheurs, parmi lesquels se trouvaient Jacquemin, Hélier et Guilbert, poussaient déjà les barques vers la mer; mais ils n'étaient guère nombreux pour la tâche qui les attendait, et ils accueillirent avec des cris de joie les deux paires de bras qui venaient se proposer.

Une légère brise se faisait à peine sentir sur cette gracieuse petite grève, et comme la marée descendait on pouvait venir à bout des vagues assez facilement; mais au large, la mer était encore démontée; Ranulph, en regardant par là, se rendit compte avec soulagement qu'ils étaient tous fous... La folie courait si bien comme un feu dans ses veines qu'il faillit pousser des cris de joie. Il ne se souvenait plus de rien, maintenant, dans l'excitation de cet instant.

— Où ? demanda-t-il à Guilbert, en se plaçant à côté

de lui pour aider les hommes à mettre l'une des barques
à la mer.

— Aux Barbées, répondit brièvement Guilbert.

Ranulph regarda vers le large, sur la gauche de la baie.
Des jets d'écume cachaient et révélaient, tour à tour, les
récifs du bord occidental des Barbées... Affreuses roches !...
Il lui semblait distinguer un navire pris entre ces écueils.

— On dirait un yacht ! murmura-t-il. Qui diable cela
peut-il être ?

— Des Anglais ! dit Guilbert, en crachant avec mépris.

— Comment le savez-vous ? demanda Ranulph.

— Il n'y a que des Anglais pour faire de la voile autour
de l'Ile par une bourrasque de printemps, répliqua Guilbert
d'un ton furieux, en crachant de nouveau.

— Idiots ! dit Ranulph.

Mais, dans le fond de son cœur, il les remerciait; car,
pour rien au monde, il n'eût voulu se voir privé de cette
joie glorieuse qui le soulevait jusqu'à l'extase.

Ils n'échangèrent plus une parole; la barque filait;
il s'agissait de garder toutes ses forces pour ramer. C'était
une rude besogne, même dans le calme relatif de la baie,
et Ranulph se demandait ce que cela allait devenir dès
qu'ils ne seraient plus à l'abri des falaises. Il ne tarda pas
à le savoir. Ils eurent l'impression d'être précipités tout
à coup dans un bief. La vaste étendue d'eau en furie
venait de les happer et les hommes, penchés sur leur rame,
durent faire appel à toute leur réserve d'énergie pour
maintenir leur barque droit sur le bateau naufragé. Avancer
semblait impossible ! " Tenez bon ! Tenez bon ! " criait
Ranulph; mais le son de sa voix se perdait dans le bruit
de la houle et les clameurs des mouettes. Enfin, par des

efforts surhumains, ils réussirent à manœuvrer et à avancer lentement. Ils avaient le courant contre eux, de sorte que tous leurs efforts se trouvaient détruits à mesure par des forces invisibles qui repoussaient constamment les barques. Il sentait qu'au moindre relâchement, ils se trouveraient précipités dans un abîme. L'écume les enveloppait, en les aveuglant et en leur coupant la respiration ; mais, Dieu merci ! le vent était tombé, car pour Ranulph qui n'avait plus l'habitude de ramer, l'effort était énorme. Il se demandait comment André s'en tirait dans la barque où il était monté ; mais il savait que son frère, malgré sa faiblesse musculaire, était mieux entraîné que lui. Bientôt, tout sentiment de joie se perdit dans l'angoisse de la détresse physique. Il lui semblait qu'un poids d'une tonne était suspendu à la pelle de sa rame, et cet effort lui donnait la sensation que ses poumons allaient éclater et que chacun de ses muscles était tendu jusqu'à la torture. Le battement du sang dans ses oreilles atténuait jusqu'au bruit de la houle. Il ne voyait plus rien ; un rideau rouge interceptait tout.

— Ça ira au retour, dit une voix ; nous aurons le courant pour nous. Faut seulement arriver là-bas.

Arriver là-bas ! Mais comment ? Comment résister assez longtemps ? Le roulement de tambour qui lui battait aux oreilles devenait assourdissant et il avait l'impression d'être écartelé. Est-ce que cela allait durer ainsi pendant des siècles ? A chaque coup de rame, il se sentait sur le point de tout lâcher, et, cependant, sa volonté la lançait en avant — encore un coup... Un cri perça soudain son engourdissement... Ils étaient au but... Guilbert, le meilleur loup de mer des Iles, pour qui la

Manche était ce qu'est une main ouverte pour une chiro-
mancienne, Guilbert leur avait fait faire le tour du bateau
naufragé, par-delà le courant. Dès que Ranulph eut
conscience que ses compagnons pouvaient maintenant
manœuvrer la barque, il se laissa choir sur sa rame; le
rideau rouge qui lui barrait la vue tournait au noir. Une
main qui le tirait par l'épaule le réveilla. En levant la
tête, il aperçut le yacht comme une ombre à travers
l'écume... Il fallait tirer de là ces idiots... Rien qu'une
poignée de gens, Dieu merci !... On distinguait quelques
matelots en bleu, une femme qui tenait un enfant, et un
homme vêtu d'un costume de coutil qui avait dû, naguère,
être blanc. L'imbécile de propriétaire, sans aucun doute.
Guilbert était déjà debout et lançait un cordage. Ranulph
voulut se lever mais son corps ne lui obéissait plus.
Bougre ! plus moyen de se rendre utile ! En tout cas, il les
avait aidés à venir jusque-là. Il apercevait André qui,
debout dans une des autres barques, était aux prises avec
un cordage. André avait supporté mieux que lui cette
horrible épreuve. Ce garçon était, évidemment, plus fort
qu'on ne le pensait.

Le sauvetage des naufragés fut une besogne ardue.
Les vagues assaillaient encore le yacht avec tant de furie
qu'on ne pouvait songer à l'aborder. Les sauveteurs
devaient se contenter de lancer des cordes en criant à
l'équipage de se les fixer autour du corps, puis de sauter
à la mer. Heureusement qu'à l'exception du fou en blanc,
de sa femme et de son enfant, l'équipage se composait
de vrais matelots, si bien que le miracle put s'accomplir
— car tous les insulaires jurèrent plus tard que cela avait
été un miracle. Un cri joyeux, poussé par Jacquemin, se

fit entendre au-dessus du fracas des vagues qui s'écrou-
laient sur les récifs comme pour les engloutir; il annonçait
que les hommes de l'Ile venaient d'accomplir une nouvelle
prouesse. A ce cri, Ranulph sentit les forces lui revenir;
il regarda devant lui et vit un petit bout d'être humain,
ruisselant et inanimé, jeté à ses pieds. C'était l'enfant du
naufrage. Pendant une minute affreuse, il crut que c'était
Colette, tant son esprit vagabondait... Puis le père se
pencha pour la relever — Ranulph, malgré son épuisement,
eut la force de remarquer qu'il était bien Anglais, ce fou —
et sur l'ordre de Guilbert, ils se penchèrent de nouveau
chacun sur leur rame. Ranulph se cramponnait à la sienne
avec des mains si engourdies et si faibles qu'il se demandait
s'il arriverait vivant sur la grève... Il savait que l'heure de
sa mort avait sonné — il le savait depuis la veille. Le retour,
avec le courant qui le poussait, allait être aisé, mais il ne
possédait plus une once d'énergie. Il continuait à ramer,
cependant, en se disant à chaque fois que le prochain
coup de rame serait le dernier. Il sentait, de nouveau,
le sang lui battre aux oreilles. Enfin, il entendit la voix de
Guilbert qui criait : " Nous v'là dans l'anse ! " A ce cri
de triomphe, il fit aussitôt appel à cette réserve de force
cachée que nous mettons en jeu quand nous avons épuisé
notre énergie superficielle. La vie semblait revenir.
L'horrible martèlement de son cœur et l'éclatement de ses
poumons s'adoucissaient. Il manœuvra sa rame avec une
vigueur nouvelle pendant que le rideau rouge s'atténuait
devant ses yeux; et il eut, avec toute la netteté et l'éloignement d'une hallucination, une vision magique de l'Ile
entière. Il lui semblait voir tout, jusqu'aux moindres
détails. La pluie avait cessé et des échappées bleu clair

se montraient entre les nuages qui s'effilochaient maintenant en nuées de gaze grise. On sentait venir le soleil,
et la petite baie, où le flot lançait des guirlandes d'écume
blanche en demi-lunes sur le sable lisse, étincelait d'or
et d'argent au pied des falaises sombres. Au-dessus de la
pourpre et de l'indigo des cavernes et des grottes rocheuses,
les jeunes fougères et les aubépines mettaient un mouton-
nement de vert cru entre la mer et le ciel; au-dessus de
tout cela, les spirales de fumée bleue qui s'élevaient du
village rose et blanc des pêcheurs flottaient vers les terres,
emportées par le vent.

Ranulph eut, un instant, l'impression que l'Esprit de
l'Ile se glissait entre lui et cette scène où ses trésors les
plus glorieux lui étaient révélés. Il revit Bon Repos et ses
tourterelles endormies sous le chaud soleil d'été, les rues
pavées de Saint-Pierre et les eaux mauves du port au
coucher du soleil, les voûtes vertes des sentes d'eau, le
marché avec ses fruits, ses légumes et ses fromages, la
vieille église de Saint-Raphaël, offrant ses quatre faces au
vent, les hougues roses et les tamaris de l'Autel. L'Ile !
Cet esprit d'Ondine, cette chose douce, magique et impé-
tueuse qui lui avait donné la vie et qui la lui enlèverait !
Comme cette vision se dissipait, il entendit un cri d'alarme
poussé par Guilbert.

En arrivant dans la baie, un moment d'inattention
causé par la fatigue et la victoire les avait fait dériver
trop près des roches qui prolongeaient la falaise du nord
dans la mer. Une grande lame, lancée par la houle du
large, passa par-dessus les écueils et les atteignit juste
au moment où les eaux plus calmes de la baie venaient de
les entraîner à relâcher leur vigilance. L'embarcation

donna de la bande, une plaque d'eau glacée vint les tremper et les aveugler, et, soit par une sottise naturelle, soit par émoi, l'Anglais en coutil blanc ne sut pas retenir l'enfant. Elle passa aussitôt par-dessus bord et fut entraînée vivement loin de la barque par le ressac. Sa petite tête blonde fit à Ranulph l'effet d'être celle de Colette. Avant que l'embarcation eût eu le temps de se redresser, il avait sauté à la poursuite de l'enfant et il nageait si vite qu'en une demi-douzaine de brasses, il l'avait rejointe et attrapée. Mais ce fut sa dernière action. Déjà, au moment où il empoignait la petite, la crampe qu'il craignait s'emparait de lui. Tout en ayant soin de maintenir la tête de l'enfant au-dessus de l'eau, il luttait contre le courant qui l'éloignait de la barque et surveillait avec angoisse la silhouette de Guilbert, qui avait plongé à sa suite et nageait vers lui. Arriverait-il à temps ? Il tenait ses yeux fixés sur le bras du jeune pêcheur qui, arrondi au-dessus de sa tête, fendait l'eau d'un mouvement puissant et régulier; les derniers efforts de sa volonté furent employés à maintenir en suspens cette crampe mortelle... Guilbert le rejoignit...

— Tout va bien ! balbutia Ranulph. Prenez l'enfant !

Il tint bon encore un instant et eut le temps de voir les pêcheurs qui s'efforçaient de manœuvrer la barque pleine d'eau pour s'éloigner de cette zone dangereuse et Guilbert qui nageait vigoureusement en emportant l'enfant vers eux; il entrevit aussi l'anse dorée et cette guirlande d'écume en demi-lune qui la cernait; puis, abandonnant volontairement tout effort, il coula comme une pierre.

IX

Cinq heures plus tard, André, reposé, restauré, et ayant endossé des vêtements secs, se tenait debout à la fenêtre de la cuisine; il regardait dans la cour. Lui et Rachel étaient seuls dans la maison avec le corps de leur frère. Lorsque Jacquemin était accouru à Bon Repos avec la nouvelle du désastre, Rachel avait envoyé tous les enfants se promener. Elle n'avait même pas voulu garder Péronelle près d'elle, malgré les prières et les supplications de sa fille. Ils n'avaient jamais vu la mort de près. Quelle terrible chose c'eût été, dit-elle ensuite à André, si Ranulph qui avait sauvé Bon Repos pour les enfants eût été la cause de leur premier mouvement d'horreur !... Il ne lui eût jamais pardonné cela... Elle les avait donc expédiés au loin.

André regardait par la fenêtre un monde devenu d'un bleu verdâtre assez vif. Les derniers vestiges de la bourrasque avaient disparu. Il n'en restait que la délicieuse fraîcheur de l'air, ainsi que le parfum des fleurs brisées et de la terre humide. Le ciel qui recouvrait ce monde parfumé était bleu et sans nuages; les ombres dans la cour et les volutes de fumée qui s'échappaient de la cheminée étaient également bleues, et, par la porte du jardin, on apercevait les gerbes vertes des feuilles de jacinthe et les épis mauves des fleurs parfumées. Mais André ne voyait rien de tout cela. Ses yeux, grands ouverts et comme hantés, ne voyaient que la grève de la Baie

Bretonne et le corps de son frère mort, étendu sur le sable, pendant que les vagues, dans leur cadence insensible, venaient déferler à ses pieds... Horribles petites vagues !... Elles faisaient penser aux pattes d'un animal qui, après avoir tué sa victime, joue avec son cadavre.

Le drame s'était déroulé avec une telle rapidité qu'André croyait être la proie d'un cauchemar dont le souvenir allait se dissiper à mesure que le soleil monterait. Au milieu de la confusion causée par le sauvetage de l'enfant et la nécessité de vider la barque emplie d'eau, dans l'état d'épuisement où ils se trouvaient tous, on ne s'était aperçu qu'au bout d'un instant de la disparition de Ranulph. C'est André et Jacquemin qui, à bord de la seconde barque, l'avaient découvert et ramené sur la grève — trop tard ! Dans la maisonnette de Sophie, ils avaient fait tous leurs efforts pour le rappeler à la vie, mais sans succès. Ranulph avait été amené dans l'Ile par un naufrage, et c'était un naufrage qui le remmenait. Après avoir envoyé Jacquemin prévenir Rachel, André était resté là pour suivre la claie sur laquelle Guilbert et Hélier transportaient Ranulph à Bon Repos. A mesure qu'ils avançaient, lentement, avec leur fardeau, le long du chemin escarpé qui menait de l'anse au sommet de la falaise, puis, par la Baie aux Mouettes et le sentier de la ferme, la journée devenait de plus en plus belle et ensoleillée. Les oiseaux chantaient comme des fous dans les buissons, et ce n'était plus dans la terreur, mais pleines de joie, que les mouettes dessinaient des arabesques dans le ciel bleu, sur les nuées grises échevelées et sur la mer moutonneuse couleur de jade. Dans ce monde qui venait de passer de la mort à la vie, la présence de ce cadavre avait quelque chose d'incongru, comme un souvenir du passé attardé un peu trop longuement dans le présent. Malgré sa douleur et sa fatigue, André eut brusquement l'impression, pendant qu'il avançait ainsi sous ce ciel de plus en plus beau, que c'était en réalité un jour de renaissance pour lui et pour Bon Repos. Les années de luttes, d'angoisses et de sacrifices étaient finies; une nouvelle existence commençait... Son regard revint vers le mort qu'on portait devant lui... Une époque nouvelle enracinée, comme toujours, dans la mort. " Si le grain de froment ne meurt après qu'on l'a jeté dans la terre [1]. " La vérité de cette règle de vie, éclatant dans cette belle matinée, vint frapper André au cœur.

Maintenant, il se tenait calme et tranquille à la fenêtre de la cuisine, comme si rien ne se fût passé, tandis que, là-haut, au-dessus de sa tête, il entendait Rachel aller et venir dans la chambre. Elle faisait la dernière toilette du mort. Il frissonna. Il pensait avec peine qu'elle était seule pour accomplir cette pénible tâche; mais elle l'avait exigé; elle n'avait permis à personne de venir l'aider. Il comprenait son sentiment. Une tempête de regrets et de remords la bouleversait comme lui. Cet homme qui les avait sauvés voulait devenir un des leurs, et eux, qui lui devaient tout, n'avaient pas voulu de lui !

Le silence se fit enfin là-haut. Il imaginait Ranulph, étendu dans le grand lit, sous l'image du *Jugement dernier*, pendant que Rachel, agenouillée, priait près de lui; malgré sa douleur, il se demanda un instant à quel point ces deux êtres tenaient l'un à l'autre... Puis, comme au

1. Saint Jean, XII, 24.

même moment, il entendit Rachel descendre, il repoussa cette pensée avec horreur. Elle entra et, passant son bras sous le sien, vint regarder avec lui la scène qu'ils avaient devant les yeux.

— Que c'est beau ! dit-elle. Et tout cela est à nous pour toujours !... Votre véritable existence va enfin commencer... Et les enfants... Nous ne saurons jamais tout ce qu'il a fait pour eux... Et pourtant, nous ne voulions pas de lui ici !

— Dieu soit loué qu'il ait ignoré cela !

— Mais non, dit Rachel, il le savait. Il savait tout. C'est ce qui le rendait un peu bizarre. Il devinait chez nous tous un certain refus de le considérer vraiment comme un des nôtres. Chaque famille tient à préserver sa vie intime, malgré tous les amis qu'elle peut avoir, n'est-ce pas, tout comme chacun de nous ? Celui qui pénètre dans le sanctuaire a beau avoir toute notre tendresse, nous n'en avons pas moins l'impression qu'il le viole. Le père, la mère et les enfants forment une trinité; un quatrième en détruirait l'équilibre, troublerait les relations de ces êtres entre eux... Ranulph a failli bouleverser les nôtres, à tous deux... Chaque famille doit faire son salut par elle-même. Nous ferons le nôtre.

André ne consentait pas à se laisser réconforter.

— Le salut qui nous est venu par lui, dit-il.

— En faisant le sien aussi, répliqua-t-elle. Y avait-il plus égoïste que lui quand il nous est arrivé ? Et pourtant, en moins d'une année, il est parvenu à n'avoir plus d'autre pensée que de sauver toute une famille, et il a donné sa vie pour un enfant... C'est l'Ile qui a fait ce miracle.

— L'Ile ? dit André.

Rachel lui passa un bras autour du cou.

— On ne peut pas être égoïste dans cette Ile, répondit-elle. Un tel charme rayonne dans ce petit espace ! Grâce à la mer qui nous encercle et qui nous maintient si proches les uns des autres, nous sommes forcés de nous tenir les coudes et de vivre les uns pour les autres — tous les êtres, les saisons, les oiseaux, les fleurs et l'eau qui court. Ceux qui vivent dans une Ile savent ce que c'est que l'unité... Et la paix. Je crois que Ranulph a trouvé la paix dans notre Ile.

Elle parla ainsi pendant un moment et trouva moyen de réconforter enfin André. Ils s'assirent côte à côte sur la jonquière pour regarder le soleil monter dans le ciel jusqu'à ce qu'un bruit de pas les fît sortir dans la cour. Les enfants rentraient, chargés de fleurs : les jacinthes, les cardamines, les lychnis et les boutons d'or s'échappaient de leurs bras. Colette chancelait presque sous la gerbe qu'elle portait.

— J'ai pensé qu'il valait mieux leur faire *faire* quelque chose, dit Péronelle, la femme pratique. Alors, j'ai dit que je donnerais douze liards, pris sur l'argent du ménage, à qui aurait la plus belle gerbe... C'est Colette qui a gagné.

Colette soulevait son énorme bouquet vers le ciel comme pour en faire hommage au soleil ou à l'esprit invisible de la maison.

— Oh ! mais nous avons tous oublié ! s'écria Péronelle. C'est Pâques aujourd'hui !

Les pages qui suivent contiennent la liste complète des ouvrages parus et à paraître dans la Série Romanesque du

LIVRE DE POCHE

qui publie chaque mois les chefs-d'œuvre français et étrangers de la littérature contemporaine, dans leur texte intégral.

Le succès sans précédent du LIVRE DE POCHE témoigne à lui seul de ses qualités.

La série romanesque qui compte déjà plus de 250 titres de premier plan est complétée par quatre autres séries :

LA SÉRIE CLASSIQUE qui a pour but de publier en version intégrale les chefs-d'œuvre du passé présentés par les écrivains modernes.

LA SÉRIE ENCYCLOPÉDIQUE dont les ouvrages apportent aux lecteurs une somme de connaissances pratiques dans les domaines les plus divers.

LA SÉRIE EXPLORATION qui groupe des récits d'aventures vécues et de voyages, permettant de mieux connaître les aspects insoupçonnés de notre planète.

LA SÉRIE HISTORIQUE enfin, dont les textes, pour être appuyés sur la documentation la plus solide, n'en restent pas moins aussi passionnants à lire que des romans.

Tous les volumes du LIVRE DE POCHE sont présentés dans un format élégant, avec une typographie claire et soignée, sous une couverture plastifiée, illustrée en quatre couleurs.

Achetez au fur et à mesure les volumes qui figurent au programme des différentes séries et vous vous constituerez, aux moindres frais, une bibliothèque incomparable.

LE LIVRE DE POCHE

VOLUMES PARUS

VOLUMES PARUS ET A PARAITRE DANS LE 4ᵉ TRIMESTRE 1958

Volume double : (*)

LE LIVRE DE POCHE
CLASSIQUE

Cette nouvelle série n'est pas conçue dans un esprit scolaire. Elle entend présenter les grandes œuvres consacrées par le temps dans tous les pays et remettre en lumière certains écrivains qui, faute d'une diffusion suffisante, n'ont pas conquis la notoriété qu'ils méritaient.

Selon la règle du LIVRE DE POCHE, tous les textes seront publiés intégralement dans l'édition la plus correcte et, s'il s'agit d'auteurs étrangers, dans la traduction la plus fidèle.

Pour chaque volume, un des plus grands écrivains français de ce temps a accepté de rédiger une préface, qui situera l'œuvre et l'auteur.

Tous les esprits soucieux de culture trouveront dans cette série ample matière à réminiscences ou à découvertes.

VOLUMES PARUS ET A PARAITRE EN 1958

Juin

L'ÉTERNEL MARI
par DOSTOIEVSKI
Préface de Pierre Gascar

LES LIAISONS DANGEREUSES
par CHODERLOS DE LACLOS
Préface de André Malraux

Juillet

LA DUCHESSE DE LANGEAIS
suivi de **LA FILLE AUX YEUX D'OR**
par H. DE BALZAC
Préface de Philippe Hériat

Août

LE ROUGE ET LE NOIR
par STENDHAL
Préface de Roger Nimier

Septembre

ADOLPHE
suivi de **CÉCILE**
par Benjamin CONSTANT
Préface de Marcel Arland

Octobre

LA SONATE A KREUTZER
suivi de **LA MORT D'IVAN ILITCH**
par TOLSTOI
Préface de Jacques Chardonne

Novembre

LA PRINCESSE DE CLÈVES
par MADAME DE LA FAYETTE
Préface de Louise de Vilmorin

Décembre

LE JOUEUR
par DOSTOIEVSKI
Préface de Michel Butor

LE LIVRE DE POCHE
ENCYCLOPÉDIQUE

Cette série a pour objet d'éclairer et d'instruire ses lecteurs sur leur comportement devant les multiples exigences de la vie moderne.

Qu'il s'agisse de connaissances pratiques indispensables, ou de conseils psychologiques, les volumes qui la constituent apportent la solution simple et efficace aux problèmes, petits ou grands, qui se posent quotidiennement.

A la commodité du format, au peu d'encombrement de l'ouvrage, à son aspect plaisant, correspondent la clarté de l'exposition, la simplicité et la précision du texte, le souci constant de ne rien omettre d'essentiel.

Pour remplir ce programme, LE LIVRE DE POCHE ENCYCLOPÉDIQUE a fait appel au meilleur spécialiste de chacun des sujets traités.

VOLUMES PARUS

LA PÊCHE ET LES POISSONS DE RIVIÈRE
par Michel DUBORGEL

LA CUISINE POUR TOUS
par Ginette MATHIOT

LAROUSSE DE POCHE

HISTOIRE DE LA MUSIQUE
par Émile VUILLERMOZ

BEAUTÉ-SERVICE
par Josette LYON

LES MAINS PARLENT
par le Professeur Josef RANALD

COMMENT SE FAIRE DES AMIS
par Dale CARNEGIE

COMMENT CONNAITRE VOTRE ENFANT
par Rose VINCENT et Roger MUCCHIELLI

L'HOMME, CET INCONNU
par Alexis CARREL

LA CHASSE ET LE GIBIER DE NOS RÉGIONS
par Jérôme NADAUD

VOTRE CHIEN
par J. R. KINNEY et A. HONEYCUTT

LE LIVRE DE POCHE
EXPLORATION

Dans cette série, la dernière née, LE LIVRE DE POCHE publiera les récits d'exploration, d'aventures et de voyages les plus originaux et les plus passionnants.

Les auteurs, spécialistes des modes de prospection les plus variés, nous entraîneront dans des voyages et des découvertes surprenantes : fonds sous-marins, ou grottes préhistoriques, sommets enneigés ou volcans, déserts de glace ou de sable, autant de pérégrinations qui contribueront à une connaissance plus exacte de notre monde et de ses habitants.

Cette série dynamique et actuelle captivera les lecteurs de tous les âges et élargira leurs horizons.

VOLUMES PARUS

Juillet

L'EXPÉDITION DU « KON-TIKI »
par THOR HEYERDAHL

Août

L'EXPÉDITION ORENOQUE-AMAZONE
par Alain GHEERBRANT

Octobre

NAUFRAGÉ VOLONTAIRE
par Alain BOMBARD

VOLUME A PARAITRE

Janvier

LE MONDE DU SILENCE
par J.-Y. COUSTEAU - F. DUMAS

LE LIVRE DE POCHE
HISTORIQUE

Avec cette série, le dessein du LIVRE DE POCHE a été de publier les études historiques non seulement les plus valables, mais dont la lecture soit aussi attachante que celle d'un roman. Aussi a-t-il rassemblé des historiens et des mémorialistes, qui soient en même temps des écrivains de grande classe. Toujours complètement et scrupuleusement documentés, leurs ouvrages restent donc d'une lecture aisée et captivante.

LE LIVRE DE POCHE HISTORIQUE mettra ainsi à la portée du lecteur un ensemble unique de documents aussi agréables qu'utiles à consulter, d'où se dégagera peu à peu la vaste succession des événements qui retracent l'histoire des pays et des hommes depuis les origines jusqu'à nos jours.

VOLUMES PARUS

BRODARD ET TAUPIN — IMPRIMEUR - RELIEUR
Paris-Coulommiers. — France.

3034 - III - 11 - 2 - Dépôt légal n° 935 - 4e trimestre 1958